Y0-AQL-157

DAS GEHT AUF KEINE KUHHAUT

KURT KRÜGER-LORENZEN

Das geht auf keine Kuhhaut

Deutsche Redensarten —
und was dahinter steckt

Zeichnungen von
Franziska Bilek

ECON-VERLAG GMBH · DÜSSELDORF

Gestaltung von Einband und Schutzumschlag

Werner Rebhuhn, Hamburg

1. bis 6. Tausend September 1960

7. bis 10. Tausend Dezember 1960

11. bis 15. Tausend Juni 1961

16. bis 18. Tausend Februar 1963

4. verbesserte Auflage

Gesamtherstellung: Droste Verlag und Druckerei GmbH, Düsseldorf, Pressehaus.

Printed in Germany

Vorwort

Lieber Leser!

«Nun schlägt's aber dreizehn! Das geht ja auf keine Kuhhaut!» werden Sie vielleicht empört ausrufen. «Der Autor will uns wohl auf den Arm nehmen und blauen Dunst vormachen. Da schüttelt er einfach einen Haufen Redensarten aus dem Ärmel und macht uns solange ein X für ein U vor, bis wir aus der Haut fahren!»

Gemach! Ich will Ihren Zorn nicht auf die leichte Schulter nehmen und wünsche auch nichts zu bemänteln. Im Gegenteil! Ich will die Rechnung nicht ohne den Wirt machen. Ich habe auch keine grossen Rosinen im Kopf: ich will nur erläutern, was Ihnen bei unseren Redensarten wie böhmische Dörfer vorkommt. Es ist nämlich nicht nur amüsant, sondern auch lehrreich zu wissen, wo Barthel den Most holt und was *hinter* unseren oft so blumigen Aussagen steckt. Das ist des Pudels Kern!

Also, frisch ans Werk und hinein in die Lektüre! Sie werden hernach den Tag rot im Kalender anstreichen, an dem Ihnen das bewußte Licht aufgegangen ist! Sie können dann manch einen in der Unterhaltung in den Sack stecken oder ihn sogar aus dem Sattel heben! Da liegt der Hund begraben!

In diesem Sinne Ihr wohlgeneigter

Prügelknabe,

der hoch und heilig versichert, an dieser Schrift

nichts verballhornt zu haben!

Allein in unserem kleinen Vorwort von fünfundzwanzig Zeilen sind zweiundzwanzig Redensarten enthalten. Ein Beweis für die große Rolle, die sie in unserer Sprache spie= len. Der Mann von der Straße bedient sich ihrer genauso gern und häufig wie der Gebildete. Und beide verstehen genau den Sinn der Redensart, ohne meistens ihre Her= kunft zu kennen. Aber es lohnt sich, zu den Quellen zurückzugehen.

Auf diesem Wege enthüllt sich uns der ganze Reichtum der deutschen Sprache und zugleich der Wandel unserer Kultur.

So begleiten uns die Redensarten auf Schritt und Tritt als kostbares Erbgut aus frühester Zeit.

Dies Buch ist weder ein Zitatenschatz noch eine land= schaftlich, beruflich oder sonstwie gebundene Sprichwort= sammlung. Daß es keinen Anspruch auf Vollständigkeit erhebt, versteht sich von selbst. Es beschränkt sich auf jene Wendungen, die uns besonders bemerkenswert er= scheinen, die noch täglich gebraucht werden und über deren Entstehung wir uns zunächst den Kopf zerbrechen.

Die Entwicklung solcher Redensarten ist keineswegs ein abgeschlossenes Kapitel unserer Sprachgeschichte. Wir wissen, daß ständig neue Wendungen entstehen, deren Herkunft oft nur den «Eingeweihten», wie etwa Seeleu= ten, Fliegern, Technikern, Handwerkern, Studenten, fah= rendem Volk oder gar Gaunern mit ihrem Rotwelsch, verständlich ist. Solche Wendungen gehen oft schon nach verhältnismäßig kurzer Zeit in den Sprachgebrauch, also in die Umgangssprache über. Das zeigt die Landser= sprache der beiden Weltkriege und neuerdings die Teen= agersprache. Das Buch soll es aber nur mit den *bleibenden Aneignungen* zu tun haben, denn es ist nicht ausgemacht, was von diesen Redewendungen schnell und spurlos wie= der verfliegt! — Nur der Kuriosität halber bringe ich am Schluß einen kleinen, fröhlichen Anhang kurzer Aus= schnitte aus der Seemanns=, Teenager= und Gaunersprache, lediglich um zu beweisen, daß keiner von uns ohne ein Speziallexikon die verwirrende Fülle solcher Ausdrücke versteht, wenn er nicht einer dieser Gruppen angehört.

Nicht jede Redensart hat einhellig einen ganz bestimmten Ursprung. Oft bieten sich zwei oder mehrere Deutungen an. Der Sprachforscher weiß ein Lied davon zu singen, wie schwierig es ist, auch nur zu einer halbwegs befriedigenden Lösung zu gelangen. Damit will ich meinen Leser nicht belästigen. Möge er seine Freude an der saftigen und humorvollen Bildhaftigkeit unserer Sprache haben! Wenn er dabei gelegentlich zum Nachdenken verführt wird, soll's genug sein!

Bad Homburg vor der Höhe
Herbst 1960 KURT KRÜGER-LORENZEN

Eigentlich hatte es sich in der Anordnung so ergeben, dies Buch mit dem Schimpfwort « altes Aas » zu beginnen und bei der « Zwietracht » aufzuhören. Ich überlegte aber dann, daß es wohl wenig liebenswürdig sei, den verehrten Leser mit einer Kränkung zu empfangen und ihn im Mißklang eines Zerwürfnisses zu entlassen. Seien wir also nett zueinander und eröffnen den Reigen mit: *« Du bist mein A und O! »*

A

A

Das A und O sein: der Anfang und das Ende sein; die Hauptsache, das Wesentliche, das Bedeutungsvollste darstellen. — In der Offenbarung des Johannes heißt es im Kapitel 1, Vers 8: « Ich bin das A und das O, der Anfang und das Ende, spricht Gott der Herr. » A (Alpha) ist der erste und O (Omega) der letzte Buchstabe des griechischen Alphabets.

AAL

Glatt wie ein Aal: aalglatt, schlüpfrig, listig, schlau, gerieben, diplomatisch, durchtrieben, raffiniert, doppelzüngig. — « Er ist glatt wie ein Aal », sagt man von einem schlauen Menschen, der immer wieder entschlüpft, wenn man ihn gefaßt zu haben glaubt.

Sich winden wie ein Aal: einer peinlichen Lage, einer Schwierigkeit zu entkommen, zu entschlüpfen suchen. — So wie sich der Aal mühelos den Händen entwindet, die ihn umschließen, gelingt es auch dem Menschen, der « sich wie ein Aal windet », einer unangenehmen Situation Herr zu werden.

Sich aalen: sich behaglich rekeln; sich faul (nament=lich am Strande in der Sonne) dehnen und strecken. — Der Volksmund hat hier das « Sich=Winden des Aals » als eine « lustbetonte Bewegung » gedeutet.

AAS

Altes Aas: Schimpfwort. Schon bei Hans Sachs auf nichtswürdigen Menschen angewendet. — Abgeleitet von der unangenehmen Empfindung, die beim Anblick und Geruch eines Kadavers entsteht.

Dummes oder dämliches Aas: dummer und wider=licher Mensch.

Schlaues Aas: durch besondere Gerissenheit als peinlich und ärgerlich empfundene Person, aber auch im Sinne von Bewunderung gebraucht.

Vornehmes oder feines Aas: anziehend wie ab=stoßend wirkender Mensch in guten Verhältnissen; fein=gekleidet und mit vornehmen Allüren.

Kein Aas: niemand. « Kein Aas war da! » be=deutet, daß nicht einmal ein niederträchtiger, nichtswür=diger Mensch oder gar eine Tierleiche zu sehen war.

Er is'n Aas uf de Baßjeije: hier « Aas » nicht nur Schimpfwort, sondern im Sinne von « tüchtig », nicht auf den Kopf gefallen, fähig (Berlinisch).

Aasen: vergeuden, verschleudern, verschwenden, verprassen, durchbringen. — Berliner Ausdruck des 18. Jahrhunderts. Nicht abgeleitet von « äsen », sondern von aasfressenden Vögeln (Geiern, Raben), die sich die Beute gierig um den Schnabel schlagen, um sie so zu zer=kleinern und dann zu schlucken. Ein Bild, das den Eindruck erweckt, die Vögel verschleuderten ihren Fraß.

ABBLITZEN

Einen abblitzen lassen: jemand schroff abweisen; eine scharfe Antwort geben; einem etwas versagen. — Bei den alten Schießgewehren blitzte das Pulver auf der Ge=

Sich aalen . . .

wehrpfanne häufig ab, ohne daß der Schuß losging. Dieser Vorgang wurde zum Bild für die unvermittelte Abfuhr (s. d.).

ABFUHR

Jemand eine Abfuhr erteilen: Wer seinen Gegner im Felde besiegt, ihn im Rededuell oder in einer Streitschrift schlägt, erteilt ihm eine Abfuhr. — Der Ausdruck stammt von der Mensur, dem studentischen Zweikampf. Hatte ein Paukant (Fechter, Zweikämpfer) so schwere Säbel- oder Schlägerhiebe erhalten, daß er von seinem Sekundanten abgeführt werden mußte, so galt das als Abfuhr.

ABGEBRANNT s. BRAND

ABGEBRÜHT

Ein abgebrühter Kerl: ähnlich dem « ausgekochten Jungen »: ein kaltschnäuziger, empfindungsloser, zynischer Mensch, den nichts anficht und der sich so leicht nicht aus der Ruhe bringen läßt. — Wer die Prozedur des Abbrühens oder Auskochens lebend überstand, den kann nichts mehr erschüttern. Wahrscheinlicher ist, daß « brühen » nicht aus der Küchensprache, sondern aus dem Bereich des Geschlechtslebens kommt. Brüden oder brüten meint: ein Mädchen zur Frau machen, entjungfern, schließlich allgemein den Geschlechtsverkehr. Ebenso stammt das Wort Brautnacht für Hochzeitsnacht von brüden, das allmählich die heutige Bedeutung von unverschämt, hemmungslos, schamlos angenommen hat.

ABGEFEIMT

Ein abgefeimter Bursche: wie « abgebrühter Kerl » ein durchtriebener, arglistiger, dickfelliger, mit allen Wassern gewaschener Mensch. — Althochdeutsch feim, mittelhochdeutsch veim ist die Bezeichnung für Schaum. Ein abgeschäumter Bursche ist ursprünglich ein echter und reiner Kerl. Erst später bekam das Wort feim (schon von Luther gebraucht) oder Schaum einen verächtlichen Sinn, wie im «*Abschaum der Menschheit*».

ABKARTEN

Eine abgekartete Sache: eine vorher beschlossene, arglistig vereinbarte, verabredete Sache. — Dies Wort kommt ursprünglich aus der Rechtssprache und bezieht sich auf die durch Urkunde (charta) getroffene Vereinbarung, den Vertrag. Erst später wurde die Redensart auch von Kartenspielern gebraucht, die miteinander ausmachten, einen Mitspieler hineinzulegen und zu schröpfen.

ABKNÖPFEN

Jemand etwas abknöpfen: ihn um Geld oder andere Wertgegenstände erleichtern; abnehmen, abnötigen, auch borgen. — Reiche Herren trugen früher häufig goldene und silberne Knöpfe, manchmal auch Münzen oder Medaillen (Goethes Gorgonenknöpfe!), an ihren Röcken. In Geberlaune schenkten sie gelegentlich solche Knöpfe dem Untergebenen, der seinem Herrn auf diese Weise wörtlich «etwas abknöpfte».

ABSCHAUM DER MENSCHHEIT s. ABGEFEIMT

ACHILLESFERSE

Jemand an seiner Achillesferse treffen: nämlich die schwache, verwundbare Stelle eines Menschen. — Nach der griechischen Sage tauchte die Meeresgöttin Thetis ihren neugeborenen Sohn Achilles in den Unterweltsfluß Styx, um ihn unverletzlich zu machen. Nur die Ferse, an der sie ihn hielt, blieb unbenetzt und daher verwundbar. An dieser Stelle traf ihn der Pfeilschuß des in der Gestalt des Paris auftretenden Apollon tödlich. Die Redewendung ist erst in der Zeit des Humanismus zu uns gekommen wie das Wort «*Zankapfel*».

ACHSEL

Etwas auf die leichte Achsel nehmen: etwas für leicht, unwichtig und unbedeutend ansehen und deshalb nicht beachten. — Freilich ist die Achsel weder leicht noch schwer. Gemeint ist vielmehr, ob man die Sache für leicht oder schwer hält, die man auf die Achsel nimmt. Ebenso: *« etwas auf die leichte Schulter nehmen ».*

Jemand über die Achsel ansehen: ihn geringschätzig ansehen, verachten. — Geht von der Vorstellung aus, daß man jemand nicht für wert hält, ihm voll ins Gesicht zu sehen, sondern sich damit begnügt, ihn mit einer leichten Wendung des Kopfes zu streifen, « über die Achsel anzusehen ». Ähnlich: *« jemand die kalte Schulter zeigen »*, sich nicht einmal mehr nach ihm umdrehen, ihn keines Blickes würdigen, ein kalt abweisendes Zeichen völliger Verachtung.

Mit den Achseln zucken: etwas mit Bedauern ablehnen. — Ursprünglich eine Reflexbewegung zu Abwehr und Selbstschutz. Erscheint im 17. Jahrhundert als Redensart mit dem Sinn der Zurückweisung.

AFFE

Einen Affen (sitzen) haben: betrunken sein. — *Sich einen Affen kaufen* = sich betrinken. Das seltsame Wesen eines Menschen wird nach altem Volksglauben durch einen Dämon oder ein Tier verursacht, das in den Wunderlichen hineinschlüpfte. Daß es beim Trunkenen der possierliche, spaßige Affe ist, kann man leicht einsehen. Man stellt ihn sich aber auch, wie beim Gaukler, auf den Schultern des Zechers hockend vor (Zeichnung Moritz v. Schwinds, 1804—71). Auf dieser Vorstellung beruht auch die Bezeichnung « Affe » für den fellüberzogenen Tornister (Soldatensprache seit 1870).

Seinem Affen Zucker geben: seiner Eitelkeit frönen. — Da der Affe liebend gern in den Spiegel schaut, hält man ihn für eitel. Gibt man ihm den begehrten Zucker, steigert man seine Eitelkeit — so die naive menschliche Auffassung! — Die *Affenschande* hat mit dem Affen nichts zu tun: sie ist eine *offene* Schande! (Siehe auch *Maulaffen!) Affenliebe* ist die übertriebene Elternliebe zu den Kindern, genommen vom Bilde der Zärtlichkeit, mit der die Affenmutter ihre Jungen hegt. In der Wendung *vom Affen gebissen* ist die Ansicht vertreten, der Affe könne durch einen Biß seine zeitweilige Unberechenbarkeit auf den Menschen übertragen. *Mich laust der Affe* s. Laus. *Nicht für einen Wald voll Affen:* Ablehnung eines unannehmbaren Vorschlags, s. Wald.

ALP

Es lag mir wie ein Alp auf der Brust: eine schwere Sorge bedrückte mein Herz. — Mittelhochdeutsch « alp » = drückendes Nachtgespenst, ängstigende Traumgestalt, dazu Alboin = Albwin, Albhard. Die Alben sind tückische Wesen (siehe *Daumen).* Das gleiche Wort wie engl. « elf ». Alberich ist der Elfenkönig (ital. Alberico, franz. Auberon, daraus Oberon). Niederdeutsch « der Mahr » (engl. « night-mare », franz. « cauchemar »). Wenn nach dem bösen Traum der Druck des tückischen Kobolds gewichen ist, sagt man: « *Mir fiel ein Alp* (s. auch *Stein) vom Herzen!* » (Hat nichts mit den *Alpen* zu tun!) Alptraum, Alpdrücken, Alpschluchzen.

AMTSSCHIMMEL s. SCHIMMEL

ÄRMEL

Etwas aus dem Ärmel schütteln: etwas vermeintlich Schwieriges leicht, mühelos und spielend tun, besonders bei Dingen, die sonst einer Vorbereitung bedürfen, etwa bei einer Rede. — Der Ausdruck erklärt sich aus der spätmittelalterlichen Mode der weiten, taschenförmigen Ärmel, aus denen manchmal Überraschendes zutage gefördert wurde; auch auf Zauberkünstler und Taschen=

spieler gemünzt, die zum Erstaunen des Publikums verblüffende Dinge aus dem Ärmel schütteln.

ANBÄNDELN

Mit jemand anbändeln: eine Liebelei beginnen — nach der einstigen Sitte, sich unter Verliebten gemalte Bänder als Symbole für Freundschafts- und Liebesbande zu schenken. — Wer anbändelt, möchte sich dem anderen nähern.

Mit jemand anbinden: mit ihm Streit anfangen. — Vor dem Fechten wurden die Klingen kreuzweise übereinander gelegt, « gebunden » — als Zeichen zur Einleitung des Kampfes. Wer mit jemand anbindet, beginnt also die Feindseligkeit.

Angebinde, ein Angebinde machen: ein Festgeschenk, das tatsächlich nach früherer Sitte Bräuten, Wöchnerinnen und Kindern zum Geburts- oder Namenstage an den Arm gebunden oder um den Hals gehängt wurde. Schickten Freunde oder Verwandte aus der Ferne Geschenke, wurde ein Band zum Anbinden beigelegt.

Kurz angebunden sein: nennt man jemand, der wortkarg, abweisend, schnippisch und barsch ist. — Gegenteil von « weitläufig ». Der an kurzer Kette gehaltene Hofhund, der nicht « weit laufen » kann, gilt als bissig. « Kurz angebunden » ähnlich wie « streng gehalten ».

ANHÄNGEN

Jemand etwas anhängen: Nachteiliges über ihn erzählen; üble Nachrede führen; verleumden. — Im Recht des Mittelalters waren sinnfällige, oft drastische Strafen üblich. Dem Rechtsbrecher wurde beispielsweise ein anschauliches Zeichen seines Strafanlasses um den Hals gehängt. Dem Dieb der gestohlene Gegenstand, Trinkern eine Flasche, zänkischen Weibern ein Besen und Buhlerinnen Steine von obszöner Form. Während aber damals den Missetätern etwas « angehängt » wurde, was auf ihr

Mit jemand anbinden ...

Vergehen deutete, so wird heute mit der Redensart gerade der gemeint, dem zu Unrecht etwas «angehängt» wird. Ähnlich *«am Zeuge flicken»*. Siehe Zeug.

ANKRATZ

Guten Ankratz haben: viel begehrt werden. Besonders von schönen oder auch nur vermeintlich schönen Mädchen gesagt, die von einem Schwarm junger (auch älterer!) Männer umworben werden. — Kratzen hier im Sinne von schmeicheln, krabbeln. In galanten Zeiten begrüßte der höfliche Verehrer seine Angebetete mit einem sogenannten Kratzfuß. Tatsächlich wurde zum Zeichen der Ehrerbietung mit dem Fuß gekratzt (aus der Vogelwelt entlehnt!). Die Redensart stammt bereits aus dem 16. Jahrhundert, war eine Zeitlang verschollen und ist jetzt wieder in der Teenagersprache aufgetaucht.

ARGUS

Einen mit Argusaugen beobachten: ihn scharf oder gar mißtrauisch beobachten. — Aus der griechischen Sage von dem Riesen Argos Panoptes (daher auch «Panoptikum», in dem man alles sieht!), der, über den ganzen Körper verteilt, hundert Augen hatte und von der Göttin Hera zum Wächter über Jo bestimmt wurde. Der Götterbote Hermes aber schläferte ihn mit seiner Hirtenflöte ein, tötete ihn und setzte seine Augen in den Schweif des Pfauen. Die Redensart ist seit der Zeit des Humanismus bei uns bekannt.

ARM

Einem unter die Arme greifen: ihm in einer augenblicklichen Verlegenheit oder Not helfen. — Die ursprüngliche Vorstellung ist, daß man einem Umsinkenden oder Strauchelnden beispringt und ihm unter die Arme greift, damit er nicht zu Fall kommt. Dies tat der Knappe im Turnier, um dem verletzten Ritter behilflich zu sein. Ebenso verhielt sich beim Fechten der Sekundant gegenüber seinem Paukanten. Heute gebrauchen wir die Redensart bildlich, indem wir einem Bedrängten mit Geld «unter die Arme greifen». Das Bild ist aber so plastisch, daß es meist mit einem leichten Unterton der Ironie angewendet wird, so in einem Tischgespräch, wenn der aufmerksame Herr zu seiner Nachbarin sagt: «Gnädige Frau, darf ich Ihnen mit etwas Krabbensalat unter die Arme greifen?»

Einen auf den Arm nehmen: jemand aufziehen, necken, zum Narren haben, veralbern, foppen; sich über ihn lustig machen. — Der Gefoppte wird wie ein Kind behandelt, das man auf den Arm nimmt, um mit ihm zu scherzen und zu spielen. Jüngere Redensart nach dem Zweiten Weltkrieg.

Einen langen Arm haben: großen Einfluß haben. — Der Arm bestimmt die Reichweite des Menschen. Wer einen langen Arm hat, ist anderen gegenüber im Vorteil.

Jemand am steifen Arm verhungern lassen: Drohung, einen unter Druck zu setzen; mit Gewalt jemand ausschalten. — Warnung eines Kraftmenschen nach dem Vorbild August des Starken, Kurfürsten von Sachsen.

Etwas aus der Armenkasse kriegen: Prügel bezie=hen. — Witziges Wortspiel, in dem «Arm» nicht besitz=los, sondern das Körperglied bedeutet. Kasse ist beidemal der Ort, wo Gut und Geld oder Kraft angehäuft liegen.

AST

Den Ast absägen, auf dem man sitzt: sich selbst einen wichtigen Lebens= oder Berufsvorteil zerstören; sich großen Schaden zufügen. — Ein einfaches, plastisches Bild: wer den Ast absägt, auf dem er sitzt, fällt herunter oder verletzt sich gar. Anders hingegen die Redensart:

Sich einen Ast lachen: mit Ast hier nicht der Zweig des Baumes gemeint, sondern der Buckel eines Menschen. Ein seit Jahrhunderten im Volksmund geläufiges Wort. Bei heftigem Lachen wird oft der ganze Mensch so erschüttert, der Kopf so eingezogen, der Körper so gebeugt, daß er wie bucklig erscheint. Andere halten sich den Bauch, damit sie sich nicht «*ein Loch in den Bauch lachen*». Daraus ist die Redensart «*sich einen Frack lachen*» entstanden, wahrscheinlich von der Vorstellung ausgehend, daß der vordere Ausschnitt an der Stelle des Bauches ein Loch in der Kleidung bildet.

Etwas auf den Ast nehmen: etwas auf die Schulter nehmen. — Auch hier bedeutet «Ast» wieder Buckel. Ausdruck aus dem Ersten Weltkriege. Damit zusammen=hängend das Wort

Asten: auf der Schulter tragen.

Astrein: von einem einwandfreien, zuverlässigen Charakter. — Astlochfreies Holz ist wertvoller als Holz mit Astlöchern.

AUFDONNERN

Ist die aber aufgedonnert sagt man von einer Frau, die geschmacklos und aufdringlich geputzt ist. — Die Redensart, seit dem 19. Jahrhundert bekannt, ist nicht dem Worte Donner entlehnt. Vielmehr ist Donner, im

Loch in den Bauch lachen ...

Niederdeutschen dunner, hier eine Entstellung und Verquatschung von donna = Dame. Ursprünglich bedeutete es ernsthaft: wie eine Dame gekleidet, erst später nahm es die ironische Färbung an.

AUFHEBEN

Viel Aufhebens von etwas machen: ein großes Aufheben von einer Sache machen: sie wichtigtuerisch behandeln, mit ihr prahlen, viele Worte um sie machen. – Dem Kampf von Schaufechtern ging als Zeremoniell das Aufheben der Waffen voraus. Diese wurden auf den Boden gelegt, gemessen und verglichen, ehe sie in umständlicher und theatralischer Weise aufgehoben wurden, um auf die Zuschauer besonderen Eindruck zu machen. Mit dem Aufheben der Waffen begann der Kampf. So auch Lessing (1778): «Endlich scheinet der Herr Hauptpastor ... nach so langem ärgerlichem Aufheben, welches nur bei der schlechtesten Art von Klopffechtern in Gebrauch ist, zur Klinge zu kommen.» Vom Aufheben stammt auch die Redensart

Es mit jemand aufnehmen: sich dem Gegner gewachsen fühlen; zum Streit bereit sein. — «Es» bedeutet «das gewaffen«, die gesamte Rüstung (daher: das Wappen!).

AUFSCHNEIDEN

Schneidet der aber auf sagt man von einem Münchhausen, einem Erzähler unglaublicher, lügenhafter Geschichten, von jemand, der prahlt, «spinnt», übertreibt, Märchen erzählt. — Im humorvollen Sinne meint Jäger- und Anglerlatein oder Seemannsgarn dasselbe. Geht auf die Vorstellung zurück, daß jemand mit dem großen Messer von einem Braten so übermäßige Stücke abschneidet, daß sie von den Gästen kaum hinuntergewürgt werden können. Davon abgeleitet *«Starke Stücke auftischen»*. — In manchen Bierlokalen hängt über dem Stammtisch von der Decke herab ein ansehnliches Messer, an dem eine Glocke befestigt ist. Trägt einer zu dick auf, wird geläutet.

AUGE

Ein Auge zudrücken: eine Sache, ein Vergehen mild beurteilen und nachsichtig behandeln. — Wer ein Auge zudrückt, sieht weniger, als wer mit beiden Augen hinschaut. (Gegensatz: Vier Augen sehen mehr als zwei!) Das wachende Auge des Gesetzes ist gemeint, das zugedrückt wird, um den Fall menschlicher zu beurteilen. In den altdeutschen Weistümern, den bäuerlichen Rechtsanweisungen, wurde dem Richter manchmal aufgetragen,

« einen einäugigen Büttel mit einem einäugigen Pferd zu schicken », um sinnbildlich anzudeuten, daß er unter Umständen Gnade für Recht ergehen lassen möge.

Das paßt wie die Faust aufs Auge: Es paßt eben gar nicht zueinander, wenn das empfindlichste Organ, das Auge, mit dem plumpesten, der Faust, verglichen wird. So schon bei Luther: « das sich missa und Opfer zusammen reimen wie Faust und Auge ».

Ein Auge riskieren: heimlich seitwärts schauen. – Wörtlich eigentlich, daß jemand ein Auge « riskiert », trotz der Gefahr, es zu verlieren, wenn er nämlich mit schnellem, neugierigem Blick eine verbotene Sache oder Situation zu beobachten wagt. Anfang des 20. Jahrhunderts.

Es steht auf zwei Augen sagt man von einem Land, einer Regierung, einer Partei, einem Industriewerk oder einer Organisation, wenn deren Schicksal von einem einzigen Menschen abhängt und bei seinem Weggang oder Tode eine unausfüllbare Lücke entsteht.

Unter vier Augen etwas besprechen bedeutet: ganz unter sich sein.

Mit einem blauen Auge davonkommen: mit geringfügigem Schaden oder Nachteil einer Gefahr entgehen, beispielsweise in einer Schlägerei das Auge nicht verlieren; ist es ihm nur blau geschlagen worden, so kann er noch von Glück reden. 18. Jh.

Das hätte ins Auge gehen können: ähnliche Bedeutung wie die vorige Redensart. Das hätte einen schlimmen Ausgang, eine böse Wendung nehmen können! – Auch hier bedeutet das Auge wieder ein kostbares, hochempfindliches Organ. Wenn etwas nicht ins Auge gegangen ist, so läßt sich's noch ertragen.

Seine Augen sind größer als der Magen heißt es von einem, der sich mehr auf den Teller getan hat, als er bewältigen kann. Auch in England, Frankreich und Italien verbreitet. In einem alten Sprichwort: « *Man füllt den Bauch eher als das Auge.* »

Ein Auge riskieren …

Augen machen wie ein gestochenes Kalb: schmerzlich verblüfft, hilflos, töricht, dumm, stumpfsinnig, einfältig dreinschauen wie ein verendendes Kalb.

Da bleibt kein Auge trocken: wenn allen beim Anhören einer rührseligen Geschichte die Tränen in die Augen treten.

Ein böses Auge haben, einen bösen Blick haben: bei allen Völkern zu allen Zeiten weitverbreiteter Aberglaube, daß manche Menschen mit ihrem Blick einen schädlichen, ja vernichtenden Einfluß ausüben. Noch heute sträuben sich viele afrikanische Stämme genau wie primitive Völkerschaften anderer Erdteile dagegen, fotografiert zu werden. Sie sehen in der Linse der Kamera « das böse Auge des weißen Mannes ».

Die Augen schonen: humorvolle Redensart für schlafen. Seit dem Ersten Weltkriege, zuerst von Soldaten gebraucht.

Augenpulver: eine den Sinn ironisch ins Umgekehrte verdrehende Redewendung. Augenpulver ist ein Heilmittel. Die Redensart meint jedoch einen winzig kleinen, eng geschriebenen oder gedruckten Text, der die Augen beim Lesen überanstrengt. Kann auch von der Vorstellung abgeleitet werden, daß die Buchstaben so klein wie Pulver wirken.

AUGIAS

Einen Augiasstall reinigen: großen Dreck beseitigen, auch — bildlich — mit einer Vernachlässigung und Schlamperei hohen Grades oder gar Korruption aufräumen. — Nach der griechischen Sage hatte der König von Elis, Augias, einen Rinderstall mit 3000 Rindern, deren Mist seit dreißig Jahren nicht mehr ausgekehrt worden war. Herakles, der Sohn des Zeus, vollbrachte diese Riesenarbeit an einem Tag, indem er zwei Öffnungen in die Stallmauern riß und den nahen Fluß hindurchlenkte, der den Unrat hinwegspülte. Wendung des klassischen Altertums, im Deutschen seit dem 19. Jh.

AUSBADEN

Etwas ausbaden müssen: für eines anderen Vergehen büßen; die Suppe auslöffeln müssen, die ein anderer einem eingebrockt hat. — Wie wir von den Baderegeln des Hans Sachs wissen, war es üblich, daß mehrere Personen nacheinander das gleiche Bad benutzten. Der letzte hatte das schmutzige Wasser auszugießen und das Bad zu säubern, also *auszubaden.* Die ursprüngliche Bedeutung «am Schluß baden» wurde schon im 16. Jh. im übertragenen Sinne spöttisch aufgefaßt als «ausgenommen» oder «ausgespielt haben». So dichtete Hans Sachs beim Anblick eines Teufelsbildes am Dom:

«Du bist wohl auch so arm als ich.
Wer hat dich so gebadet aus?»

Eine andere Erklärung bezieht sich auf die mittelalterliche Sitte, bei der Nachfeier einer Hochzeit die junge Braut ins Bad zu begleiten. Das war auserwählten Gästen vorbehalten. Andererseits galt der Brauch als ehrenvolle Auszeichnung für die junge Frau, die dafür den Gästen einen kostspieligen Schlußschmaus, ein sogenanntes «*Ausbad*», spendieren mußte.

Baden gehen: fortgehen, ohne Erfolg gehabt zu haben; mit einer Sache nicht durchdringen; wirtschaftlich zugrunde gehen; ausgespielt haben. — Abgeleitet sowohl von «ausbaden» als auch vom «Höllenbad». Hans Sachs (1494—1576) schildert in seinem Schwank «Das Höllenbad» die Hölle als große Badestube, wo der Teufel als Bader die Sünder bis aufs Blut schwitzen läßt. Wer hier «baden geht», hat ausgespielt.

Das Kind mit dem Bade ausschütten: übereilt in Bausch und Bogen (s. d.) ablehnen, «das Gute mit dem Schlechten verwerfen». Bei Sebastian Franck (1541) steht: «Wenn man ... ein Gespött daraus macht, das heißt Zaum und Sattel mit dem Pferd zum Schinder führen, das Kind mit dem Bade ausschütten. Das Kind soll man baden

Etwas ausbaden müssen . . .

und von seinem Wuste säubern, darnach das Bad ausschütten und das Kind aufheben und einwickeln.»

AUSBUND

Ein Ausbund von Tugend sein: ein Ausbund von Gelehrsamkeit, von Güte, von Frechheit oder von Schlechtigkeit wird der genannt, der sich in einer dieser Eigenschaften besonders hervortut; ein Muster seiner Gattung, ein «Hauptkerl», der der Beste seiner Art ist (seit Beginn des 16. Jh.). — Die Redensart, meist scherzhaft oder ironisch gemeint, geht auf den früheren Kaufmannsbrauch zurück, bei einer Ware ein besonders gutes Stück außen auf die Packung zu binden, eben den sogenannten «Ausbund». So die Berliner Redensart: «Du bist der scheenste von't halbe Dutzend. Du kommst uf't Paket!» Im Erzgebirge: «Du bist die Schönste vom Dutzend, du kommst oben drauf!» Ähnlich: «Du mußt ofs Dutzend drofgebunn war'n!»

AUSMERZEN

Etwas ausmerzen: etwas als untauglich ausschalten, ausscheiden oder ganz beseitigen. — Von ausmerkezen = ausmerken. Mit dem Merkezen wurden die auszusondernden Schafe mit einem roten Strich auf dem Fell markiert.

AUSSTECHEN

Einen ausstechen: jemand verdrängen, übertreffen. — Der Ausdruck stammt vom ritterlichen Turnierwesen und ist aus der Wendung «aus dem Sattel stechen» verkürzt. Später auf andere Wettkämpfe und Spiele bezogen und schließlich auf das praktische Leben angewandt.

Einen bei jemand ausstechen: im Turnier kämpften die Ritter um die Gunst ihrer Damen, und der Sieger «stach» den Unterlegenen bei seiner Dame «aus».

AUSWISCHEN

Jemand eins auswischen: ihm Schaden zufügen, ihn demütigen, überlisten. — Vom englischen «to outwit» = überlisten, wörtlich «auswitzen». Eine andere Erklärung (s. S. 66) stützt sich auf die Raubritterzeit. Wernher der Gartenaere erzählt 1270 in seiner Dichtung vom wüsten Meiersohn Helmbrecht, der sich der traurigen Künste rühmt, die er bei Raubrittern lernte, um den Bauern zu foltern: «dem ich daz ouge uz drucke».

B

BACKFISCH

Du benimmst dich wie ein Backfisch: zu einem Mädchen, das weder Kind noch Weib ist. — «Backfisch» aus dem englischen «backfish». Das ist der Fisch, der beim Einholen der Netze «back», nämlich ins Meer zurückgeworfen wird, weil er zu jung ist und als marktreife Beute noch nicht zählt.

BAD s. AUSBADEN

BÄR

Jemand einen Bären aufbinden: ihm etwas vorlügen oder weismachen. — «Bär» kommt von dem alten Ausdruck bar, das Last, Abgabe bedeutet. Möglicherweise sind hier auch zwei Redensarten durcheinandergeworfen worden, nämlich das ältere «einen Bären anbinden» für «Schulden machen» (Jagdgesellen banden dem Wirt einen lebendigen Bären als Pfand für ihre Zechschuld an die Theke!) und «einem etwas aufbinden», einem etwas vorlügen.

Jemand einen Bärendienst erweisen: einen unzweckmäßigen Dienst, eine schlechte Hilfe erweisen. — Wahrscheinlich aus demselben Ursprung wie die vorige Wendung. Da diese Redensart jedoch erst in neuerer Zeit bekanntgeworden ist, wird sie mit der modernen Fabel

Jemand einen Bärendienst erweisen ...

vom Einsiedler und seinem gezähmten Bären erklärt, der stets bemüht war, seinem Herrn Gefälligkeiten zu erweisen. Als der Einsiedler eines Tages im Schlaf ständig von Fliegen und Mücken geplagt wurde, wollte der Bär die Störenfriede erschlagen und tötete mit der schweren Pranke zugleich seinen Herrn.

Den Bärenführer spielen: den Fremdenführer machen. — Erinnert an den Zigeuner mit dem Tanzbären, der von seinem Herrn an der Kette von Jahrmarkt zu Jahrmarkt geschleppt wird und überall die gleichen Kunststücke vorführen muß.

BAHN

Aus der Bahn geworfen werden: im Leben, im Beruf scheitern oder gar verkommen. — Aus der Turniersprache, in der die «Bahn» der Kampfplatz zwischen den Turnierschranken (wie heute Autobahn, Rennbahn, Eisbahn) war. Wer beim Turnier aus der Bahn geworfen wurde, hatte den Kampf verloren.

Reine Bahn machen: reinen Tisch machen, aufräumen, eine Sache in Ordnung bringen. — Ursprung wie bei der vorigen Redensart. Die Bahn mußte vor dem Turnier aufgeräumt, alle Hindernisse mußten beseitigt werden. Erst auf der sauberen, «reinen Bahn» konnte der Zweikampf ausgetragen werden.

BAHNHOF

Großer Bahnhof: großer, offizieller Empfang am Bahnhof, auf dem Flugplatz oder im Hafen. — Scherzhafte, unlogisch verkürzte Form für: großer Empfang am Bahnhof für Staatsoberhäupter, Regierungschefs und andere prominente Persönlichkeiten.

BANK

Auf die lange Bank schieben: eine Entscheidung hinausschieben; eine Sache verzögern; immer wieder vertagen. — Nach Einführung des römischen Rechts wurden in Deutschland auch schriftliche Akten vor Gericht eingeführt, zu deren Aufbewahrung nicht Schränke, sondern lange, bankähnliche Truhen dienten. Daher auch die Redensart «in die langen Truhen kommen». Was auf die Truhen kam, blieb meistens lange liegen, während der Richter das Aktenstück auf seinem Tisch sogleich bearbeitete.

Durch die Bank: ohne Unterschied, gleichmäßig. — Rührt von der Tischsitte her, alle auf einer Bank Sitzenden, ohne daß einer bevorzugt wurde, der Reihe nach zu bedienen. Seit dem Mittelalter.

Bankrott machen: zahlungsunfähig sein, pleite gehen. — Stammt aus dem Italienischen, banca rotta = zerschlagene Bank. Die Wechsler hatten früher ihre Geldsorten auf einer Bank ausgelegt (heute noch Bezeichnung für Geldinstitut). Wurde der Geldwechsler zahlungsunfähig, so zerschlugen ihm die Gläubiger die Bank.

BART

Einem um den Bart gehen: jemand umschmeicheln. Muß vollständig lauten: «mit der Hand um den Bart gehen», einem das Kinn streicheln. — Nach altgermanischer Vorstellung galt der Bart als wichtigster Teil des Männergesichtes. Beim Barte wurde geschworen. Nur der Freie durfte ihn tragen, Knechte und Gefangene wurden geschoren. (Daher der bayerische Ausdruck «die Gescherten», die Geschorenen; bedeutet die Frechen, Flegelhaften, Unmanierlichen.) Wer dem Herrn «um den Bart ging», also dem Zeichen seiner männlichen Würde schmeichelte, wollte die Person ehren.

Sich keinen Bart oder keine grauen Haare um etwas wachsen lassen: sich nicht aufregen; sich nicht ärgern über etwas. — Als Zeichen der Trauer ließ man sich früher den Bart unbeschnitten wachsen, oder schwur auch, sich den Bart so lange nicht scheren zu lassen, bis ein bestimmter Wunsch in Erfüllung gegangen war. Heute noch als Folge einer scherzhaften Wette geübt. Angeblich bekommt man bei ständigem Ärger oder anhaltenden Sorgen graue Haare.

Um des Kaisers Bart streiten: um eine nichtige Sache streiten; um eine belanglose Angelegenheit endlos diskutieren. — Früher als Verspottung von Gelehrten, die sich nicht darüber einig werden konnten, ob bestimmte deutsche Kaiser einen Bart getragen haben oder nicht; auch darüber, ob der rote Bart Kaiser Barbarossas inzwischen weiß geworden sei. In Wahrheit hatte dieser Ausdruck ursprünglich einen ganz anderen Sinn, als der Wortlaut heute erkennen läßt. Es handelt sich nämlich nicht um des Kaisers Bart, sondern um das in «Kaiser» entstellte schwäbische Wort Geißhaar. Aus Geißenbart wurde so Kaiserbart. Der Ursprung liegt in einer Äußerung des römischen Dichters Horaz, der sich über die müßige Streitfrage lustig macht, ob man Ziegenhaare (wie beim Schaf) auch als Wolle bezeichnen dürfe. Das lateinische «um Ziegenwolle streiten» («de lana caprina rixari») wurde auf diese Weise volkstümlich umgedeutet.

Einen Bart haben: völlig veraltet, längst bekannt sein. Besonders auf Witze angewandt. — Mit Kaiser Wilhelm II. kam der Schnurrbart auf («Soldaten, tragt den Bart — nach des Kaiser Art!»), während der Vollbart Kaiser Wilhelms I. veraltete. Daher der «Bart» als Sinnbild des Überlebten. (Auch im Französischen der Ausruf: «la barbe!» = langweilig.) Gleiche Bedeutung: *so'n Bart!* — Aus demselben Ursprung kommt:

Der Bart ist ab für «das Unternehmen ist gescheitert, die Sache ist endgültig vorbei». Oder sollte der abgebrochene Bart eines Schlüssels gemeint sein, mit dem jeder Versuch, die Tür zu öffnen, mißlingen muß?

Einen Bart haben ...

BARTHEL

Er weiß, wo Barthel den Most holt: sehr gewandt, schlau, gerissen, alle Schliche kennen. — Wahrscheinlich aus dem Niederdeutschen: « *he weet, wo Bartheld de Mus herhalt!* » Er weiß, wo der Storch (Bartheld) die Mäuse, nämlich die Kinder, holt. Wer weiß, woher die Kinder kommen, ist über den Kinderverstand hinaus; wer nicht mehr an den Storch glaubt, gilt als gewitzt. — Eine andere, ebenso einleuchtende Deutung ist die Ableitung der Redensart aus der Gaunersprache. Aus dem Hebräischen stammen die Worte « Barsel » = Eisen (Brecheisen) und « Moos » (ma'oth, kleine Münze) = Geld. Demnach: der Einbrecher weiß, wie er mittels des Brecheisens zu Geld kommt.

BASSERMANN

Bassermannsche Gestalten: fragwürdige, verdächtige Erscheinungen. — Der Ausdruck kommt von einer Rede, die der Abgeordnete F. D. Bassermann im November 1848 in der Frankfurter Nationalversammlung gehalten hat. In einem Bericht über die unruhigen Zustände in Berlin schilderte er das Aussehen der Menschen, die ihn spät abends in der Stadt erschreckt haben: « Ich sah hier *Gestalten* die Straßen bevölkern, die ich nicht schildern will. »

BAUSCH

In Bausch und Bogen: alles in allem, etwas im ganzen ohne Unterscheidung im einzelnen berechnen, etwas « pauschal » bezahlen oder fordern. — Die stabreimende Redensart kommt von den Flurbezeichnungen: die nach außen verlaufende Linie der Grenze wird als *Bausch,* die nach innen verlaufende als *Bogen* bezeichnet. Dabei stellt Bausch den Gewinn (daher aufbauschen) und Bogen den Verlust dar. Wurde ein Stück Land in Bausch und Bogen verkauft, so wurde nach einer nicht ins einzelne gehenden Gesamtvermessung verfahren. — Aus dem Wort «Bausch» in dieser Redensart hat sich in der Kanzleisprache das neulateinische Eigenschaftswort *pauschalis* (unser «pauschal») entwickelt, das in der allgemein üblichen *Pauschalsumme*, -quantum usw. wiederkehrt. 17. Jh. Siehe Goethe «Zahme Xenien»:

«Nehmt nur mein Leben hin in Bausch
und Bogen, wie ich's führe;
andre verschlafen ihren Rausch,
meiner steht auf dem Papiere.»

BEIN

Etwas ans Bein binden: etwas verloren geben, etwas verschmerzen. Zum Beispiel: Diese zwanzig Mark binde ich ans Bein, da ich die Hoffnung aufgegeben habe, sie zurückzuerhalten. — Schon im Mittelhochdeutschen bei Walther von der Vogelweide: «den schaden zuo dem beine binden» und «min leit bant ich ze beine». Die Erklärung ist, daß man etwas nicht höher als bis zum Bein kommen läßt, es sich also nicht zu Herzen nimmt. Im Gegensatz dazu «einem etwas auf die Seele *binden*», so wie *«ans Herz legen»*: mit Nachdruck bitten, sich einer Sache anzunehmen.

Jemand etwas ans Bein binden: jemand in seiner Bewegungsfreiheit behindern, so wie Hunden und Rindvieh Knüttel oder Klötze ans Bein oder an den Hals gebunden werden, damit sie nicht davonlaufen können. Ähnlich die dem Strafgefangenen um das Bein geschmiedete Eisenkugel.

Noch etwas am Bein haben: verschuldet sein; eine rückständige Verpflichtung auf sich lasten fühlen.

BELÄMMERT

Ihm geht es belämmert: es geht ihm schlecht, übel, mies. — Vom niederländischen «belemmeren» = verhindern, hemmen, beschweren, ursprünglich lahm. Aber auch von «Lammel», d. h. beschmutzter Rocksaum der Frau; belammeln = Rocksaum beschmutzen, im übertragenen Sinne: beschmutzt, angeschmiert.

BEST

Etwas zum besten geben: im geselligen Kreise etwas zum leiblichen oder geistigen Genuß beitragen. — Eine Runde spendieren, meistens jedoch einen Witz oder eine Geschichte zum besten geben. In alten Wettkampfspielen und Schützenfesten war der Siegerpreis «das Beste».

Einen zum besten haben: ihn verulken, necken, verspotten, foppen, aufziehen. — Man tut so, als halte man den Gefoppten für den Besten und Tüchtigsten.

BEURGRUNZEN

Etwas beurgrunzen: es ergründen, näher untersuchen, erforschen. — Eigentlich nach dem «Urgrund» forschen. Das «beurgrundsen» lehnte der Volkswitz an das lautgleiche «grunzen» an, um den Untersuchenden zu ironisieren.

BEUTEL

Von *Beutelschneiderei* wird gesprochen, wenn der geforderte Preis so hoch erscheint, daß man sich gleichsam betrogen, ja bestohlen vorkommt. Die Redensart stammt aus der Zeit, da man den ledernen Geldbeutel außen am Gurt trug. Für geübtes Diebsvolk war es ein leichtes, den Beutel unbemerkt abzuschneiden. Im gleichen Sinne spricht man auch von einer

Geldschneiderei. Doch ist das Wort von anderer Herkunft. Münzfälscher haben früher Gold- und Silbermünzen beschnitten, um sich betrügerischen Gewinn zu verschaffen, indem sie das auf solche Weise gewonnene Edelmetall veräußerten.

BIEN

Der Bien muß! lautet eine 1849 erstmalig belegte Redensart, die ausdrückt, etwas müsse auf alle Fälle zu schaffen sein, oder auch: der Mann muß das tun. — Zur Erklärung müssen verschiedene Anekdoten herhalten. Einmal ist es die Lügengeschichte eines ausländischen Reisenden, der in gewöhnlichen Imkerkörben in Rußland Bienen in der Größe von Enten oder sogar Schafen gesehen haben wollte. Auf die Frage, wie denn diese Bienen durch das Korbloch kämen, legte der Düsseldorfer Maler Wilhelm Camphausen in seiner Illustration von 1849 dem Aufschneider die treffende Antwort in den Mund: *«Der Bien muß!»* — Nach einer anderen Anekdote aus Offenbach wies der Buchhalter eines Geschäftshauses dem Chef der Firma das Konto eines Schuldners mit dem Namen Bien vor. «Der Bien-Soll», sagte der Buchhalter. «Was heißt hier Soll?» entgegnete der Chef, «der Bien muß!» (zahlen natürlich!).

BILD

Im Bilde sein: den Zusammenhang einer Sache erfassen; sich eine deutliche Vorstellung von etwas machen können. — Seit Beginn der Photographie (Niepce, 1822). Kann aber schon von der Camera obscura herrühren, mit der Leonardo da Vinci bereits 1500 versuchte, gewisse Gegenstände «ins Bild» zu bekommen. Im 19. Jh. in militärischen Kreisen in verneinender Form gebraucht: *nicht im Bilde sein* = über taktische oder strategische Vorgänge nicht orientiert sein, dann auf bürgerliche Vorstellungswelt übertragen. Ebenso im 19. Jh., unterstützt durch die Erfindung des Films (Skladanowski, Berlin; Lumière, Paris, 1895): *auf der Bildfläche erscheinen, von der Bildfläche verschwinden.*

BINSEN

Eine Binsenwahrheit heißt eine Erkenntnis, die sich von selbst versteht — eine Redensart, die auf die

Antike zurückgeht. — Die römischen Komödiendichter Terenz und Plautus sprechen bereits von « Knoten an einer Binse suchen », nämlich Besonderheiten und Schwierigkeiten ergründen, wo keine vorhanden sind. Der bekannte Universitätslehrer Professor Adolf Kußmaul (1822—1902) gibt in seinen « Jugenderinnerungen eines alten Arztes » für das Wort eine andere amüsante Erklärung. Während seiner Studentenzeit in Heidelberg, so erzählt er, sei mit dem Pfeifenrauchen ein neuer Erwerbszweig aufgekommen, der Handel mit Binsen, mit denen die Pfeifen gereinigt wurden. Dieses Geschäft betrieb ein törichter, als « Binsenbub » bekannter Mensch, der den Studenten als Urbild geistiger Beschränktheit galt. So nannten sie eine Binsenwahrheit alles, was sogar der Binsenbub verstand.

In die Binsen gehen: verloren gehen, verschwinden. — Kommt aus der Jägersprache. Die flüchtende Wildente rettet sich « in die Binsen », wohin ihr der Hund nicht folgen kann. Ähnliche Wendung: *« in die Wicken gehen »*. Auch in den Wicken ist das Wild für den Jäger verloren, weil er es im Schlingwerk nicht wiederfindet.

BISSEN

Da bleibt einem der Bissen im Halse stecken: erschreckt, überrascht, empört sein. — Die Redensart erinnert an ein mittelalterliches Gottesurteil, bei dem der Angeschuldigte ein Stück trockenen Brotes oder harten Käses ohne Flüssigkeit hinunterschlucken mußte. Gelang es ihm ohne Schwierigkeit, so galt er als unschuldig. Blieb ihm jedoch der Bissen im Halse stecken, so war er in den Augen der Richter der Tat überführt. In diesem Augenblick überwältigte ihn vielleicht der Schrecken vor dem Erstickungstode oder doch vor dem grausamen Urteil, das ihm nun sicher war. In gleichem Zusammenhang steht die verwünschende Redensart: *« Mögest du daran ersticken! »*

Bleibt der Bissen im Hals stecken ...

BLATT

Kein Blatt vor den Mund nehmen: sich unumwunden äußern, sich ohne Scheu aussprechen. — Schon seit Beginn des 16. Jh. im Sprachgebrauch: «sie spotteten durch ein Rebblatt mit abgestollener Stimme», nämlich mit verhaltener Stimme, sagt Fischart (Gargantua). Zur Abdämpfung der Stimme nahm man häufig ein Laub- oder Papierblatt vor den Mund, um eine peinliche Wahrheit nicht so laut hören zu lassen.

Das Blatt hat sich gewendet: die Verhältnisse haben sich grundlegend geändert, die Sache hat sich in ihr Gegenteil verkehrt; aus dem Unglück ist plötzlich ein Glück geworden oder umgekehrt. — Bereits 1534 literarisch nachweisbar bei Sebastian Franck «Das blätlin wirt sich umbkören» (Weltbuch, Vorrede a4a). In mehreren Deutungen dieser Redensart wird das Kartenspiel angeführt, bei dem jemand, der lange Zeit gute Karten hatte, plötzlich schlechte bekommt (natürlich auch umgekehrt!). Auch an die Guckkastenbilder der früheren Jahrmarktsbuden wird erinnert, in dem das letzte Bild die Bestrafung des Übeltäters darstellt. Die Redensart ist aber älter als die Guckkästen! Schließlich ist an das Wenden der Buchblätter beim Lesen zu denken: die nächste Seite der Erzählung bringt vielleicht Neues, Überraschendes! — Die beste Erklärung bietet zweifellos E. Kück (Wetterglaube in der Lüneburger Heide, 1915). Den Bauern ist es schon früh aufgefallen, daß sich «um Johannes» die Blätter, besonders deutlich die der Silberpappel, drehen und wenden, weil die Bäume bei der veränderten Stellung der Blätter den Regen besser durchlassen. Der Naturvorgang fällt mit einem wichtigen Wendepunkt des Jahres, der Sonnenwende, zusammen. Das Blatt hat sich gewendet — was zuerst nur für die Jahreszeit galt — wurde im allgemeinen Sprachgebrauch zum Ausdruck für jede bedeutsame Wende.

BLAU

Blauer Montag: arbeitsfreier Montag. — In den allgemeinen Sprachgebrauch eingegangener Ausdruck der Wollfärber. Die mit Färberwaid, einem sich an der Luft schnell bläuenden, indigoartigen Farbstoff, gefärbte Wolle ließ man den ganzen Sonntag über im Bad, um sie montags an der Luft trocknen zu lassen. So konnten die Gesellen montags müßig gehen: *blau machen!*

Blau sein: betrunken sein. — Wer blau macht, trinkt meist viel und wird so selber «blau», womit die Verfärbung der Nase gemeint ist. Auch *redet er ins Blaue,* d. h. in den Himmel hinein, er schwätzt drauf los.

Blaustrumpf: Spottname für eine gelehrt tuende Frau, die ihre weiblichen Vorzüge vernachlässigt. — In der Mitte des 18. Jh. wurde im Londoner Salon der Lady Montague statt des üblichen Kartenspiels anspruchsvolle Unterhaltung gepflegt. Da der geistreiche Gelehrte Stillingfleet hier häufig in verwahrloster Kleidung mit blauen Kniestrümpfen auftrat, so nannte Admiral Boscawen diese Zusammenkünfte «Blaustrumpfgesellschaften». Der Ausdruck erhielt eine geringschätzige Bedeutung im Zeichen geistiger und politischer Selbständigkeitsbestrebungen der Frauen. — Die *Fahrt ins Blaue* ist eine Ausflugsfahrt mit ungenanntem Ziel. Der *blaue Brief* ist ursprünglich eine Aufforderung zur Einreichung des Abschiedsgesuches, die im blauen Umschlag versandt wurde; in der Hochschule: Benachrichtigung vom Nichtbestehen einer Prüfung. In der Schule: «Versetzung zweifelhaft» oder «Zurückstellung vom Abitur». — *Blaues Auge* siehe Auge, *blaues Blut* siehe Blut, *blauer Dunst* siehe Dunst, *blaues Wunder* siehe Wunder.

BLOSS

Sich eine Blöße geben: eine Schwäche verraten. — Stammt aus der Fechtersprache und bedeutet, daß der Fechter seine Deckung aufgibt und damit dem Gegner die Möglichkeit zu erfolgreichem Angriff bietet. Ein Beispiel aus dem Jahre 1744 bei Zachariae in «Der Renommist», einem komischen Heldengedicht: «Indessen sieht Sylvan, daß Raufbold Blöße gibt.»

BLUME

Durch die Blume sprechen: etwas nicht deutlich, sondern verhüllt, nur andeutungsweise, symbolisch aussprechen. — Seit jeher wurden zwischen Liebenden oder Freunden gern Blumen als Boten ihrer Gefühle ausgetauscht. So die rote Rose der Liebe, Männertreu, Vergißmeinnicht. In England darf zu Weihnachten jeder Mann eine Frau unter dem Mistelzweig küssen. Wer durch die Blume oder mit Blumen spricht, drückt sich mittelbar und sinnbildlich aus. Ähnlich, wenn jemand etwas « verblümt » zu verstehen gibt; gleichsam mit Blümchen verziert, um der Sache die Schärfe zu nehmen. Schon im Mittelhochdeutschen begegnet man der Wendung: « mit gebläemten Worten ». Hierauf beruht zweifellos die Redensart:

Etwas verblümt sagen. Ein humorvolles Beispiel, wie man etwas « verblümt » ausdrücken, also dem Betroffenen eine bittere Pille versüßen kann, gibt George Mikes in seinem Buch « How to be an Alien », in dem er, die Behörden in England charakterisierend, schreibt: « Die britische Behörde — völlig der brutalen Tyrannei unähnlich, der wir so oft auf dem Kontinent begegnen — ist der gehorsame Diener der Öffentlichkeit. Vor dem Kriege erhielt ein Ausländer den Befehl, dieses Land zu verlassen. Sein Antrag, die Aufenthaltsgenehmigung zu verlängern, wurde abgelehnt. Dennoch blieb er. Nach einer Weile erhielt er folgenden Brief: ‚Sehr geehrter Herr! Der Herr Unterstaatssekretär übermittelt Ihnen seine besten Grüße. Er ist untröstlich, weil er sich außerstande sieht, Ihren Antrag noch einmal aufzurollen, und bittet Sie, davon Kenntnis zu nehmen, falls Sie dieses Land nicht liebenswürdigerweise binnen 24 Stunden verlassen, daß er Sie gewaltsam hinauswerfen wird. Ihr gehorsamer Diener X.' » — Zum « Verblümten » gibt es auch klassische Beispiele aus dem Chinesischen, wie etwa die Absage eines Verlegers an einen Buchautor: « Ehrenwerter Herr! Ihr großartiges Werk hat alle Mitglieder unseres Verlages, welche den Vorzug hatten, es zu lesen, in höchstem Maße bewegt und begeistert. Das Buch strahlt nicht nur edle Größe aus, es darf sich auch in seinem Stile mit dem Bedeutendsten messen, was unsere Literatur hervorgebracht hat. Wir fürchten nur, daß unser mittelmäßiger Verlag dem Höhenfluge Ihrer Gedanken nicht folgen kann. Es wäre Ihrer unwürdig, wenn unser unwichtiges Haus Ihr schönes Werk, das für die Ewigkeit bestimmt ist, herausbrächte. Wir beehren uns daher, Ihr wertvolles Manuskript in ausgezeichneter Wertschätzung zurückzusenden in der festen Überzeugung, daß Sie einen geeigneteren Verleger finden werden, den wir schon jetzt um Ihre Gunst beneiden.» — Eine andere Redensart in diesem Zusammenhang ist die schon im Altertum bekannte und noch heute bei uns gebräuchliche *Floskel* (flosculus, Redeblume). Wer etwas *unverblümt* sagt, spricht seine Gedanken gerade heraus, unverhüllt, deutlich aus.

Sub Rosa sprechen: etwas unter der Rose, unter dem Siegel der Verschwiegenheit mitteilen. — Die Rose ist seit alters das Sinnbild der Verschwiegenheit, der Geheimhaltung. Hing beim Gastmahl der reichen Römer eine Rose von der Decke, bedeutete es, daß die Unterhaltung vertraulich zu behandeln sei. Auch bei uns galt noch im mittelalterlichen Gerichtsverfahren die Rose als Zeichen, daß es um geheime Verhandlungen ging.

Damit ist kein Blumentopf zu gewinnen: Damit ist nichts zu erreichen, damit ist kein Erfolg zu erzielen. — Berliner Redewendung, in der «Blumentopf» vielleicht ironisierend und stellvertretend für den Blumenstrauß steht, der erfolgreichen Künstlern auf der Bühne überreicht wird. Wahrscheinlicher ist, daß der Ausdruck auf die Würfelbuden der Jahrmärkte zurückgeht, zumal da gelegentlich ein bezeichnender Zusatz gebraucht wird «Damit kannst du bei mir keinen Blumentopf gewinnen, und wenn du 19 trudelst».

Blümchenkaffee ist sehr dünner, fader, mit wenig Kaffeebohnen zubereiteter Kaffee. — Stammt aus Sachsen, wo die Kaffeetassen innen auf dem Grunde oft mit einem Blumenmuster geschmückt waren. Konnte man die Blümchen durch den Kaffee hindurch erkennen, handelte es sich um einen typischen Fall von Blümchenkaffee.

Es wird einem blümerant: auch «plümerant», wenn es einem schwindelt, wenn es einem schlecht wird;

böse Ahnungen, Befürchtungen haben. — Entstelltes Wort aus dem französischen «bleu mourant»; blaßblau (wörtlich sterbendblau), das um 1650 eine von Frankreich ausgehende, über ganz Europa verbreitete Modefarbe war. Als man sich an ihr so satt gesehen hatte, daß sie einem körperliches Unbehagen verursachte, wurde «bleu mourant» in mundartlich verzerrter Form der Ausdruck für die entsprechende Gemütsverfassung. Ähnlich die Wendung *«Mir wird ganz grün und blau vor Augen!»*

BLUT

Blaues Blut: Ausdruck für Adel. — Paradebeispiel für die Langlebigkeit einer vor mehr als tausend Jahren geprägten Redensart. Das Reich der Westgoten in Spanien (aus Gotalanien wurde Katalanien!) zerfiel, als der letzte Westgotenkönig Roderich bei Jerez de la Frontera 711 fiel. Die germanische Herrschaft wurde von den arabisch-berberischen Mauren abgelöst. Die dunkelhäutigen Mauren stellten bei ihren Vorgängern fest, daß sich ihre Blutadern leuchtend blau auf der hellen Haut abzeichneten. So sagten sie mit betontem Respekt: «Die Goten haben blaues Blut!» Im Laufe der Zeiten wurde der Ausdruck «blaues Blut» sinngemäß für «edles Blut», «adeliges Blut» angewandt.

Er hat Blut geleckt: sagt man von einem, der auf einen gehabten Genuß nicht mehr verzichten will. — Der Ausdruck spielt auf den Wolf an, von dem behauptet wird, daß er, wenn er einmal Menschenblut geleckt hat, ganz gierig darauf ist. — Andere Redensarten: *bluten müssen* für schwere Opfer bringen, *das liegt mir im Blut* = das ist mir angeboren, *das erregt böses Blut* = das macht großen Ärger, vor Angst *Blut schwitzen* und *blutige Tränen weinen,* ein Ausdruck, der schon im Nibelungenlied vorkommt. *Immer ruhig Blut!* sagt man zu einem Aufgeregten, um ihn zu beruhigen. «Blut» auch als verstärkende Vorsilbe in *blutjung* usw.

BOCK

Einen Bock schießen: einen Fehler, einen Mißgriff begehen, eine Dummheit machen. — Hergeleitet von den Schützenfesten, an denen das Wort « Bock » eine alte, volkstümliche Bezeichnung für Fehler, Fehlschuß war. Beim Preisschießen erhielt der schlechteste Schütze oft einen Bock geschenkt. So auch « *etwas verbocken* ».

Er hat einen Bockmist gemacht, geredet oder geschrieben: derbe Redensart für besonders groben Fehler. Zusammensetzung zweier gleichbedeutender Ausdrücke: Bock = Fehler, Mist = Unsinn.

Den Bock zum Gärtner machen: den Ungeeignetsten mit einer Aufgabe betrauen. Der Gärtner soll die Gewächse hegen und pflegen, der Ziegenbock hingegen zertrampelt die Beete und frißt die Pflanzen ab. — Diese Redensart kommt zu allen Zeiten und bei den meisten Völkern in ähnlicher Lesart vor, wie « dem Habicht die Tauben » oder « dem Wolf die Hammel anvertrauen ».

Ihn stößt der Bock: Er wird übermütig, tollkühn. In diesem Fall ist mit « Bock » der häufig in dieser Tiergestalt dargestellte Teufel gemeint, der den Anstoß zum Übermut gibt.

Einen ins Bockshorn jagen: einen in Furcht und Angst versetzen, bange machen, einschüchtern, verblüffen. — Eine Deutung erinnert daran, daß man einst in Schulen für eigensinnige Kinder Strafecken oder -winkel einrichtete, die Bocksställe genannt wurden. Für das Wort « Ställchen » sei später « Horn » im Sinne von Winkel getreten. Wer also ins Bockshorn gejagt wurde, hatte eine Strafe zu erwarten. — Eine andere, überzeugendere Auslegung bezieht sich auf das ländliche Rügegericht früherer Zeiten. Das war ein Überbleibsel altgermanischer Strafjustiz, der « Friedloslegung », die über Schwerverbrecher verhängt wurde. Der Verurteilte hatte vor seinen Richtern in einer Bockshaut zu erscheinen. Wer in diese Haut gezwängt wurde, hatte nichts zu lachen. Das Bocksfell hieß althochdeutsch «bokkes hamo» (Bockshemd), woraus allmählich, als man «hamo» nicht mehr verstand, «Horn» wurde. Später entwickelte sich aus diesem germanischen Gerichtsverfahren eine Art Privatjustiz für Vergehen, die vom Strafgesetzbuch nicht erfaßt wurden. In Bayern wurden im vorigen Jahrhundert noch gefallene Mädchen gemeinsam mit ihren Verführern gegeißelt. — Eine noch einfachere Erklärung, sofern man für «Bock» wieder Teufel setzt: daß jemand in tödlicher Gefahr ist, der in des Teufels (des Bocks) Horn gejagt wird, um aufgespießt zu werden. Nach einer anderen Lesart war «Bockshorn» das Gestell, in dem man Böcke kastrierte. Denselben Namen führte auch ein Torturwerkzeug, worin dem Sträfling die Gliedmaßen auf das schmerzhafteste verrenkt wurden. Und schließlich nannte man auch das Osterfeuer «Bockshorn», in das Menschen und Tiere gejagt wurden, um sich zu feien, d. h. unverletzbar zu machen.

BODEN

Ihm brennt der Boden unter den Füßen: seine Lage ist unhaltbar geworden. Es ist womöglich höchste Zeit, daß er verschwindet. — Das Bild stammt von der Feuersbrunst, vor der jemand noch Wertvolles zu retten versucht, doch schon bemerkt, daß der Boden unter ihm brennt, so daß ihm nur noch übrigbleibt, sein eigenes Leben zu retten. Auch: «*Der Boden wurde ihm zu heiß!*»

Ihm geht es wie dem Reiter überm Bodensee: heißt es von jemand, der erst nachher erkennt, in welcher Gefahr er geschwebt hat. Nach einer schwäbischen Sage, die von einem Reiter erzählt, der ahnungslos über die Schneefläche des zugefrorenen Bodensees galoppiert war. Als er am anderen Ufer erfuhr, daß er dem Untergang wie durch ein Wunder entronnen war, fiel er vor Schreck tot vom Pferde.

Das schlägt dem Faß den Boden aus: Das macht das Maß übervoll; das übersteigt alle Geduld; das führt die lange drohende Katastrophe herbei; das geht über die Hutschnur. — Wenn der Böttcher die Reifen zu stark zur Mitte hin schlägt, kann es vorkommen, daß der Boden des Fasses herausspringt. Eine humorvolle Verquatschung dieses Ausdruckes ist « *Das schlägt dem Faß die Krone ins Gesicht!* » Sie ist zusammengesetzt aus « *Das schlägt dem Faß den Boden aus* »; « *Das setzt allem die Krone auf* » und « *Das schlägt allen Regeln des Anstands ins Gesicht* ».

BÖHMISCH

Das sind für mich böhmische Dörfer: Das ist mir völlig unverständlich, ganz unbekannt. — Wenn auch schon früher entstanden, so ist die Redensart doch erst im Dreißigjährigen Kriege volkstümlich geworden. Sie wurde von Soldaten aus Böhmen mitgebracht, die damit sagen wollten, es gehe ihnen mit einer Sache wie mit den Namen tschechischer Dörfer, die keiner von ihnen aussprechen, verstehen oder gar sich merken könne. Ähnlich « *Das kommt mir spanisch vor* ». Hierin spiegelt sich der Wider=stand protestantischer Kreise gegen die Einführung spani=scher Bräuche in Deutschland zur Zeit Kaiser Karls V., der zugleich König von Spanien war. Amüsanterweise wirft Goethe in seinem « Werther » beide Redensarten durchein=ander, indem er sagt: « *Das waren dem Gehirne spanische Dörfer.* »

BOGEN

Den Bogen nicht überspannen: nicht zu viel von einem erwarten, verlangen; eine Sache nicht zu weit trei=ben. — Die Redensart geht auf das klassische Altertum zurück. Herodot erzählt von König Amasis von Ägypten, daß sich dieser im Kreise fröhlicher Kumpane schon mit=tags dem Weine und anderen Freuden des Lebens ergab. Darauf vorwurfsvoll angesprochen, erwiderte er: « Hat man einen Bogen, so spanne man ihn ab. Bleibt er die ganze Zeit gespannt, so zerspringt er und ist nicht mehr zu gebrauchen, wenn man ihn nötig hat. So ist auch der Mensch eingerichtet. Wollte er immer ernsthaft arbeiten und gar nicht scherzen, so muß er eines Tages stumpfsinnig werden. Ich ziehe es daher vor, jedem seinen Teil zu geben.»

Den Bogen heraus haben: eine Sache ausgezeichnet verstehen, sie meistern. — Eine Redensart der neueren Zeit, die sowohl vom Sport (Eiskunstlauf!) als auch vom Militär (Flugbahn eines Geschosses!) hergeleitet wird. Wer beim Eislauf «den Bogen heraus» hat, beherrscht diese Kunst. Wer beim Schießen «den Bogen heraus» hat, trifft ins Ziel. Andere Wendung: *Große Bogen spucken* für großsprechen.

BOHNE

Nicht die Bohne sagt man mit betont scharfer Verneinung. In der allgemeinen Vorstellung gilt die Bohne als ziemlich wertlos. Wer nicht einmal bereit ist, eine Bohne für etwas herzugeben, weist ein Ansinnen schroff zurück. Schon bei Walther von der Vogelweide findet sich der Ausdruck «Bohne» für etwas Geringfügiges «Min vorderunge ist uf in kleiner dann ein bone», und bei Gottfried von Straßburg heißt es im «Tristan» in hochdeutscher Übersetzung: «Sie hätten für ein besseres Leben nicht eine Bohne gegeben.» Die Redensart

Dumm wie Bohnenstroh: im höchsten Grade dumm und tölpelhaft, leitet sich ebenfalls von der geringen Einschätzung der Bohne her. Nach einer anderen Auslegung hat es früher nicht «Bohnenstroh», sondern «dumm wie ein Bund Stroh» geheißen. Auch diese Wendung würde bei dem geringen Wert des Strohs gut passen. Das «Bund Stroh» verwandelte sich dann später mundartlich in «Bohnenstroh».

Blaue Bohnen: Gewehrkugeln. Die Bleigeschosse wurden wegen Form und Farbe so genannt.

BOYKOTT

Den Boykott über einen verhängen, jemand boykottieren: jemand schneiden, ächten, in Verruf erklären, aussperren; geschäftliche oder gesellschaftliche Beziehungen zu jemand abbrechen. — 1880 verhängte die Landliga in Irland über den Güterverwalter James Boycott wegen seines unehrlichen Verhaltens den Bann, worauf niemand mehr mit ihm zu verkehren wagte.

BRAND

Einen Brandbrief schreiben: dringende und eilige Aufforderung, etwa Geld zu schicken; Mahn= und Bettelbrief. — Der Brandbrief war früher ein Bedürftigkeitsausweis und «*Armutszeugnis*» für die, deren Hab und Gut durch Feuer zerstört worden war. Die Betroffenen erhielten amtlich eine solche Bescheinigung, damit ihnen überall geholfen wurde. Mit solchen Brandbriefen wurde mancher Betrug verübt. Darüber hinaus wurde mit «Brandbrief» auch ein Erpresserbrief bezeichnet, in dem eine Brandstiftung angedroht wurde. Heute hat sich in abgeschwächter Form von allen diesen Bedeutungen etwas im «Brandbrief» erhalten, der namentlich in Studentenkreisen noch immer eine gewisse Rolle spielt. Will der Student seinen Eltern die Ebbe in seiner Kasse andeuten, so kohlt er über dem Feuer eine Ecke des Briefes ein wenig an, um damit auszudrücken: *Ich bin völlig abgebrannt:* ich habe keinen Pfennig Geld mehr.

Einen brandmarken: jemand öffentlich beschuldigen, bloßstellen, die Ehre absprechen, ächten, tadeln. — Die Redensart geht auf einen alten deutschen Rechtsbrauch zurück. Neben dem Stadtzeichen wurde dem Verbrecher das Sinnbild seiner Tat eingebrannt, so dem Falschmünzer eine Münze in die Stirn. Die Schwerverbrecher wurden mit dem Brandmal des Rades oder des Galgens auf dem Wege zur Richtstätte dem Hohne der Neugierigen preisgegeben.

Den Braten riechen . . .

BRATEN

Den Braten riechen: etwas Angenehmes oder Un=angenehmes, Überraschendes rechtzeitig spüren; ein Trug=bild entlarven; eine irreführende Verlockung aufdecken. — Aus einer Fabel, in der ein Bauer ein Tier zu sich ein=lädt, das aber noch vor der Tür des Gastgebers umkehrt, weil es wittert, daß ein bedauernswerter Gefährte bereits in der Pfanne des Bauern schmort: der Gast «riecht den Braten»!

Da hast du den Braten (oder *die Bescherung, den Salat*): ironisch gesagt, um eine Enttäuschung, ein Mißvergnügen, ein Ärgernis zu bezeichnen.

BREDULLJE

In die Bredullje kommen: in arge Verlegenheit, in eine unangenehme Lage, in Bedrängnis, in eine Zwangslage, in die Patsche kommen; in Schwulität, in den Schlamassel geraten. — Das Wort wurde in der Franzosenzeit zu Beginn des 19. Jahrhunderts in den deutschen Sprachgebrauch eingeführt. Französisch *«bredouille»* heißt Matsch. Wer in den Matsch oder Schlamm sinkt, ist in einer unangenehmen Situation und kommt schwer heraus.

BRESCHE

Für jemand in die Bresche springen: für ihn eintreten. — Das germanische brekan (brechen) wurde ins Romanische übernommen und in Frankreich zu brèche = Bruch, Lücke. So ist es als Bresche zu uns zurückgewandert und hat den gleichen Sinn in der vom Belagerer in die Festungsmauer geschlagenen «Lücke» behalten. Diese Bresche mußte von den Belagerten gehalten werden. War ein Verteidiger gefallen, so mußte ein anderer an seine Stelle treten.

BRETT

Ein Brett vor dem Kopf haben: dumm, beschränkt, verbohrt, töricht, einfältig, engstirnig, tölpelhaft, begriffsstutzig sein. — In diesem Falle ist mit dem Brett das Joch des Zugochsen gemeint, der als besonders dumm galt.

Da ist die Welt mit Brettern vernagelt: stößt der Pfad, der Weg oder die Straße an einen Bretterzaun, mag die einfältige Vorstellung entstehen, daß hier die Welt zu Ende sei.

BRIEF

Einem Brief und Siegel geben: ihm Gewißheit geben; Gewähr für etwas bieten. — Aus der Gerichtssprache entlehnt, in der «Brief» (lateinisch breve) soviel wie *Urkunde,* Erlaß bedeutet. Das hat sich in Ausdrücken wie «Adels-, Lehr-, Frachtbrief» erhalten. Auch das *«verbriefte Recht»* ist nichts anderes als ein urkundlich verankertes Recht. Ein «Brief» ohne Siegel war jedoch als Urkunde nicht rechtsgültig. Erst die vereinten Merkmale Brief *und* Siegel verbürgten den vollgültigen Rechtsanspruch, wobei das Siegel für den Wert der Urkunde von besonderer Bedeutung war. Früher hatte ein Schriftstück auch ohne Namenszug des Verantwortlichen Geltung, wenn es nur das Siegel mit Hausmarke oder Wappen des Briefschreibers trug.

BRIMBORIUM

Großes Brimborium um etwas machen: etwas mit wortreichen Umschreibungen, mit langem Gerede, mit endlosem Geschwafel erklären. — Aus dem lateinischen «breviarium» verballhornt ins französische «brimborion».

BRUCH

In die Brüche gehen: verlorengehen, nicht zustande kommen, untergehen, in Schwierigkeiten geraten. — Mathematiker bringen diese Redensart gern in Beziehung zu ihrer Wissenschaft. Eine Rechnung, die nicht glatt aufgeht, muß «in die Brüche gehen». Doch ist zu bedenken, daß bei einer Bruchrechnung nicht ohne weiteres Schwierigkeiten auftreten und daß nichts untergeht. Es läge näher, «Bruch» von «brechen» abzuleiten und den Ausdruck so zu verstehen, daß etwas «zerbricht», damit also verlorengeht. Das ist jedoch nicht richtig, denn Bruch heißt hier «Sumpf» (sumpfige Niederung wie Oderbruch!). «In die Brüche gehen» ist demnach soviel wie in den Sumpf geraten und darin umkommen. Schließlich bedeutete «bruch» im Mittelalter «Strafe» (Jacob Grimm: «den *Stab* brechen»). Ging etwas «in die Brüche», so hatte es — im mittelalterlichen Sinne — schlimme Folgen. Vergleiche auch «In die Binsen gehen», «In die Wicken gehen» (s. Binsen).

BRÜCKE

Dem Feinde goldene Brücken bauen: dem Gegner bereitwillig entgegenkommen; ihm Gelegenheit zum Rückzug bieten, ohne «das Gesicht zu verlieren» (s. Gesicht). — Die Redensart als taktvolles Entgegenkommen gegenüber jemand gemeint, der in eine ausweglose Lage geraten ist. So sagt man zu einem, der offensichtlich gelogen hat: «Vielleicht hast du dich geirrt?»

Alle Brücken hinter sich abbrechen: alle Verbindungen lösen. — Mit dieser Handlung will einer sich selbst den Rückweg verbauen, um seine Trennung von Menschen, von einer Stadt, von seinem Beruf, seiner bisherigen Umgebung endgültig, unwiderruflich zu machen.

Über die Brücke möchte ich nicht gehen: erscheint wenig glaubhaft. — Geht wahrscheinlich auf Christian Fürchtegott Gellerts Fabel «Der Bauer und sein Sohn» zurück, in der dem Sohn, um ihm das Lügen abzugewöhnen, vom Vater angedroht wird, daß auf der nächsten auf ihrem Weg liegenden Brücke sich jeder Lügner das Bein brechen würde.

BUCH

Er redet wie ein Buch: Er redet in unaufhörlichem Fluß, ohne Stockungen, als ob er aus einem Buche vorläse. — Meist ironisch gemeint, wenn einer «ohne Punkt und Komma», ohne Atempause spricht, ohne den anderen zu Worte kommen zu lassen.

Wie es im Buche steht: kunstgerecht, meisterhaft, ideal, wie gestochen, mustergültig, geschickt gemacht, vollendet. — Besonderes Lob wie «Eine Frau wie sie im Buche steht», «Ein Sommer wie er im Buche steht». Gemeint ist «das Buch der Bücher», die Bibel mit ihren unübertrefflichen Weisheiten.

Ein Buch mit sieben Siegeln: Geheimnisvolles, Unverständliches; auch unbegreifliche, abgründige, geheimnisvolle Person. — Aus der Offenbarung Johannis 5, 1 ff. «ein Buch . . . versiegelt mit sieben Siegeln». Andere Wendung: *«Das Buch der (vier) Könige lesen»:* Karten spielen. Hier werden die Spielkarten scherzhaft «Buch der Könige», aber auch *des Teufels Gebetbuch* genannt.

BUCHHOLZ

Da kennen Sie Buchholzen schlecht: so leicht ist die Sache nicht zu machen. — Johann August Buchholtz, seit 1753 Hofstaatsrentmeister und später Königlicher Schatzmeister Friedrichs des Großen, war ein so vorbildlicher und sparsamer Beamter, daß er vom König oft lobend in den Randbemerkungen (Marginalien) der Akten erwähnt wurde. Als das Ministerium einmal den König bat, er möge zur Reparatur der Langen Brücke zu Berlin durch den Schatzmeister einen größeren Betrag anweisen lassen, schrieb dieser: «Buchholtz hat kein Geld dazu!» Nicht selten bediente sich der König bei Ablehnungen von Geldforderungen auch der Wendung: «Da kennt Er Buchholtz schlecht!» Sie blieb als Redensart Berliner Ursprungs erhalten.

BUCKEL

Einen breiten Buckel haben: viel aushalten können, ob es sich nun um Beschwerde, Unglück, Verdruß, Ärger oder Kummer handelt. — «Buckel» bedeutet hier nicht den Höcker des Krüppels, sondern einfach den Rücken, der sich allerdings beim Tragen schwerer Lasten zu einem Buckel wölbt. Ähnliche Wendung *«einen breiten Rücken haben»:* Wer einen breiten Rücken oder Buckel hat, kann auch viel darauf tragen.

Achtzig auf dem Buckel haben: achtzig Jahre alt sein. — Alte Leute gehen oft krumm und gebückt. Bei ihnen hat sich der Rücken bereits zum Buckel gewölbt, auf dem sie gleichsam die schwere Last eines langen Lebens mit sich schleppen.

Rutsch mir den Buckel 'runter (entlang, 'rauf): zu jemand, mit dem man nichts zu tun haben will. So wie «Laß mich in Frieden». Meist mit einem Unterton von Geringschätzung, Widerwillen oder Verärgerung. — Die Redensart ist die verhüllte Form des als «Götz von Berlichingen» volkstümlich gewordenen Ausdrucks. — In Norddeutschland hatte der Landrat eines Kreises einem im Dienst ergrauten Bürgermeister einen groben Brief geschrieben. Das tat ihm nachher leid, und so besuchte er den Bürgermeister, um sich bei ihm wegen der Form seines Schreibens zu entschuldigen. «Als Sie meinen Brief bekamen, werden Sie sicher gedacht haben, der Landrat kann mir den Buckel 'runterrutschen», leitete er das Gespräch ein. «Ach wissen Sie, Herr Landrat», entgegnete treuherzig der Bürgermeister, «so hoch wollte ich Sie gar nicht bemühen!» — Andere Wendungen mit «Buckel»: «*Etwas auf seinen Buckel nehmen*», die Verantwortung für etwas auf sich nehmen. Sinnbildlich Verantwortung gleich Last. Ähnlich «*etwas auf seine Kappe nehmen*» (siehe Kappe). «*Sich einen Buckel lachen, sich bucklig lachen, sich den Buckel voll lachen*» (siehe Ast): herzlich, kräftig lachen. — Infolge der Erschütterung beim Lachen beugt und windet sich der Mensch unter Umständen so, daß er wie bucklig aussieht. Ähnlich «*sich ausschütten vor Lachen*». — «*Einen krummen Buckel machen*»: sich unterwürfig, kriecherisch, demütig verhalten, sich willfährig vor dem Vorgesetzten verbeugen; charakterlos sein, kein Rückgrat haben. In dem Zusammenhang auch «*katzbukkeln*»: sich kriecherisch, unterwürfig benehmen. — Die Katze macht einen besonders großen Buckel, wenn sie angreift oder abwehrt — aber auch, wenn sie schmeichelt.

Man täte jedoch der Katze unrecht, sie als kriecherisches, unterwürfiges Wesen zu bezeichnen.

BÜRSTENBINDER

Saufen (trinken) wie ein Bürstenbinder: maßlos, große Mengen trinken. — Die Redensart hat mit den Bürstenbindern nichts zu tun. In der Studentensprache war «bursa» die gemeinsame Kasse der mittelalterlichen Studentenvereinigungen. Ihre Mitglieder hießen «bursen», später «Burschen», und da eine nicht unwesentliche Beschäftigung der Studenten das Trinken war, wurde aus dem Hauptwort «Burschen» das Zeitwort «burschen», «bürschen», «bürschten», später «bürsten» in der Bedeutung von Trinken. Vom falsch verstandenen «bürsten» bis zum Bürstenbinder war dann nur noch ein kleiner Schritt.

Rennen (laufen) wie ein Bürstenbinder (Besenbinder): hasten, jagen, sich beeilen. — Bürsten- und Besenbinder, die ihre Ware als Wanderhändler im Umherziehen verkauften, mußten sich sputen, wollten sie bei ihrem armseligen Geschäft leidlich auf ihre Kosten kommen.

BUSCH

Auf den Busch klopfen: etwas zu erkunden, vorsichtig zu ergründen suchen; vorfühlen, vortasten. — Der Jägersprache entnommen. Der Jäger oder Treiber «klopft auf den Busch», um das Wild aufzuschrecken und es vor die Flinte zu bringen. Auch die Insektenforscher (Entomologen) klopfen auf den Busch. Sie halten nachts bei Taschenlampenbeleuchtung einen aufgespannten Schirm unter den Busch und klopfen die Insekten heraus. Mit dieser Wendung hängt auch die Kurzform *«etwas herauskriegen»* zusammen. So wie der Jäger oder Forscher das Tier aus Lager oder Versteck «herauskriegen» will, so sucht der Mensch durch Nachforschen etwas zu erfahren. — Ein damit verbundenes Sprichwort, das auch im Eng=

lischen, Französischen usw. wiederkehrt, heißt: *« Der eine klopft auf den Busch, der andere kriegt den Vogel. »*

Hinter dem Busch halten heißt es von jemand, der mit seinen Urteilen und Meinungen nicht offen hervortritt; der nicht aus sich herausgeht, der sich verstellt. — Ursprung und Bedeutung wie *« Hinter dem Berge halten »*. Beide Redensarten entstanden im 16. Jh. aus der Vorstellung von Kämpfen, Aufständen und Überfällen, bei denen die Streitmacht hinter Bergen und Gebüschen solange den Blicken des Feindes entzogen wurde, bis der rechte Augenblick gekommen schien, den Gegner im plötzlichen Hervorbrechen zu überraschen. Dieses Bild steckt ebenfalls in dem Wort *« mit etwas herausrücken »*. — Damit verwandt *« es ist etwas im Busch »*: es liegt etwas in der Luft (s. d.), es bahnt sich ein Geschehnis an; es zieht sich etwas, wie ein Gewitter, zusammen. — Weitere Ausdrücke *« sich seitwärts in die Büsche schlagen »*: sich unbemerkt entfernen, sich heimlich davonmachen, sich französisch empfehlen (s. d.), davonschleichen. Aus Johann Gottfried Seumes Gedicht « Der Wilde ». *« Der Buschklepper »*: alte Schindmähre, verwahrloster Gaul, mit dem Wegelagerer und *Strauchritter* hinter den Büschen den Reisenden auflauerten, um sie auszuplündern.

BUSEN

Sie sind Busenfreunde: eng und innig befreundet. — Der Ausdruck wurzelt im altgermanischen Recht, in dem die Verwandtschaftsgrade nach den Körperteilen des Menschen benannt wurden. Was als « Busen » oder « Schoß » bezeichnet wurde, rechnete zur engsten Blutsverwandtschaft, zur Hausfamilie. Die in der Wortverbindung mit « Arm », « Bein », « Hand » und « Fuß » usw. angeführten Personen zählten zur entfernteren Verwandtschaft. Diese Charakterisierung war beispielsweise für die Erbschaftsprozesse von großer Bedeutung. Bei der Adoption (Annahme an Kindes Statt) wurde die Aufnahme des Kindes in die Familie bildhaft dadurch rechtskräftig, daß der Familienvater das Kind auf den Schoß nahm oder an den Busen drückte. Daher auch das Wort «*Schoßkind*» für eine besonders beliebte und bevorzugte Person.

Eine Schlange an seinem Busen nähren: mit Güte und Hochherzigkeit einen arglistigen, feindseligen Menschen behandeln, den man für seinen Freund hält und der das Wohlwollen mit grobem Undank lohnt. — Aus einer Fabel des Griechen Äsop, die durch den «Reineke Fuchs» bekanntgeworden ist. Darin wird erzählt, daß ein Wanderer eine durch Frost und Kälte völlig erstarrte Schlange am Wege aufgelesen hat. Um sie wiederzubeleben, verwahrt er das Tier an seinem wärmenden Busen. Als die Schlange wieder zu sich gekommen ist, versetzt sie ihrem Wohltäter einen tödlichen Biß.

BUTTER

Es ist alles in Butter: es ist alles in Ordnung. Auch: *es ist alles in bester Butter,* es ist alles in bester Ordnung, es ist alles gut ausgegangen. — Berliner Ausdruck, von einem selbstbewußten Gastwirt abgeleitet, der auf die Frage, ob man in seiner Küche etwa auch billige Fette verwende, entrüstet erwidert: «*Bei uns ist alles in Butter!*» Vermutlich steht hinter dieser Redensart der Konkurrenzkampf zwischen Butter und Margarine, die 1869 auf Grund eines Preisausschreibens Napoleons III. von einem französischen Forscher hergestellt und 1875 in Deutschland eingeführt wurde.

Hand von der Butter: laß die Finger davon, rühr' nicht dran; die Sache ist so gefährlich, daß du dich verbrennen könntest. — Die Redensart geht auf die Weinbutte (auch Bütte!) zurück, ein hölzernes Gefäß, in dem die Trauben gesammelt wurden. Wer verbotenerweise davon naschen wollte, dem wurde bei Androhung von Strafe zugerufen: «Hand von der Butte! Es sind Trauben drin!» Man sieht, daß sich hier ein sprachliches Mißverständnis eingeschlichen hat. Aus «Butte» ist «Butter» geworden, aber der Sinn ist geblieben. Auch wer die Hand nicht von der «Butter» lassen kann, bleibt nicht ungestraft! — Ein ähnliches altes norddeutsches Wort ist: *«Hand vom Sack! Es ist Hafer drin!»* Schon im Lateinischen finden wir die verwandte Redensart: «Manum de tabula!» Hand von der Tafel! eine bis heute aktuelle Mahnung an die Schüler, während der Abwesenheit des Lehrers keine Albernheiten an die Tafel zu schreiben.

Daran habe ich zugebuttert: An diesem Geschäft habe ich empfindlich zugesetzt. — Auch diese Redensart hat mit Butter nichts zu tun, vielmehr hieß das Wort im Niederdeutschen ursprünglich: «toboten», was zuschießen bedeutet. Die «tobote» ist die Zugabe. Aus «toboten» wurde «tobottern» = zubuttern.

Er ist weich wie Butter: er ist fügsam, schmiegsam, empfindlich, weichherzig, nachgiebig. «Er hat ein *Herz wie Butter.*» Hergeleitet aus der Beschaffenheit der Butter, die unter Wärmeeinfluß beliebig formbar ist wie das zarte Gemüt eines empfindsamen Menschen.

Sich nicht die Butter vom Brot nehmen lassen: sich nicht übervorteilen, übertölpeln lassen. — Die Butter gehört zum Brot, das sie erst schmackhaft macht. Wer sich die Butter vom Brot nehmen läßt und es trocken ißt, gilt als töricht, tölpelhaft. Wer es hingegen nicht zuläßt, daß ihm die Butter genommen wird, beweist, daß er aufgeweckt und lebenstüchtig ist.

Butter auf dem Kopf haben: etwas angestellt haben und sich daher genieren; ein schlechtes Gewissen besitzen, weil man etwas Dummes angerichtet hat. — Die Redensart ist ein Teil des Sprichwortes «Wer Butter auf dem Kopfe hat, soll nicht in die Sonne gehen». Das erinnert an den bei vielen Völkern heute noch üblichen Brauch der Frauen, ihre Waren im Korbe auf dem Kopf zu tragen. Wer Butter im Korbe hat und damit in die Sonne geht, läuft Gefahr, daß die Butter schmilzt und herabtropft.

Übrigens wurden vor einem halben Jahrtausend in Frankreich Frauen, die ihre Butter durch Beimengung billiger Fette verfälscht hatten, solange in der Sonne an den Pranger gebunden, bis die Butter, die man ihnen auf den Kopf gelegt hatte, zerschmolz und zum Gespött der Gaffer an ihren Gesichtern herabfloß.

Wie Butter an der Sonne bestehen: nämlich versagen, Mißerfolg haben, nichts ausrichten, mit seiner Kunst am Ende sein. — Schon bei Luther findet sich öfters: « das ich da stehen müste wie butter an der sonne ». So wie die Butter an der Sonne zerschmilzt, so verrinnen rasch Großmannssucht und Ruhmredigkeit.

BUXTEHUDE

In Buxtehude sein: ganz weit weg sein, an einem unbekannten Ort leben. — Der Duden vermerkt bei « Buxtehude » « Ortsname; scherzhaft für: Nirgendheim ». Diese Erklärung für die im Jahre 959 zuerst erwähnte Stadt im niedersächsischen Kreise Stade wurzelt im Märchen von dem Swinegel und dem Hasen, deren berühmter Wettlauf « up de lüttje Heid bi Buxtehude » (auf der kleinen Heide bei Buxtehude) stattgefunden haben soll. Die Leser dieser später in die Grimmschen Märchen aufgenommenen Erzählung folgerten ganz logisch, daß nicht nur der Wettlauf, sondern auch der Ort der Handlung erfunden sei, und so glauben heute noch viele, daß Buxtehude gar nicht existiert!

In Buxtehude, wo die Hunde mit dem Schwanz bellen: Die Redensart soll das Unglaubwürdige dieser Stadt noch unterstreichen. In Wirklichkeit heißt es: *wo die Glocken mit dem Tau geläutet werden.* Die Glocke einer der ältesten deutschen Kirchen aus dem 13. Jh. in Buxtehude wurde mit Tau und Klöppel geläutet. Hunte sind Glocken, bellen heißt läuten (englisch: to ring the bell), und der « Schwanz » ist das ausgefranste, wie ein Pferdeschwanz aussehende Ende des Glockentaus. Eigentlich « wo die Hunde mit dem Schwanz gebellt werden ».

C

CASANOVA

Er ist ein alter Casanova: ein gewissenloser Weiberheld. — Seit der Herausgabe seiner Memoiren 1822 haftet Jacques Casanova der schlechteste Leumund an, der jemals einem Manne zugefallen ist. Das verdankt er dem Sprachlehrer Jean Laforgue, dem Bearbeiter seines Werkes «Geschichte meines Lebens», das dieser skrupellos mit zusätzlichen erotischen Schilderungen verfälschte. Ein Sprachlexikon vermerkt unter «Casanova» die Ausdrücke: «Wüstling, Wollüstling, Lustgreis, Verführer, Frauenschänder, Mädchenjäger, Ehebrecher, Blaubart, Seelenverkäufer u. a.» — Erst die bisher unbekannte wortgetreue Wiedergabe der Originalhandschrift seiner Memoiren, die sogenannte Edition Intégrale (herausgegeben 1960) zeigt ihn in einem ganz anderen Licht. Casanova war besser als sein Ruf!

CHRISTBAUM

Der Christbaum brennt: Feindliche Flieger greifen an. — Dieser Ausdruck entstand im Zweiten Weltkriege. Alliierte Flieger schossen bei nächtlichen Angriffen hell und lange brennende Leuchtkugeln in Bündeln ab, um das Bombenziel zu kennzeichnen. Diese Leuchtzeichen erweckten den Eindruck eines an den Himmel projizierten überdimensionalen Lichterbaums. Der mit beißendem Spott von der Bevölkerung geprägte Ausdruck verbindet den Christbaum als Symbol der Nächstenliebe mit dem Vernichtungswerk eines Bombenangriffes.

Er hat sie nicht alle auf dem Christbaum: schwachsinnig, verrückt, närrisch, nicht ganz richtig im Kopfe sein. — Das Licht ist das Sinnbild des klugen Verstandes. So spricht man von einem «Licht der Gelehrtenwelt» oder einer «großen Leuchte der Wissenschaft». Wer «nicht alle» — nämlich Lichter — «auf dem Christbaum hat»,

germanischen Frühzeit stammt. Das Dach galt als Symbol für das ganze Haus, dem es Schutz und Sicherheit verlieh. So heißt «ein Dach überm Kopf haben» ein Heim, ein Haus besitzen. Das Dach war so unverletzlich und heilig (tabu) wie das Haus. Es wurde aber abgedeckt, wenn jemand gegen die Rechtsordnung verstoßen und sich damit selbst aus der Gemeinschaft ausgeschlossen hatte. So auch, wenn ein Mann seine Stellung als Familienhaupt gegenüber der Frau nicht zu behaupten wußte, wenn er unter «den Pantoffel kam» (siehe Schuh) oder wenn er gar von ihr geschlagen wurde. Die Stammesgenossen zogen dann gemeinsam zum Haus des Pantoffelhelden, verrammelten seine Türen, «stiegen ihm aufs Dach» und deckten die Ziegel ab, um das Haus sinnbildlich zu zerstören. Wenn der zweifach gedemütigte Ehemann dann später im Schweiße seines Angesichts das Dach allein reparieren mußte, «sah er rot» (siehe «rot») beim ständigen Anblick der Ziegel. Das verhalf ihm zur Anhäufung jenes Zornes, den er nachher zur Herstellung seines familiären Gleich- und Übergewichts an seiner ungehorsamen Ehehälfte ausließ, — ein Verfahren, das heute im Zeichen der sogenannten Gleichberechtigung etwas fragwürdig erscheint. — Das Dach ist der Begriff des Obersten, Höchsten, wie beim Menschen der Kopf. So lautet später die Redensart auch: *jemand auf den Kopf kommen* (Kopf als Schädeldach). Andere damit verbundene Ausdrücke sind: *jemand eins aufs Dach geben, eins aufs Dach kriegen; jemand eins auf den Deckel geben* (Deckel hier für Mütze), *eins auf den Deckel kriegen, eins auf den Hut kriegen* (siehe Hut). Aus dem Liede «*Unterm Dach juchhe!* hat der Sperling seine Jungen» stammt der Jubelruf, der den Straßenpassanten vom Mansardenbewohner frohlockend entgegenschallt.

Unter Dach und Fach bringen: ans Ziel kommen, etwas vollenden, abschließen, fertig machen. — Der Ausdruck ist vom Hausbau hergeleitet. Die wesentlichen Bestandteile des Hauses waren früher Fachwerk und Dach.

Wenn beide fertiggestellt waren, galt das Haus als « unter Dach und Fach », also bis auf Kleinigkeiten vollendet.

Einen kleinen Dachschaden haben: nicht ganz normal sein, verrückt, närrisch, geistesverwirrt. — Auch hier wird Dach mit Kopf gleichgesetzt, und der Schaden am Dach des Hauses scherzhaft mit dem Schaden im Kopf des Menschen verglichen.

DALLES

Im Dalles sitzen: kein Geld haben, in Armut leben; im Druck, in der Klemme sitzen. — Dem Jiddischen entnommen, in dem « dalluth » Geldmangel, Armut bedeutet.

DAMM

Auf dem Damm sein: gesund, munter sein; sich körperlich und geistig wohlfühlen. — Damm ist im Norddeutschen begrifflich mit Deich gleichzusetzen. Wer « auf dem Deich » ist, darf sich vor der Sturmflut geschützt fühlen. Damm ist aber auch der gut ausgebaute Weg, die gepflasterte oder betonierte Straße, auf der es sich besser geht oder fährt als in unwegsamem Gelände. Daher ist man lieber auf dem Damm.

DAMPF

Dampf vor etwas haben: Angst, Sorgen, Beklemmungen vor etwas haben. — Ursprünglich ist die Bezeichnung « Dampf » aus Schweiß, Atem hervorgegangen. Wer außer Atem, wer in Schweiß geraten war, hatte ein Gefühl der Beklemmung, fühlte sich bedrängt. Das ist auch die Bedeutung für « Dampf » in der Gaunersprache: unangenehmes, dumpfes Gefühl.

Dampf dahinter machen: etwas beschleunigen, vorantreiben; rasch erledigen, zur Eile ermuntern, anspornen, drängen. — Ein neuerer Ausdruck aus der Welt der Technik, der sich auf den Wasserdampf als Antriebskraft der Dampfmaschinen bezieht.

Seinem Mitmenschen einen Dämpfer aufsetzen: den Übermut, die Ausgelassenheit eines anderen eindämmen; seine Keckheit zügeln, sein Selbstgefühl niederdrücken. — Der Ausdruck stammt aus der Musiksprache, aus der Bezeichnung einer Vorrichtung zur Abschwächung der Tonstärke (italienisch sordino). So wird der Geige eine Klammer auf den Steg gesetzt oder beim Klavier und Cembalo das Pedal getreten, um den Klang einzudämmen. Auch im Englischen und Französischen gibt es ähnliche Wendungen: Französisch etwas «à la sourdine» tun, heißt etwas heimlich machen.

DANAER

Ein Danaergeschenk: ein Geschenk von zweifelhaftem Wert, ja gefahrbringendem oder unheilvollem Charakter. — Von den Danaern sagt der Dichter Vergil: «Was es auch sei, so fürchte ich die Danaer, auch wenn sie Geschenke bringen.» Diese Bemerkung geht auf die Warnung Laokoons an die Trojaner zurück, das von den Griechen bei ihrem Scheinrückzug zurückgelassene hölzerne Pferd mit den in ihm verborgenen Kriegern in die Stadt zu schaffen. Die Trojaner holten das Pferd dennoch in ihre Stadt und überantworteten sich damit den Feinden. Danaergeschenke der heutigen Zeit, die tödliche Gefahr heraufbeschwören, sind vergiftete Kuchen und Pralinen oder das per Post zugestellte Paket, in dem sich eine Höllenmaschine befindet.

DANAIDEN

Ins Danaidenfaß schöpfen: unaufhörlich eine vergebliche Arbeit tun, wie Flüssigkeit in ein Faß mit durchlöchertem Boden schöpfen. — Nach der griechischen Sage haben die fünfzig Töchter des Königs Danaos, die sogenannten Danaiden, in der Brautnacht auf Befehl des Vaters ihre Männer, bis auf einen, ermordet. Wegen dieses Frevels mußten sie zur Strafe in der Unterwelt unablässig Wasser in ein durchlöchertes Faß schöpfen.

Pereat! – Er sei des Todes! (siehe *Daumen*)

DAUMEN

Einem den Daumen halten: einem in seinem Vorhaben mit guten Wünschen beistehen; jemand zu einer für ihn bedeutsamen Sache Erfolg wünschen. — Dem Daumen wird von alters her eine übernatürliche, zauberische Kraft beigemessen, die auch in der Volksmedizin eine große Rolle spielt. So soll der unter die anderen Finger geklemmte Daumen nachts vor bösen Träumen und Alpdruck schützen. Dieses Drücken des Daumens, d. h. das Festhalten des Daumens mit den übrigen Fingern, stammt aus dem germanischen Brauchtum. Der Daumen versinnbildlichte den Alben, den Kobold, den man so festbannte, damit er den Freund, « dem man den Daumen drückte «, bei seinem Vorhaben nicht störte. Im alten Rom gab der Daumen bei den Gladiatorenkämpfen das entscheidende Zeichen für Sieger und Besiegten. Nach oben ausgestreckt bedeutete er Beifall oder Gnade für den Mann in der Arena, nach unten ausgestreckt hieß « pereat! » = er sei des Todes! — Noch heute werden bei jeder passenden Gelegenheit « die Daumen gehalten » oder « gedrückt », — oftmals, namentlich in Künstlerkreisen, mit der Beschwörungsformel « toi! toi! toi! », die soviel wie « unberufen! » heißt (siehe Teufel).

Einem den Daumen aufs Auge setzen: jemand hart zwingen, mit brutaler Gewalt unterwerfen, jemand die Pistole auf die Brust setzen und ihm Zugeständnisse abringen oder gar erpressen. — Die Redensart wurzelt in den rauhen Sitten des alten Kampflebens. Dem im Zweikampf Überwundenen wurde zuletzt gedroht, man werde ihm das Auge mit dem Daumen ausdrücken, wenn er nicht um Gnade bitte und sich endgültig geschlagen gebe. Eine abgeschwächte Variante dieser Redensart ist die Wendung: *jemand eins auswischen,* nämlich ein Auge! Denselben Ursprung und gleichen Sinn hat der grausame Ausdruck: *jemand das Messer an die Kehle setzen.*

Über den Daumen peilen: etwas grob, ungenau abschätzen, etwas in großen Zügen zusammenstellen, arrangieren. — Ein Ausdruck, der aus dem Seemannsleben in die allgemeine Umgangssprache übergegangen ist. Peilen heißt in der Schiffahrt, ebenso in der Luftfahrt, den Standort bestimmen, die Richtung festlegen. « Über den Daumen peilen » ist die einfachste, aber auch ungenaueste Art der Standortsbestimmung. Wenn jemand sagt « Ich bekomme über den Daumen gepeilt 500 DM », so will er damit ausdrücken, daß er rund 500 DM bekommt.

Den Daumen auf etwas halten: etwas nicht herausrücken wollen, etwas in seiner Interessensphäre halten. — Der Daumen als stärkster Finger gilt hier stellvertretend für die ganze Hand. Nach altdeutschem Recht war die Handgebärde rechtsverbindlich (siehe Hand). Wird der Daumen auf etwas gelegt oder gehalten, so unterliegt die Sache der Gewalt des Berührenden. Andererseits spielt er auch beim Geldausgeben eine besondere Rolle. Mit dem Druck des Daumens wird das Geldstück aus der Hand entlassen oder einbehalten. Die beredte Geste der Bewegung von Daumen und Zeigefinger bedeutet schlechthin « Geld » — entweder « das kostet etwas » oder im Sinne von « ich habe kein Geld ». Ein Mensch, der *« den Daumen auf den Beutel hält »*, gilt als geizig oder zum mindesten sehr sparsam.

Einem Daumenschrauben aufsetzen: jemand hart zusetzen, jemand zu etwas zwingen, im gleichen Sinne wie « den Daumen aufs Auge setzen ». — Die Redensart ist der mittelalterlichen Folter entlehnt. Die eiserne Daumenschraube wurde bei Kriminalprozessen dem Angeschuldigten an das mittlere Gelenk des Daumens gelegt und angezogen, um ein Geständnis zu erpressen. Wem heutzutage « Daumenschrauben aufgesetzt » werden, der unterliegt einem Zwang oder einer Erpressung mit besonders verwerflichen Mitteln.

Unter einer Decke stecken . . .

DECKE

Unter einer Decke stecken: im geheimen Einverständnis mit jemand sein; in Verschwiegenheit oder auch als Komplice mit jemand zusammenarbeiten. — Die Redensart wurzelt in altgermanischen Kult- und mittelalterlichen Rechtsbräuchen. Es wird an den nordgermanischen Brauch der «Blutsbrüderschaft» erinnert, die im feierlichen «Rasengang» geschlossen wurde. Es wurde ein breiter Rasenstreifen ausgestochen, dessen Enden auf dem Boden liegen mußten, in der Mitte mit einem Speer gestützt. Unter dieses Zelt traten die Männer, die sich verbünden wollten, ließen einige Tropfen ihres Blutes auf die Erde träufeln und schwuren einander so unter der Rasendecke Treue bis in den Tod, «bis uns der Rasen deckt». Eine zweite Erklärung: Die Decke, insbesondere die Bettdecke, hat im mittelalterlichen Eherecht hohe Bedeutung. Erst der öffentlich vorgenommene «Bettsprung», bei dem die Brautleute unter Zeugen ins Bett gingen und die Decke über sich schlugen, machte die Ehe rechtskräftig. In den höfischen Ritterepen ist zu lesen, daß die Helden oft zu zweien geschlafen haben, namentlich, wenn auf der Burg nicht genügend Platz war. Wenn Waffengenossen so «unter einer Decke steckten», war es selbstverständlich, daß sie auch sonst im Leben zusammenhielten. Der Ausdruck war damals noch ohne den unangenehmen Beigeschmack, der sich offenbar im Laufe der Zeit eingeschlichen hat.

Sich nach der Decke strecken: nicht mehr ausgeben, als man hat; seinen Verhältnissen entsprechend leben. – Humorvoll-bildhaft wird hier das Vermögen der Bettdecke gleichgesetzt. Wer eine große Bettdecke hat, kann sich nachts legen, wie er will; wer aber nur eine kleine besitzt und weder am Kopf noch an den Füßen frieren will, muß sich eben nach der Decke strecken. Bei Goethe kehrt die seit dem 17. Jh. bekannte Redewendung in den Versen wieder: «Wer sich nicht nach der Decke streckt, dem bleiben die Füße unbedeckt.»

Vor Freude an die Decke springen: sich unbändig freuen. – Übertriebener Ausdruck für hohes Glücksgefühl.

An die Decke gehen: sehr wütend, ergrimmt, erbost sein. – Übertreibung des Ausdrucks «hochgehen». Seit Anfang des 20. Jh.

DECKEL

Eins auf den Deckel kriegen: gemaßregelt oder zurechtgewiesen werden. — Der Deckel kann als Dach des Topfes gelten, in diesem Sinne auch «eins aufs Dach (s. d.) kriegen»; andererseits erscheint um 1800 in der Sprache der Studenten, Soldaten und Handwerksburschen Deckel für Mütze, ähnlich also «eins auf die Mütze oder auf den Hut (s. d.) kriegen» für «ausgescholten werden».

DENKEN

Jemand einen Denkzettel geben: einen Tadel, einen Verweis erteilen, eine Strafe auferlegen; eine länger anhaltende Erinnerung einprägen, damit er eine Person oder Sache nicht vergißt; auch Prügel verabreichen. — Der «Denkzettel» war ursprünglich im hansischen Recht (15. Jh.) eine Vorladung, eine amtliche Benachrichtigung. Luther gebraucht den Denkzettel schon als Merkblatt für Dinge, die man nicht vergessen darf. In den Lateinschulen wurden die Denkzettel zu Sündenregistern der Schüler, die, wenn «das Maß voll war», mit Prügel verbunden waren. In diesem Sinne wird der Ausdruck noch heute gebraucht. — Die älteste literarische Form des Denkzettels findet sich in der Bibel 4. Mose, 15, 37 ff: «Und der Herr sprach zu Mose: ‚Rede mit den Kindern Israel und sprich zu ihnen, daß sie sich Quasten machen an den Zipfeln ihrer Kleider samt allen ihren Nachkommen, und blaue Schnüre auf die Quasten an die Zipfel tun; und sollen euch die Quasten dazu dienen, daß ihr sie ansehet und gedenket aller Gebote des Herrn.‘»

DEUT

Keinen Deut wert sein: so gut wie nichts wert sein, eine geringfügige Sache. — Der Deut war früher die kleinste holländische Münze mit geringem Wert, die man auch in Deutschland kannte. Dazu *ich kümmere mich keinen Deut darum!* Ähnlich wie Deut meint auch «Pfifferling» bedeutungslos in *keinen Pfifferling wert sein.*

DEUTSCH

Deutsch mit jemand reden: geradheraus, offen, ohne Umschweife, ohne Hintergedanken, ja grob, schroff und derb reden. – Bei Hans Sachs lesen wir: «Wilt das ichs teutscher sagen soll?» und bei Schiller: «Wo will das hinaus – rede deutscher!» («Räuber»). Mit dem Worte «deutsch» verbindet sich hier seine ursprüngliche Bedeutung, denn es wurzelt im Althochdeutschen «diot», das «Volk» heißt. Deutsch war also die Volkssprache, im Gegensatz zum Lateinischen der Gebildeten. Im Deutschen konnte man sich klarer, einfacher und verständlicher ausdrücken. – «Latine loqui» bei den Römern und «parler français» bei den Franzosen hat denselben Sinn von «kein Blatt vor den Mund nehmen».

DICK

Sich dicketun: protzen, prahlen, sich aufspielen. – Geht auf die Volkssprache zurück, in der die Reichen eines Ortes «die Dicken» hießen. Wer sich dicketut, täuscht einen Begüterten und Mächtigen vor.

Etwas dick haben: einer Sache überdrüssig sein, es satt haben, im Sinne «jetzt wird mir's zu bunt!» – Hier hat «dick» noch die alte Bedeutung (wie auch im Altfriesischen «thikke») von dicht, oft, häufig. Wer eine Sache zu oft erlebt, wird ihrer überdrüssig.

Mit einem durch dick und dünn gehen: ihm ohne Vorbehalt, blindlings folgen. – Eigentlich durch Kot und Wasser, aber auch mit jemand durch Dickicht und Lichtungen des Waldes marschieren.

Es faustdick hinter den Ohren haben siehe Ohr.

Dicke Luft siehe Luft.

DING

Aller guten Dinge sind drei lautet eine Redensart, bei der die Betonung auf der «Drei» liegt. – Die Drei ist seit alters eine Zahl von hoher kultischer Bedeutung.

Der Ausdruck wurzelt in der alten deutschen Rechtssprache. «Ding» ist hier nicht «Sache», sondern das altdeutsche Gericht, die Gerichtsversammlung oder Gerichtsverhandlung, das «thing». Der Angeklagte mußte dreimal zum Ding oder Gericht geladen werden; erschien er auch beim dritten Male nicht, wurde er in Abwesenheit verurteilt. Auch in *einen dingfest machen* für verhaften steckt noch diese Bedeutung.

Ein Ding drehen: einen Streich spielen; in verstärktem Maße: ein Verbrechen begehen. — Stammt aus der Gaunersprache, wo «Ding» als verhüllende Umschreibung für «Verbrechen» gebraucht wird. Ähnlich die Wendung *einem ein Ding verpassen* für «ihm eins auswischen».

Nicht mit rechten Dingen zugehen: auf rätselhafte, unverständliche, unerklärliche Weise zugehen. — Im Mittelhochdeutschen hat «Ding» eine Bedeutungswandlung durchgemacht. In «nicht mit rechten Dingen zugehen» meint es noch «Zustand, Lage», während es später in

Guter Dinge sein den Sinn von «Laune, Stimmung, Heiterkeit, Zuversicht» erhalten hat. «Ding» hat sich *schlechterdings* zu einem Allerweltswort entwickelt. Es kann bei *jungem Ding* junges Mädchen oder *dummem Ding* unreifes Mädchen bedeuten, sowohl liebenswürdig als auch geringschätzig gedacht, während *Dings* ein Gegenstand im verächtlichen, herabsetzenden Sinne, wie «Zeugs» (s. d.), ist. Häufig wird es als Ersatz- und Verlegenheitswort für eine absichtlich nicht genannte oder vergessene Person verwendet: *Ich traf gestern Fräulein Dings.* Es kann aber auch Person *und* Sache darstellen, wie *Dingsda: Herr Dingsda, Frau Dingsda* oder einen Ort, wie beim *Vetter aus Dingsda* in der Operette von Eduard Künneke. Ebenso *Dingskirchen,* zusammengesetzt aus «Dings» und «kirchen», der alltäglichen und vertrauten Endung von Orts- und Personennamen, für «irgendwo und irgendwer» *(Dingsbums).*

DRAHT

Auf Draht sein: auf der Höhe, tüchtig sein; sich ständig für Aufgaben bereit halten. — Man erinnert an das niederdeutsche «auf dem Faden sein», wobei Faden nicht nur Zwirns- oder Seidenfaden, sondern auch Draht bedeutet. Was sorgfältig genäht — «auf dem Faden» — ist, das ist in Ordnung. Aber auch die Elektrotechnik hat dem Draht die gebührende Volkstümlichkeit in der Sprache gegeben. Bismarck erklärte 1891 der Wiener Neuen Freien Presse: «Der Draht ist abgerissen, welcher uns mit Rußland verbunden hat.» *Einen Draht zu einer bestimmten Person haben* oder *der Draht zwischen zwei Ländern oder Personen ist gerissen* kommt offenkundig aus dem Fernmeldewesen.

Drahtig sein: fähig, energisch, tauglich, tüchtig sein; so hart aber auch so biegsam wie Draht. — Im Zusammenhang mit Draht finden wir noch die humorvollen Ausdrücke *Drahtverhau* für Dörrgemüse (aus dem Ersten Weltkrieg), *Drahtesel* für Fahrrad und *Drahtkommode* für Klavier. Der

Drahtzieher ist ein Bild aus dem Marionettenspiel und bezeichnet den Mann, der hinter den Kulissen seine Puppen am Draht oder an der Schnüre führt. Der Drahtzieher ist also jemand, dessen Lenkungskünste nicht in Erscheinung treten.

Draht heißt in der Gaunersprache Geld. — Ursprünglich hieß es *Zwirn*. Wie erwähnt, gewannen Zwirn, Faden und Draht gleiche Bedeutung, und allmählich trat Draht an die Stelle von Zwirn. Andere Ausdrücke für Geld: «Kohlen, Mäuse, Möpse, Pinkepinke, Penunzen, Kies, Knöpfe, Pulver» usw. (Siehe auch *Geld, Münzen* und *abknöpfen*.)

DRECK

Dreck am Stecken haben: kein reines Gewissen haben, etwas auf dem Kerbholz haben, eine Schuld mit sich herumtragen, «Butter auf dem Kopfe haben». — Ist jemand (auch bildlich) durch den Schmutz gegangen, mag er sich noch so ändern, an seinem Stecken bleibt immer etwas haften, das gegen ihn spricht.

Durch Dreck und Speck: durch dick und dünn (s. d.) gehen, jemand blindlings und ohne Vorbehalt fol= gen. — «Speck» unterstreicht das Schmierige im Dreck und Schmutz. Beide Wörter sind in Lautgleichheit mitein= ander verknüpft. Sie gehören zu den formelhaften Wen= dungen mit End= oder Stabreim, wie Sack und Pack, Saus und Braus, Schimpf und Schande.

DREIZEHN

Jetzt schlägt's dreizehn! sagt man angesichts eines außerordentlichen, erstaunlichen, ungewöhnlichen, viel= leicht unerwünschten Vorfalls. — «Dreizehn ist des Teu= fels Dutzend.» Die Zahl gilt als Unglückszahl und wird daher in vielen Hotels als Zimmernummer ausgelassen. Die Uhren schlagen nur bis zwölf; tritt etwas — meist Unangenehmes — völlig überraschend ein, hat es für den Abergläubischen dreizehn geschlagen!

DRUCK

Jemand unter Druck setzen: jemand bedrohen, ihm Furcht einjagen, ihn einschüchtern, die Pistole auf die Brust setzen, ins Bockshorn jagen. — Nach dem Bild eines unter Druck gesetzten Dampfkessels.

Im Druck sein: sich in augenblicklicher Notlage, in Bedrängnis, in prekärer Situation befinden. — Auch

In Druck kommen: in Bedrängnis kommen.

Sich drücken: heimlich weggehen. — Aus der Jägersprache. Eigentlich «sich klein machen». Der Hase «drückt sich» vor seinen Feinden in die Furche, um nicht entdeckt zu werden. In diesem Zusammenhang der

Drückeberger: Faulenzer, Tagedieb. Ferner «Wis= sen, wo der Schuh drückt» s. Schuh.

DUMM

Bedeutet dumpf, ohne Geschmack und Würze. Matthäus 5, 13: «Ihr seid das Salz der Erde. Wo nun das Salz dumm wird, womit soll man's salzen? Es ist hinfort zu nichts nütze...» Auch = stumpfsinnig, taub (daher berlinisch «doof» = dämlich).

Dummheit mit Löffeln gegessen

Viele große Geister haben sich ebenso eingehend mit der Dummheit wie mit der Klugheit beschäftigt. Ein dummer Mensch wird als zurückgeblieben, einfältig, töricht, geistesarm, engstirnig und beschränkt bezeichnet. Aber diese Ausdrücke reichen bei weitem nicht aus, um eine so allgemein verbreitete Erscheinung auch nur halbwegs zu definieren, was helle Köpfe oft in brillanten Formulierungen versucht haben, ohne deshalb klüger geworden zu sein. Nach Nestroy ist sie durchaus keine Schwäche, sondern eine Stärke, denn sie ruht wie ein Fels im Meer des Verstandes! «Die Einfachheit des Geistes ist die Dummheit, die des Herzens Unschuld», sagt der mit reichen Erfahrungen gesegnete Casanova. Paul Ernst meint: «Unergründlich ist nur die Dummheit!» Der Spötter Oscar Wilde hingegen erklärt: «Es gibt nur eine Sünde — das ist Dummheit!» und Schiller klagt: «Mit der Dummheit kämpfen Götter selbst vergebens!» Goethe drückt es härter aus: «Das Menschenpack fürchtet sich vor nichts mehr als vor dem

Verstande; vor der *Dummheit* sollten sie sich fürchten!»
Geben wir noch eine Prise französischen Charmes hinzu. La Rochefoucauld findet: «Ein geistreicher Mann würde ohne die Gesellschaft von Dummköpfen oft in Verlegenheit sein!» und Molière schlußfolgert: «Ein gelehrter Dummkopf ist ein größerer Dummkopf als ein unwissender Dummkopf!»

Ist es ein Wunder, daß die Dummheit uns in unseren Redensarten vielfach begegnet? Etwa als *stockdumm, saudumm, dummer als dumm, dumm wie die Sünde* oder in Wendungen wie: *mit Dummheit geschlagen* (ähnlich dem biblischen Ausdruck: «mit Blindheit geschlagen»), *die Dummheit mit Löffeln gegessen* und als Bezeichnung außergewöhnlicher Dummheit, *wenn Dummheit weh täte, müßte er* (natürlich auch sie) *den ganzen Tag schreien!* Er ist aus *Dummsdorf*, sagt man von einem hoffnungslos Beschränkten. *«Sie denken wohl, daß Sie mich für dumm verkaufen können?»* fragt mit Recht schnippisch die junge Dame, die man für einfältig gehalten hat. Wenn von einem gesagt wird, er sei

Dummer als es die Polizei erlaubt, findet diese seit 1870 bekannte Wendung eine höchst aktuelle Erklärung: Natürlich kann die Polizei die Dummheit weder erlauben noch verbieten, aber es gibt heute schon eine ganze Reihe höchstrichterlicher Entscheidungen gegen Bürger, die ihre aus Dummheit geborene Unwissenheit hinsichtlich neuer Gesetze damit begründen wollen, daß sie weder die Zeitung lesen noch den Rundfunk hören. Der Staatsbürger ist verpflichtet, sich zu informieren, — das wäre sozusagen ein erster Schritt gegen die Dummheit.

Dumm geboren und nichts hinzugelernt, dumm wie Bohnenstroh (s. Bohne) und *jemand dumm kommen,* nämlich frech werden, sind überall geläufige Ausdrücke. Man muß nur aufpassen, daß man am Schluß *nicht der Dumme ist,* das heißt der Benachteiligte oder gar der Betrogene, dann geht alles gut!

DUNST

Keinen blassen Dunst von etwas haben: keine Ahnung haben. — Dunst, bei Goethe im Faust noch «Dust» (genau wie im Englischen «dust»), ist der in ein Nichts zerrinnende Staub. Ähnlich *keinen Schimmer haben,* nicht einmal ein Dämmerlicht ist ihm aufgegangen. *Bei ihm dämmert's.* Übertrieben «keinen Schimmer einer Ahnung haben».

Einem blauen Dunst vormachen: einem «etwas vorspiegeln», jemand blenden, täuschen, narren, ihm etwas weismachen wollen. — Nach altem Brauch ließen die Zauberer vor ihren Experimenten blauen Dunst aufsteigen (so Klingsor in Wagners «Parsifal»), damit die Zuschauer ihnen nicht allzu genau auf die Finger sehen konnten.

Dunst kriegen: gescholten werden, angefahren, getadelt werden. — Aus der Soldatensprache. Beim Einschlag einer Granate entwickeln sich Staub, Dunst und Dampf.

DURCHFALLEN s. KORB

DURCHSTECHEREI

Durchstechereien machen: heimliche Machenschaften (oft mehrerer Personen) betrügerischer Art. — Die Redensart geht auf das Fußturnier zurück, bei dem die Kämpfer über eine Schranke hinweg stechen mußten. Es war streng verboten, unter der Schranke hindurchzustechen und die ungeschützten Beine zu verletzen. Das galt als hinterlistig. Dieser Sinn von Heimtücke liegt auch heute noch in der Redensart.

E

ECKE

Jemand um die Ecke bringen: ihn still aus dem Wege räumen, jemand heimlich umbringen. — Wer um die Ecke biegt, entschwindet den Augen, ist nicht mehr sichtbar. So in Brechts «Dreigroschenoper»: «Und ein Mensch geht um die Ecke, den man Mackie Messer nennt.»

EHRE

Jemand die Ehre abschneiden: jemand herabsetzen, verleumden, lästern, verächtlich machen. — Oft in der Form «er ist ein Ehrabschneider», Verleumder, gebraucht. Erinnert an die altdeutsche Strafe, dem Verleumder das lange Gewand abzuschneiden, in welch beschämender Tracht er dann herumlaufen mußte.

EI

Das Ei des Kolumbus ist sprichwörtlich geworden für die überraschend einfache Lösung einer schwierigen Frage. — Nach der ersten Reise des Kolumbus gab Kardinal Mendoza dem Entdecker zu Ehren ein Mahl, bei dem der Kardinal meinte, daß die Entdeckung der Neuen Welt eigentlich gar nicht so schwer gewesen sei. Kolumbus nahm daraufhin ein Ei und fragte, wer von der Tafelrunde das Ei auf eine seiner beiden Spitzen stellen könne. Als alle verneinten, nahm der Admiral das Ei und schlug das eine Ende auf den Tisch — und das Ei stand. Der Sinn der Redensart ist, daß man zur Lösung einer schwierigen Aufgabe im rechten Augenblick eben den richtigen Einfall haben müsse.

Mit «Ei» sind eine ganze Reihe von Ausdrücken zusammengesetzt:

Wie aus dem Ei geschält (berlinisch *gepellt*): adrett, sauber, reinlich, blitzblank, elegant gekleidet sein. *Sich gleichen wie ein Ei dem anderen* ist schon bei Cicero zu finden. *Einen wie ein rohes Ei behandeln* — jemand äußerst vorsichtig behan=deln. Wenn einer *wie auf Eiern geht,* so geht er be=hutsam und vorsichtig. Man denkt dabei an ängst=liche Menschen, die überall fürchten anzustoßen. Wenn sich einer mit behenden Worten um heikle Dinge herumdrückt, so *führt er einen wahren (regelrech=ten) Eiertanz auf,* wie Goe=thes Mignon vor Wilhelm Meister. Und *wenn sich einer gar um ungelegte Eier kümmert,* so macht er sich Sorgen um Dinge, die noch gar nicht spruchreif sind oder die ihn überhaupt nichts angehen.

Jemand einwickeln

EINWICKELN

Jemand einwickeln: jemand für sich gewinnen, übervorteilen, betrügen. — Das Bild stammt vom Kleinst= oder Wickelkind, das «eingewickelt» alles willenlos über sich ergehen lassen muß, weil es sich nicht bewegen kann.

EIS

Jemand aufs Glatteis führen: irreführen, täuschen, prellen, hintergehen; in gemildertem Sinne auch: jemand mit verfänglichen Fragen in Gefahr bringen, ihm eine Falle stellen; jemand auf die Probe stellen, damit er aus=gleitet. — Auf dem Eise kommt einer leicht ins Schwan=ken und Straucheln.

Eisbeine kriegen: kalte Füße bekommen. — «Eis=bein» (Schienbein des Schweines) ein in Deutschland be=

liebtes Gericht. Früher wurden aus diesem Knochen im Norden Schlittschuhe gemacht, daher Eisknochen oder Eisbein. Hier ein humorvolles Wortspiel.

EISENBAHN

Es ist die höchste Eisenbahn: Es ist die höchste Zeit, es ist brandeilig. — Aus der Posse des Berliner Satirikers Adolf Glaßbrenner «Ein Heiratsantrag in der Niederwallstraße». In ihr hält ein zerstreuter Briefträger um die Hand der Tochter eines Stubenmalers an. Plötzlich stürzt er davon, weil die von Leipzig eingetroffenen Briefe ausgetragen werden müssen, wobei er sich in der Eile mit den Worten verabschiedet: «Es ist die allerhöchste Eisenbahn, die Zeit ist schon vor drei Stunden angekommen.»

ELEND

Im Elend sein: In Armut, Not, Drangsal, Kümmernis, Qual, Krankheit. — Ein Zeugnis der großen Heimatliebe der Germanen, die das Leben im «Elend», das ist in der «Fremde» (auch Verbannung, Heimatlosigkeit) als beklagenswertes Los ansahen.

Das graue Elend haben: völlig niedergeschlagen, in tiefer seelischer Depression sein. — «Grau in grau» ist im Gegensatz zu «rosig» die Farbe der Asche, der Buße, des Schuldbewußtseins, der Einkehr. Das «graue Elend» ist vor allem in der Gaunersprache heimisch geworden, wobei eine Lautähnlichkeit mit einem seit hundert Jahren gefürchteten Arbeitshaus in Graudenz eine Rolle gespielt haben mag. — Das *heulende Elend* hat der Bezechte, der in hemmungsloses Weinen ausbricht und hinterher wie *ein Häufchen Elend* aussieht.

ELSTER s. RABE

ENDE

Das dicke Ende kommt nach: Das Schlimmste kommt zuletzt; im Sinne: «es wird noch eine unangenehme

Überraschung geben.» — Aus der Soldatensprache. Früher drehten die Soldaten im Nahkampf das Gewehr um und schlugen mit dem Kolben, mit dem «dicken Ende», aufeinander los. Auch bei der zivilen Rauferei wird häufig der Stock umgedreht, weil das dickere Ende wuchtiger ist.

Das Ende vom Lied: der unerfreuliche, traurige Ausgang einer Sache. — Erinnert an den Schluß eines Volksliedes, das häufig traurig endet. Weitere Wendungen dieser Art sind *da ist das Ende von weg!*, ein Berliner Ausdruck für «das ist ein starkes Stück!» und die berühmte *Schraube ohne Ende*, siehe Schraube.

ENTE

Eine Ente: eine lügenhafte Nachricht. — Unsere «Zeitungsente» ist die Übersetzung für das französische *canard*, das sowohl Ente als auch Flugblatt und später die Falschmeldung bedeutet. Es gibt kein Tier, über das so viele Fabeln verbreitet worden sind wie über die Ente. Schon zu Luthers Zeiten sind die «blauen Enten» eine Bezeichnung für Schwindel. Die Ente ist als Brüterin sehr unzuverlässig. Das hat ihr wahrscheinlich den schlechten Ruf eingetragen.

ENTRÜSTEN s. HARNISCH

ERPICHT SEIN s. PECH

ESEL

Jemand einen Eselstritt geben: verächtliches Benehmen gegenüber einem einst Angesehenen, der gefallen ist; seinen Mut an einem ehemals Mächtigen und nun Gestürzten auslassen. — Nach der Erzählung des Phädrus, des ersten lateinischen Fabeldichters, in welcher der Esel, als er sah, wie Stier und Eber einen sterbenden Löwen mißhandelten, dem König der Tiere zum Schluß mit seinem Huf die Stirn einschlug.

Eselsohr: die umgebogene Ecke einer Buchseite. — Die Ohren des Esels klappen oft wie Hundeohren um.

Eine Eselsbrücke benutzen: sich unerlaubter Hilfsmittel bedienen (bei Schülern); sich's bei der Lösung von Aufgaben bequem machen. — Die Redensart spielt auf die weitverbreitete Meinung an, der Esel sei dumm und faul — eines der typischen Fehlurteile! (Daher *alter Esel* oder *das war eine Eselei!)* Es wird damit angedeutet, daß der «faule» Esel eine Brücke braucht, um über den Graben zu kommen, während das Pferd hinüberspringt.

ESPE

Zittern wie Espenlaub: heftig zittern. — Die Blätter der Espe oder Zitterpappel beginnen mit ihrem merkwürdig drehbaren Stiel schon beim leisesten Luftzug zu zittern. Nach der Legende soll dies eine Folge des Hochmutes dieses Baumes sein, der beim Tode Christi als einziger unbeweglich geblieben sei. Dafür sei er mit ewiger Unruhe bestraft worden. In Schweden und Schottland ist der Aberglaube verbreitet, das Kreuz Christi sei aus der Espe gefertigt worden, die deshalb nicht mehr zur Ruhe kommen könne.

ESSE s. SCHORNSTEIN

EULE

Eulen nach Athen tragen: etwas Überflüssiges, Wirkungsloses, ja Absurdes, Widersinniges tun. — Die Eule ist als Sinnbild der Weisheit Athene beigegeben, der Schutzgöttin Athens. Da der Vogel dort sehr häufig vorkam und sein Bild überall, auch auf den Münzen, den sogenannten «Eulen», erschien, so galt es als überflüssig, Eulen nach Athen zu tragen. Im Deutschen in ähnlichem Sinne üblich: *Bier nach München bringen,* niederdeutsch: *Water in de See dragen* oder *Bäckerkindern Stuten schenken.*

ETEPETETE

Ist die aber etepetete: ist die aber zimperlich, übervornehm, peinlich ordentlich. – Ironisierte Verdoppelung des niederdeutschen Wortes ete, öte = geziert.

F

F

Nach dem Schema F erledigen: etwas bürokratisch behandeln. – Im preußischen Heere waren sogenannte Frontrapporte üblich, die mit einem F bezeichnet wurden. Das Muster solcher Frontrapporte, die nach bestimmten Gesichtspunkten aufzusetzen waren, wurde kurz «Schema F» genannt.

Etwas aus dem ff verstehen: etwas ausgezeichnet können, eine Sache gründlich beherrschen, mit ihr bestens vertraut sein. – Aus der Rechtssprache. Die Pandekten (griechisch «alles enthaltend»), ein wesentlicher Teil des Corpus juris, der Justinianischen Gesetze, wurden unter dem lateinischen Namen «Digesten» mit der Signatur *D* geführt. Dieses *D* war durchstrichen und sah deshalb einem FF sehr ähnlich. Wer den Inhalt der Pandekten meisterte, wurde mit der Redensart bedacht: «Er versteht seine Sache aus dem ff.» Daher auch die Form: «Etwas aus dem ff beweisen (aus den Digesten, aus dem Corpus juris).» Dazu paßt die elsässische Wendung: «Dies ist einer us dem ff – ein Pfiffikus.»

FACKEL

Nur nicht lange gefackelt: Frisch vorwärts, nicht gezögert! Nur keine Flausen machen. – Hergeleitet aus dem altdeutschen Wort facken (hin und her bewegen). Aus «facken» ist «fackeln» geworden, was den gleichen Sinn ergibt: die offene Flamme der Fackel schwankt unstet hin und her.

FADEN

Den Faden verlieren: nicht weiter wissen; vergessen, was man eigentlich sagen wollte. — Bezieht sich auf den «Ariadnefaden» der griechischen Sage, das Garnknäuel, das Ariadne, die Tochter des Königs Minos von Kreta, dem geliebten Theseus gab, damit er sich aus dem Labyrinth wieder herausfände. Er durfte also nicht den Faden verlieren. Daraus ist auch der *Leitfaden* in der Wissenschaft entstanden, ein Lehrbuch, durch das man sich in ein Fach hineinfindet. Ein abgenutzter Wollstoff ist *fadenscheinig,* weil die einzelnen Fäden an ihm sichtbar werden. Im übertragenen Sinne gilt auch ein angeblicher Beweis oder eine Begründung als «fadenscheinig», wenn sie als Ausrede zu durchschauen ist. Nach *Strich und Faden,* soviel wie gründlich, tüchtig, kommt aus der Weberei (die sich kreuzenden Fadenrichtungen: Kette und Einschlag). *Alle Fäden in einer Hand haben* wurzelt im Puppenspiel (siehe Drahtzieher), und *keinen guten Faden an jemand lassen,* heißt es, wenn von einem nur Schlechtes gesprochen wird.

Es hängt an einem seidenen Faden: Die Lage ist sehr bedrohlich. — Nach germanischer Vorstellung spannen die Schicksalsgöttinnen den Lebensfaden der Menschen, den sie ebenso wieder zerschneiden konnten, wenn das Leben zu Ende gehen sollte: Von der Stärke des Fadens erschien die Lebensdauer des Menschen abhängig. Hing sein Leben nur noch an einem seidenen Faden, drohte ihm tödliche Gefahr. — Auf die antike Sage vom lobpreisenden Damokles geht diese Redensart nicht zurück, da über dessen Haupt ein Schwert am Roßhaar aufgehängt worden war (siehe Haar).

Der rote Faden, der sich durch eine Sache zieht, ist eine vielangewendete Redensart aus Goethes «Wahlverwandtschaften». Der Dichter erklärt ihren Ursprung im 2. Kapitel des 2. Teils: «Wir hören von einer besonderen Einrichtung bei der englischen Marine. Sämtliche Tau-

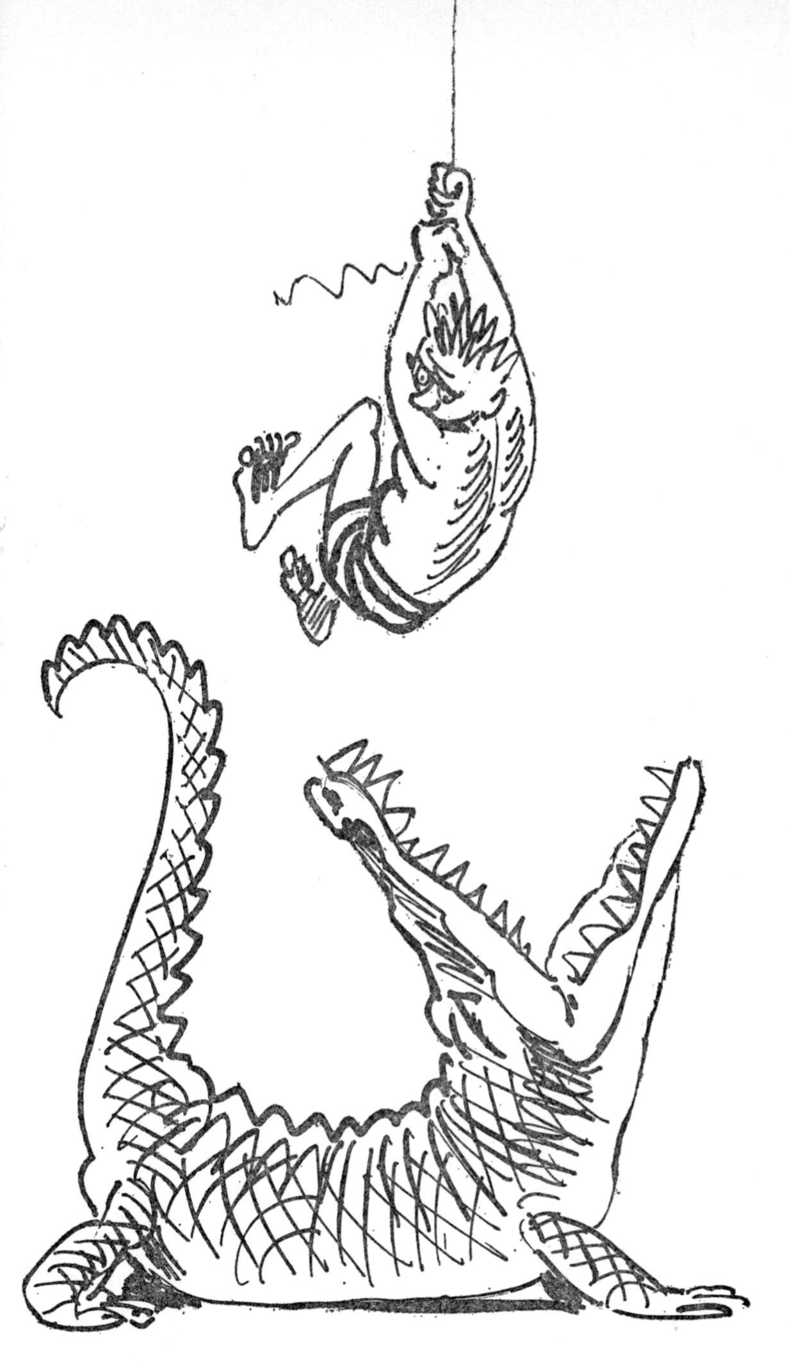

Es hängt an einem seidenen Faden

werke der königlichen Flotte, vom stärksten bis zum schwächsten, sind dergestalt gesponnen, daß ein roter Faden durch das Ganze durchgeht, den man nicht herauswinden kann, ohne alles aufzulösen, und woran auch die kleinsten Stücke kenntlich sind, daß sie der Krone gehören. Ebenso zieht sich durch Ottiliens Tagebuch ein *Faden* der Neigung und Anhänglichkeit, *der alles verbindet und das Ganze bezeichnet.*»

FAHNE

Die Fahne hochhalten: zu einer Sache stehen. — Die Fahne hat seit je hohe symbolische Bedeutung als Sinnbild des Kampfwillens. Solange sie frei im Winde flattert, ist die kriegerische Auseinandersetzung noch im Gange, wird sie gesenkt, so heißt das Niederlage. — Auch *die Flagge streichen* gehört hierher. Wird sie eingezogen (gestrichen), kann das Abbruch des Kampfes bedeuten. In der Marine wird die Flagge jedoch auch bei Sonnenuntergang niedergeholt (Flaggenparade). Bei *Fahnen auf halbmast (halbstocks),* wird die Fahne zum Zeichen der Trauer auf halbe Höhe gesetzt. Die Wendung *die Segel streichen* wird heute im geistigen Kampf als Ausdruck einer Niederlage gebraucht. In früheren Seekämpfen strichen die Schiffe, die zur Kapitulation bereit waren, ihre Segel.

Eine Fahne haben: nach Alkohol riechen. — Moderner burschikoser Ausdruck für Bezechte, abgeleitet von der Rauchfahne.

FAHREN

Was ist in dich gefahren? sagt man zu einem, dessen unerwartete Handlung man mißbilligt. — Die Wendung beruht auf der alten Vorstellung, daß der Teufel in den Menschen fährt und seinen Geist verwirrt. Konnte sich der Teufel jedoch nicht im Menschen halten, so mußte er den Körper wieder verlassen. Das tat er unter Hinter-

Einem Fallstricke legen ...

lassung eines üblen Schwefelgestanks. Daher der Aus= druck *er ist abgestunken* = er ist durchgefallen (als Schau= spieler oder Redner).

FALLSTRICK

Einem Fallstricke legen: ihm zu schaden suchen, ihn in eine gefährliche Lage locken; jemand zu einem Fehltritt verleiten, wodurch ihm Schaden entsteht. — Fallstricke waren im früheren Jagdwesen Stricknetze, in die sich Vögel und andere Jagdtiere verfingen. Ähnlicher Aus= druck: *jemand eine Falle stellen.* Auch

Jemand berücken: so bei Mädchen, die durch Charme, Schönheit und Liebreiz einen Mann gewinnen. —

Ebenfalls aus der Jagdsprache. Die Vogelsteller «rückten» das Netz über den Vogel, um ihn zu fangen.

FANFARE

Fanfare blasen: Trompetensignal zum Angriff.

Schamade blasen: Trompetensignal zum Rückzug. — Die berühmte «Emser Depesche», das Vorspiel zum Krieg 1870/71, redigierte Bismarck, ohne etwas zu ändern oder hinzuzufügen, durch geschickte Zusammenfassung so, daß der überraschte Moltke sagte: «Vorher klang es wie eine Schamade, jetzt wie eine Fanfare!»

FARBE

Farbe bekennen: klare Stellung beziehen; seine Meinung offen darlegen, ehrlich zu erkennen geben. — Aus dem Kartenspiel, in dem man die geforderte Farbe nachspielen muß. Hierzu eine Reihe anderer Ausdrücke wie: *va banque spielen, gute Miene zum bösen* (falschen) *Spiel machen, die Hand im Spiel haben, alles auf eine Karte setzen, sich nicht in die Karten gucken lassen, seine Trümpfe in der Hand behalten* und *den höchsten Trumpf ausspielen* usw.

FASS siehe BODEN

FAUST siehe AUGE

FECHTEN

Fechten gehen: betteln, um Unterstützung bitten. — Im ausgehenden Mittelalter gab es viele Fechtschulen, in denen auch wandernde Handwerksburschen Unterricht nahmen. Sie zogen dann durch die Lande und zeigten ihre Fechtkunst, wobei sie auf Geld und Gaben der Zuschauer rechneten. So nahm *fechten* im Sprachgebrauch die Bedeutung von «betteln» an *(Fechtbruder).*

FEDER

Sich mit fremden Federn schmücken: mit dem angeben, das anderen (auch geistig) gehört; sich mit Verdiensten anderer brüsten. — Nach der Fabel des Phädrus « Die Krähe und der Pfau », in der es der Krähe schlecht bekam, daß sie sich mit den Federn des Pfaus aufputzte.

Nicht viel Federlesens machen: kurzen Prozeß machen, barsch vorgehen, keine Umstände bereiten. — Die ursprüngliche Bedeutung war, in kriecherischer Schmeichelei vornehmen Damen und Herren angeflogene Federn vom Gewand abzulesen, um sich dadurch bei ihnen beliebt zu machen. Das wurde verächtlich als « Federlesen » (der Federleser) verurteilt. Heute tritt die Redensart nur in der (verneinten) Form auf, in der Goethe sie auch gebraucht hat: « Nicht so vieles Federlesen! Laß mich immer nur herein. » (Westöstlicher Diwan.)

Der Federfuchser: verächtlicher Ausdruck für Schreiberling. — « Fuchsen » kommt von « fucken » (wie « facken ») = unruhig hin- und herbewegen, hier peinigen, martern, plagen, quälen. Einer der die Feder quält, ist ein solcher Federfuchser (Schiller).

FEHDE

Jemand den Fehdehandschuh hinwerfen: ihn herausfordern, mit ihm Streit anfangen. — Wurzelt in ritterlichen Bräuchen des Mittelalters, die oft symbolischer Natur waren. Ritter durften sich nicht prügeln. Wollte einer den anderen beleidigen, so warf er diesem als Sinnbild eines Schlages den Handschuh vor die Füße. Hob der Gegner ihn auf, so war der Kampf angenommen. Daher auch heute noch im gleichen bildlichen Sinne *den Handschuh aufheben*. Siehe Schillers Ballade « Der Handschuh ».

FELL

Seine Felle fortschwimmen sehen: seine Hoffnungen schwinden sehen. — Aus dem Berufsleben der Lohgerber.

Einem das Fell über die Ohren ziehen: jemand betrügen, prellen, benachteiligen. — Nicht aus dem Jagdwesen, sondern aus der Bauernsprache. Die Redensart bezieht sich besonders auf betrügerische Händler, die arglose Käufer ausbeuten. Auch der Abdecker zieht das Fell, nachdem die Ohren abgetrennt worden waren, über den Kopf. « Fell » wird oft derb für die menschliche Haut gebraucht: *ein dickes Fell haben, ihn juckt das Fell,* jemand *das Fell gerben* für prügeln.

Das Fell versaufen: derbe Redensart für « nach einem Begräbnis im Wirtshaus einen Umtrunk zum Gedächtnis des Toten halten ». — In dieser Wendung überschneiden sich zwei alte Sitten: der Leichenschmaus zu Ehren des Verblichenen (Totenopfer) und der bäuerliche Brauch, den Erlös aus dem Verkauf des Gemeindebullen gemeinsam zu vertrinken.

FERSE

Fersengeld geben: fliehen, sich davonmachen. — Seit 1250 in der Rechtssprache bezeugter Ausdruck, beispielsweise Bußgeld für rechtswidriges Verlassen der Ehefrau. Die Wenden durften ihre Ehefrauen verstoßen, mußten aber dafür ihrem Herrn drei Schilling « Fersengeld » geben. Ebenso wurde im germanischen Volksrecht das Strafgeld genannt, das der Deserteur zu zahlen hatte. Die Redensart ist auch im Volkswitz verankert, wohl von dem Bild des flüchtigen Schuldners, ob Zechpreller oder Bankrotteur, verursacht, der statt mit springenden Münzen mit springenden Fersen « zahlte ».

FETT

Sein Fett bekommen: sich eine Rüge zuziehen; seine verdiente Schelte, Strafe erhalten. — Im Volksmund heißt « eine geschmiert bekommen » so viel wie eine Ohrfeige erhalten. So auch im Englischen « schoolbutter » für Hiebe. Ursprünglich aber ist die Redensart harmlos gemeint: Beim Schweineschlachten und Buttermachen erhielt jeder sein Fett, je nach Mitarbeit und Bedarf. Die Wendung wurde erst später im ironischen Sinne üblich.

Ins Fettnäpfchen treten: durch eine unbedachte Äußerung es mit jemand verderben; durch Ungeschicklichkeiten jemand kränken, verstimmen. — In erzgebirgischen Bauernhäusern stand zwischen Tür und Ofen ein Fettnäpfchen, mit dessen Inhalt die nassen Stiefel der Heimkehrenden sogleich geschmiert wurden. Wer durch Unbedachtsamkeit das Näpfchen umkippte und so Fettflecken auf der Diele verursachte, zog sich den Unwillen der Hausfrau zu.

FEUER

Für einen die Hand ins Feuer legen: für einen voll einstehen, sich für ihn verbürgen. — Geht auf das mittelalterliche «Feuerurteil» zurück, das in verschiedenen Formen verbreitet war. Der Angeklagte mußte, um seine Unschuld zu beweisen, entweder seine Hand eine Zeitlang ins Feuer halten, mit entblößtem Arm einen Stein aus siedendem Wasser holen («Kesselfang») oder ein glühendes Eisen eine Strecke weit tragen. Der Grad der dabei erlittenen Verbrennungen bestimmte Schuld oder Unschuld des durch «Gott Gerichteten». Die Wunden wurden stets sofort verbunden. Als unschuldig galt nur, wer in kürzester Frist wiederhergestellt war.

Für jemand durchs Feuer gehen: ihm zuliebe das Schwerste auf sich nehmen, die größten Opfer bringen. — Im mittelalterlichen Gottesurteil galt der Gang durchs Feuer oder über glühende Pflugscharen als äußerstes dem Angeschuldigten angebotenes Beweismittel. — Es ist naheliegend, auch an das Feuer zu denken, aus dem einer Mitmenschen oder Hab und Gut unter Gefährdung des eigenen Lebens rettet.

Die Feuertaufe erhalten: während des Krieges zum erstenmal im feindlichen Feuer stehen. — Kommt wörtlich vor im Neuen Testament Matthäus 3, 11.

Mehrere Eisen im Feuer haben: umsichtig sein, für die Zukunft besorgt und vorbereitet sein. – Ein dem Schmiedehandwerk entlehntes Bild. Der Meister, der zugleich mehrere Eisen im Feuer hält, spart Material und Zeit und hat die Wahl, welches Eisen zuerst bearbeitet werden soll. Entsprechend seiner hohen Bedeutung nimmt das Feuer auch im Sprachgebrauch einen großen Platz ein: *Die Feuerprobe bestehen* sowohl prozessuales Beweismittel als auch im Feuer vorgenommene Goldprobe, um die Reinheit des Metalls zu prüfen. Der Sinn ist: prüfen, ob sich ein Mensch in der Not des anderen bewährt. – *Sich die Finger verbrennen* und *auf glühenden Kohlen sitzen* hängt ebenfalls mit dem mittelalterlichen Rechtsbrauchtum zusammen. – *Feuer und Flamme* ist einer, der sich schnell für etwas begeistert, der im Nu *Feuer fängt.* Das *Strohfeuer* hält jedoch meist nicht lange an. Wer *mit dem Feuer spielt,* geht verantwortungslos mit einer ernsten Gefahr um. Man verwendet diesen Ausdruck auch gern im tändelnden Feld der Liebe, im Sinne des Flirts. Ebenso *zwischen zwei Feuer kommen,* was « in doppelte Gefahr kommen » heißt. Man denkt an den Soldaten, der zwischen das Feuer der beiden Fronten gerät; oder an jenen Gutmütigen, der zwei Gegner zu versöhnen versucht, und es dabei mit beiden verdirbt. Das Bild paßt auch recht gut auf jenen Mann, der gleichzeitig in zwei Schönheiten verliebt ist. – *Feuer dahinter machen* (oder *Feuer unterm Frack machen*) sagt man, wenn eine Sache beschleunigt werden soll, und *Feuer im Dach* hat einer, der besonders heißblütig, leidenschaftlich oder gar zornig ist. In humorvollem Sinne bedeutet es auch « rotes Haar » haben, was den Rothaarigen liebenswürdig bestätigt, daß sie zu den Temperamentvollen und nicht zu den Langweiligen gehören.

FIASKO

Er hat Fiasko gemacht: Er ist gescheitert, durchgefallen. – Auf mißglückte Theateraufführungen ebenso wie auf geschäftliche oder politische Unternehmungen angewandt. In Italien wurde durchgefallenen Sängern oder Schauspielern zum Spott eine Flasche (italienisch: fiasco) umgehängt. (Vergleiche unseren verächtlichen Ausdruck « eine Flasche ».)

FINGER

Durch die Finger sehen: Nachsicht walten lassen, milde beurteilen. — Wer durch die Finger sieht, schaut nicht mit vollem Blick. Er kann und will nicht genau sehen, was vorgeht (3. Mose 20,4).

Sich die Finger danach lecken: begierig auf etwas sein. — Aus der Zeit, als man noch nicht mit Gabeln aß und sich die Finger ableckte, damit von den Resten des Mahles nichts verlorengehe.

Aus den Fingern gesogen: aus der Luft gegriffen; etwas Erfundenes, Ausgedachtes behaupten. — Alter Aberglaube bei allen Völkern, daß die Finger eine Mitteilungsgabe besäßen. Später ironisch entstellt. Andere Ausdrücke sind *jemand auf die Finger sehen,* ihn scharf beobachten, und *einen um den Finger wickeln,* nämlich einen Gutmütigen und leicht Lenkbaren, der sich wie Garn um den Finger wickeln läßt.

FISCH

Im Trüben fischen: sich Unkenntnis, Unordnung oder Sorglosigkeit anderer heimlich zunutze machen, um zu seinem Ziel zu kommen; Händel stiften, um seinen Vorteil wahrzunehmen. — Aus der Anglersprache, in der es heißt, daß im trüben Wasser die Fische schneller anbeißen.

Weder Fisch noch Fleisch: nichts Halbes und nichts Ganzes, nichts Bestimmtes, nichts Rechtes, ein lauer Mensch. — Die Redensart stammt aus der Reformationszeit. Mit ihr sollten die Wankelmütigen, ewig Lahmen und Unentschlossenen gegeißelt werden, die sich weder zum

Katholizismus, der den Freitag zum Fischtag bestimmte, noch zum Protestantismus, für den es kein Fleischverbot gab, bekannten.

FISIMATENTEN

Fisimatenten: Ausflüchte, nichtige Einwände, Flausen, künstliche Schwierigkeiten machen; sich albern oder zimperlich gebärden. — Möglicherweise ist die Redensart die Entstellung des griechischen Ausdrucks physema (Mehrzahl: physemata), was Aufgeblasenheit, Geschraubtheit bedeutet. Wahrscheinlicher jedoch ist die Erklärung aus der Geschichte vom alten Wappenmaler, der mit den Fremdwörtern auf Kriegsfuß stand. Als er einen Lehrbuben ermahnte, sein Augenmerk mehr auf Schild und Helm und nicht so sehr auf den Zierat, die sogenannten «Visamente», zu richten, rief er aus: «Mach doch nicht dauernd solche Fisimatenten!», und dieser Ausdruck erhielt sich bis heute. Er hat später im 19. Jh. durch zwei französische Wendungen noch einen erheblichen Nachschub erhalten. So leitet man ihn von einem fadenscheinigen Besuchsgrund her, den die französischen Kriegsgefangenen in einem Berliner Gefangenenlager 1813 angeben mußten, um Ausgangsurlaub zu erhalten. «Wohin?» fragte der wachhabende Offizier. «Visiter ma tante!» (Meine Tante besuchen) war die Antwort, die dann von deutschen Posten verballhornt wurde. — Eine andere, noch amüsantere Geschichte besagt: Als die Franzosen wieder einmal Teile unseres Landes besetzt und in sommerlicher Jahreszeit irgendwo ihr Feldlager aufgeschlagen hatten, war das für die neugierigen Bürger verständlicherweise eine ebensolche Attraktion, wie es die lebhaften, fremdartigen Soldaten für die Weiblichkeit waren. Die französischen Soldaten riefen nun den hübschen Mädchen die unmißverständliche Einladung zu: «Visitez ma tente!» (Besuch mein Zelt), und manche brave Bürgersfrau mußte ihrer Tochter, wenn sie spazierengehen wollte, vorher ausdrücklich sagen: «Mach mir keine ‚visitez ma tente'!», wodurch die uralten Fisimatenten neue, kräftige Nahrung erhielten.

FLACHS (FLAX)

Mit jemand flachsen: mit jemand Scherz, Spott, Neckerei treiben. — Zusammengezogen aus «filaxen» = aufziehen.

FLAPS

Er ist ein richtiger Flaps: ein ausgesprochener Flegel. — Kommt vom niederdeutschen «Flappe», der «herunterhängenden Lippe», die bei einem bärbeißigen, trotzigen Menschen das Bild der Flegelhaftigkeit noch verstärkt; «*flapsig*» (Kleist: «Zerbrochener Krug»).

FLASCHE

Er ist eine Flasche: Er ist ein völlig unfähiger Mensch. — Flasche im Italienischen «fiasco», siehe dies.

FLAUSEN

Mach doch keine Flausen: Umschweife, Ausflüchte machen; Vorspiegelungen, törichte Einfälle. — Flausen, ältere Wortform Fausen, das sind Flocken, Wollfasern oder lose Bündel Wolle, die hier dummes Zeug oder lockere Reden versinnbildlichen. Im Gegensatz dazu das solide, feste Gewebe als Symbol der Zuverlässigkeit.

FLECK siehe WESTE

FLEEZEN

Sich fleezen: sich ungesittet benehmen, sich faul hinflegeln und strecken. — Vom pommerschen Fleez gleich Tenne; auf das Benehmen der Drescher anspielend.

FLITTER

Die Flitterwochen verleben: die erste glückliche Zeit der Neuvermählten, die « Kosewochen » verleben. — Hat mit Flitter = Glanz nichts zu tun. Gemeint ist vielmehr die Zeit, in der « gevlittert » wird. Das mittelhochdeutsche « vlittern » bedeutet kichern, flüstern, liebkosen.

FLÖTEN

Er ist flöten gegangen: Er ist verschwunden, verlorengegangen. — Hat mit der Flöte nichts zu tun. Stammt vielmehr aus dem Hebräischen peleta « Flucht des Betrügers », von wo auch « Pleite » kommt. « Peleta » gelangte in portugiesisch-hebräischer Aussprache als « feleta » in die Niederlande und dann als « flöten » nach Deutschland. Diese Erklärung ist schon deshalb nicht von der Hand zu weisen, weil sowohl in « Pleite » als auch in « flöten gehen » der Sinn des Zugrundegehens, des Ruins liegt. Hingegen ist *einem die Flötentöne beibringen* offensichtlich auf den sanften Charakter der Flöte zurückzuführen. Es bedeutet, jemand Höflichkeit lehren, ihm eine feinere Tonart beibringen, aber auch « ihn ins Gebet nehmen ».

FOLIE

Als Folie dienen: bescheiden als Hintergrund dienen, von dem sich etwas anderes um so strahlender abhebt. — Der Ausdruck stammt aus der Goldschmiedekunst. Als Folie wird dort das Gold- oder Glanzblättchen bezeichnet, das die Unterlage zur Glanzsteigerung eines Edelsteines bildet. In Schillers « Kabale und Liebe » sagt Luise zu Lady Milford: « Hat Ihre Wonne die Verzweiflung so nötig zur Folie? »

FRACK siehe AST

FRAKTUR

Fraktur mit einem reden: seine Ansicht deutlich und ungeschminkt ausdrücken, deutsch mit einem reden (siehe dies). — Die eckige deutsche Schrift (Frakturschrift) ist kräftiger und ausdrucksvoller als die weiche, rundliche lateinische Schrift (Antiqua). Seit Anfang des 17. Jh. bezeugt, jedoch in den vierziger Jahren des 19. Jh. als Schlagwort der Demokraten weiter bekanntgeworden.

FRANZÖSISCH

Sich französisch empfehlen: sich aus einer Gesellschaft heimlich entfernen, ohne sich zu verabschieden. — Jedes Volk wälzt diese unhöfliche Sitte immer auf ein anderes ab. Im Englischen heißt « to take French leave » (französisch Abschied nehmen) sogar « durchbrennen, ohne seine Schulden zu bezahlen ».

FUCHS

Das kann einen fuchsen: das ärgert, erzürnt einen. — Hat mit Fuchs nichts zu tun. Der Ausdruck kommt wahrscheinlich von « fucken » = unruhig hin- und herlaufen, reiben. Daraus sich seelisch reiben, erbosen. Es ist aber auch möglich, daß es eine Umbildung von « vexieren » = quälen, mißhandeln ist.

Wo sich die Füchse gute Nacht sagen: irgendwo in weiter Ferne. — Manchmal sagen sich auch die Wölfe oder Fuchs und Hase gute Nacht, alles Tiere, die menschliche Siedlungen meiden und sich gern in entlegenen Gegenden aufhalten.

Die Flitterwochen verleben

FUCHTEL

Unter der Fuchtel stehen: in strenger Zucht gehalten werden; unbedingten Gehorsam leisten. — Die Fuchtel ist ein unscharfer Degen, dessen Hiebe besonders schmerzhaft sind. Davon *« herumfuchteln »* und *« fuchtig sein »* wütend, zornentbrannt sein.

FÜNF

Er kann nicht bis fünf (drei) zählen: er ist ein großer Dummkopf. — Die fünf Finger waren für den Naturmenschen das erste Rechengerät. Im römischen Altertum sagt der Dichter Plautus bereits: « Er weiß nicht, wieviel Finger er an der Hand hat! »

Fünf gerade sein lassen: etwas nicht so genau nehmen, eine Sache nachsichtig behandeln. — Wer die Fünf gerade sein läßt, ist nicht so streng in seinem Urteil.

FUSS

Sich auf den Fuß getreten fühlen: gekränkt sein, sich beleidigt fühlen. — Die Redensart wurzelt in der altdeutschen Rechtssymbolik. Wer seinen Fuß auf etwas setzte, nahm davon Besitz, wie der Sieger vom Besiegten. Der Bräutigam mußte seinen Fuß auf den der Braut setzen, um zu bekunden, daß er nunmehr Gewalt über sie habe. Im gewöhnlichen Leben jedoch kommt diese Handlung einer Kränkung gleich.

Kalte Füße kriegen: Bedenken bekommen, Angst kriegen, einen Rückzieher machen. — Fritz Reuter (1810—1874) stellt uns in seinem « Ut mine Stromtid » einen kartenspielenden Rektor vor, der, als er gewonnen hat, plötzlich behauptet, « kolle Fäut » — kalte Füße — bekommen zu haben. Mit dieser Ausrede beendet er das Spiel und geht mit seinem Gewinn nach Hause.

Auf gespanntem Fuße mit jemand leben: sich nicht mit ihm vertragen. — Aus dem 17. Jh. stammende Redensart, die bei Lessing im « Nathan » in der Form « mit jemand über den Fuß gespannt sein» vorkommt. Daraus leitete man ab: «feindliche Spannung zwischen dem Fuß des einen und dem Fuß des anderen», so daß bei gemeinsamem Auftreten Schmerz empfunden wird. Einleuchtender ist jedoch die Deutung, daß Fuß früher die Bedeutung von Maß, Grundlage hatte (Zinsfuß, Münzfuß). Aus dieser Wendung stammen dann ähnliche Ausdrücke wie *auf schlechtem* oder *vertrautem Fuße mit jemand leben*, ebenso

Auf großem Fuße leben: flott, kostspielig, üppig leben. — Die Wendung geht vielleicht auch auf eine Anekdote des französischen Mittelalters zurück. Ein auffallend lebenslustiger, schöner und eleganter Mann, der Graf von Anjou, ließ sich lange Schnabelschuhe anfertigen, um den häßlichen Auswuchs seines Fußes zu verbergen. Die Mode hatte einen so durchschlagenden Erfolg, daß jeder, der sich vornehm dünkte, sich möglichst lange Schuhe machen ließ. Als diese Modetorheit dann ausartete, wurde sie durch gesetzliche Maßnahmen unterbunden.

Auf tönernden Füßen stehen: auf unsicherer Grundlage ruhen. — Biblischen Ursprungs. In Daniel 2 deutet Daniel Nebukadnezars Traum von den vier Weltreichen und dem ewigen Reiche Gottes. Im goldenen Haupt des Bildes, das dem König Nebukadnezar in der Nacht erschien, erkennt der Deuter die Macht des Königs, in den tönernden Füßen den Untergang der Weltreiche, die vom Reiche Gottes abgelöst werden: «Des Bildes Haupt war von feinem Golde, seine Brust und Arme waren von Silber, sein Bauch und seine Lenden waren von Erz, seine Schenkel waren Eisen, seine Füße waren einesteils Eisen, und einesteils Ton. Solchest sahest Du, bis daß ein Stein herabgerissen ward ohne Hände; der schlug das Bild an seine Füße, die Eisen und Ton waren, und zermalmte sie.» (Daniel 2, 31 ff.)

Auf freiem Fuße sein: ungehindert, unbeaufsichtigt, frei sein. — Die Wendung stammt aus der Rechtssprache des Mittelalters. Gefangenen, die ihre Strafe ver=

büßt hatten oder begnadigt worden waren, löste man die Fesseln oder Ketten von den Füßen. Sinnbildlich bedeutet der Ausdruck «in seiner Handlungsfreiheit nicht beschränkt sein».

Mit linkem Fuß zuerst aufstehen: frühmorgens schlechte Laune haben. — In abergläubischer Vorstellung bedeutet Links das Unheilvolle. Wer morgens mit dem linken Fuß zuerst aus dem Bett klettert, beschwört Unglück herauf.

Festen Fuß fassen: sich eine Stellung sichern. — Aus der Fechtersprache. Im Zweikampf kommt es darauf an, daß man sich mit dem Fuß eines festen Standorts versichert.

Stehenden Fußes etwas tun: es sofort tun. — Bedeutsamer Ausdruck der altdeutschen Gerichtssprache. War jemand mit einem Gerichtsurteil nicht zufrieden, konnte er es «schelten», d. h. Einspruch erheben. Das mußte er «stehenden Fußes» (lateinisch: stante pede), also noch vor den Gerichtsschranken tun, sonst erlangte das Urteil Rechtskraft.

Er fällt immer auf die Füße: trotz vieler Mißerfolge, kommt er immer wieder zurecht, geht es ihm nie schlecht. — Bei dieser Wendung stand das Bild der Katze Pate, die durch ihre Gewandtheit und Zähigkeit verblüfft. Man kann sie werfen, wie man will, sie landet stets mit den Füßen zuerst auf dem Boden.

Das Recht mit Füßen treten: es schwer verletzen. — Die Redensart wurzelt in einem mittelalterlichen Strafbrauch. Wucherer und Ehebrecher mußten an drei Sonntagen hintereinander barfuß um die Kirche gehen, sich dann hinlegen und die Leute über sich treten lassen, eine symbolische Handlung, in der vermeintlich Gleiches mit Gleichem vergolten wurde.

Anderer Ausdruck *Hand und Fuß* siehe Hand, *Fußtapfen* siehe Schuh.

FUTSCH

Es (er) ist futsch: verloren, verschollen, verschwunden, zunichte. — Lediglich ein lautmalendes Wort ohne besonderen Ursprung, auch nicht aus dem Italienischen, mögen auch scherzhafte Erweiterungen, wie « futschikato perdutti » vorkommen. Wie beim Aufflattern von Tauben vermittelt es sehr plastisch den Eindruck des Verschwindens.

G

GALGEN

Jemand eine Galgenfrist geben: ihm Zeit lassen, bis er das ebenso Unangenehme wie Unvermeidliche tun muß; letzter Aufschub vor einer unabwendbaren Entscheidung. — Die Galgenfrist war früher eine kurze Gnadenfrist, die dem Verbrecher vor der Hinrichtung gewährt wurde. Weitere Zusammensetzungen mit Galgen sind *Galgenstrick* = verkommener Mensch, bei dem der zum Aufhängen bestimmte Strick dem Verbrecher gleichgesetzt wird. *Galgengesicht,* Verbrechergesicht, *Galgenvogel* und *falsch wie Galgenholz* heißt es von einem treulosen Menschen. « Ich will ihr sonst nichts nachsagen, aber falsch ist sie, falsch wie Galgenholz » (Theodor Fontane: « Irrungen und Wirrungen »). Der unter dem Galgen stehende Verbrecher, der in dieser Lage noch fähig ist, Witze zu reißen, hat *Galgenhumor.* Typische Proben dafür sind folgende Aussprüche von Verbrechern kurz vor ihrer Hinrichtung. Als solch ein Galgenvogel eines Montags in der Frühe zum Richtplatz geführt wurde, meinte er zu seinem Henker: « Die Woche fängt ja gut an! » — In einem anderen Falle hielt der Todgeweihte unter dem Galgen noch eine kleine Ansprache an das versammelte, sensationslüsterne Volk: « Entschuldigen Sie bitte », rief er höflich, « wenn ich mich etwas ungeschickt benehmen sollte, aber es ist das erstemal in meinem Leben, daß ich gehängt werde! »

GAMASCHEN siehe MANSCHETTEN

GANG

Gang und gäbe sein: üblich, gebräuchlich sein. — Stabreimende Formel, die schon aus mittelhochdeutscher Zeit bezeugt ist — zuerst bei Münzen, später bei Sitten und Gebräuchen angewendet. Gang von gehen, was umlaufen kann. Was gang und gäbe war, befand sich im Umlauf, weil es gültig war. So Luther: «Abraham wog das Geld, nämlich vierhundert Seckel Silbers, das im Kauf gang und gäbe war.»

GARAUS

Einem den Garaus machen: ihn umbringen, töten, vernichten. — Die Redensart hatte früher eine wesentlich mildere Bedeutung. Wollte man im Wirtshaus den Zechbruder zum Austrinken veranlassen, prostete man ihm mit den Worten «Gar aus!» zu. Daher der Sinn «Schluß machen», «etwas zu Ende bringen». In Regensburger und Nürnberger Schenken wurde die Polizeistunde mit dem «Garaus=Rufe» angekündigt, das hieß «vollständig vorbei!». Die «Garaus=Glocke» bezeichnete das Ende des Tages.

GARDINE

Gardinenpredigt: nächtliche Strafrede einer Ehefrau an den spät heimkehrenden Mann. — Vor den Betten hingen früher Vorhänge oder Gardinen, hinter denen die Eheliebste den aus dem Wirtshaus Kommenden höchst unsanft begrüßt.

Hinter schwedischen Gardinen sitzen: im Gefängnis sein, sich hinter Kerkergittern befinden. — Aus dem Gaunerjargon in die Gemeinsprache übernommen. Die Bezeichnung «schwedisch» soll an gewisse Grausamkeiten der Schweden im Dreißigjährigen Kriege erinnern. Die Gitterstäbe Gardinen zu nennen, ist eine der in der Um=

gangssprache nicht selten vorkommenden ironischen Beschönigungen.

GARN

Einem ins Garn gehen: in die Falle gehen, auf den Leim kriechen, sich zu seinem Schaden verlocken lassen. — Aus der Jägersprache der Vogelsteller entnommen, die mit Garnnetzen, Leimruten und anderen Fallen arbeiten.

Ein Garn spinnen: Lügengeschichten erzählen. — Aus der Seemannssprache. Auf den alten Segelschiffen mußten die Schiffsjungen und Matrosen einst während ihrer Freizeit auf See aus abgenutzten Tauenden Garn spinnen. Während dieser Arbeit erzählten sie ihre Abenteuer. Die Bezeichnung «Garn» übertrug sich vornehmlich auf ihre phantastischen Geschichten, von denen der Binnenländer meist das Erlogene glaubt und das Glaubwürdige in Zweifel zieht. Hier ein typisches Beispiel von Seemannsgarn, das immer eine richtige Mischung von Dichtung und Wahrheit sein muß! Ein junger Matrose schreibt an seine Mutter: «Liebe Mutter! Ich will Dir noch schnell von unserer letzten Reise berichten. Wir fuhren bei wunderbarem Wetter von Colombo auf Ceylon durch den Indischen Ozean über die Nordspitze Sumatras nach Singapur. Auf dieser Fahrt begleiteten uns Hunderte von Fliegenden Fischen. Sie schnellen mit Hilfe ihrer sehr kräftigen Schwanzflossen meist gegen den Wind aus dem Wasser und segeln über die Wasseroberfläche. Dabei breiten sie ihre übermäßig großen Brustflossen weit aus und benutzen sie so als Tragflächen. Wir haben welche gesehen, die wohl zweihundert Meter elegant durch die Luft flogen. Das war ein wunderbares Bild! In Singapur herrschte leider eine furchtbare Hitze, denn diese berühmte Hafenstadt liegt ja direkt am Äquator. Als wir dort auf der Reede unsere Anker auswarfen, hatten wir ein wahres Seemannspech. Nach einer Stunde wollten wir in den

Hafen einlaufen, aber stell Dir vor, als wir versuchten, sie zu lichten, waren unsere Anker im kochendheißen Meereswasser geschmolzen. Der Kapitän bekam einen Wutanfall, denn nun muß er in Singapur neue Anker kaufen, und das ist immer ein umständlicher Kram. — Bald hörst Du mehr. Viele Grüße Dein Jens.» Die Mutter antwortete darauf ihrem Sohn: «Lieber Jens! Wir haben alle Deinen Bericht mit großer Begeisterung gelesen. Wegen seines Pechs haben wir Euren Kapitän sehr bedauert. Das kann man sich so richtig vorstellen, wie in tropischen Gewässern selbst *die Anker schmelzen.* Aber, aber, lieber Junge, Du mußt immer schön bei der Wahrheit bleiben: die Geschichte mit den *Fliegenden Fischen* haben wir Dir alle nicht geglaubt. Das ist doch sicher Seemannsgarn! In Liebe Deine Mutter.»

GEBET

Einen ins Gebet nehmen: ihm ins Gewissen reden, ihn scharf anfassen, zur Rechenschaft ziehen. — Irrtümlicherweise hat man längere Zeit angenommen, daß die Redensart auf die Beichte der katholischen Kirche zurückgehe. Das ist ein sprachliches Mißverständnis, denn es handelt sich nicht um das Gebet, sondern um das falsch verstandene *Gebett,* das Gebiß. Wer ins Gebiß genommen wird, kann nicht mehr ausbrechen, sondern muß gehorsam sein wie das Pferd, das *an die Kandare genommen* wird. Dieser sehr ähnliche Ausdruck bedeutet: jemand schärfer zügeln, straff vornehmen, streng halten. Kandare (ungarisch kantár = Zaum) ist die zwischen das Gebiß geklemmte Eisenstange, mit der das Pferd geknebelt wird. Im übertragenen Sinne gebraucht wie im «Biberpelz» von Gerhart Hauptmann: «Dem (Gastwirt Fiebig) woll'n wir mal bißchen Kandare anlegen.»

GEHEGE

Einem ins Gehege kommen: einem in die Quere kommen, seine Pläne stören, sich unbefugt in seiner

Sphäre zu schaffen machen. — Wörtlich eigentlich: «in sein umzäuntes, umhegtes (hag!), umfriedetes Gebiet eindringen». In seinem umhegten Gebiet fühlte sich der Germane «behaglich». Hier war er geschützt, und niemand durfte ihn stören.

GEIGE

Einem die Wahrheit geigen, auch heimgeigen: ihm derb die Meinung sagen, den Standpunkt klarmachen. — Die Redensart wurzelt in der bekannten Vorstellung, wonach der Tod mit seinem Geigenspiel dem Menschen das Ende ankündigt.

Nach seiner Geige tanzen müssen: nach seinem Wink handeln. — Auch *nach seiner Pfeife tanzen.* Stammt vom Tanzboden, wo der Geiger den Takt und die Tonart angibt, nach der sich die Paare drehen.

Der Himmel hängt voller Geigen: in gehobener, verzückter Stimmung sein. — Erinnert an die antike Vorstellung von der Sphärenmusik, die durch die Bewegung der Planeten hervorgerufen wird. Später meinte man, daß die Engel im Himmel musizieren. Eine andere Wendung ähnlicher Bedeutung *die Engel im Himmel pfeifen hören,* wird jedoch ironisch bei einem Menschen gebraucht, der große Schmerzen hat, etwa beim Zahnarzt. Unter dem Wort «pfeifen» wurde früher das Musizieren schlechthin verstanden, daher war «Stadtpfeiferei» der Name für die Kapelle der Stadtmusikanten.

Die erste Geige spielen: der geistige Mittelpunkt eines Kreises, die führende Kraft eines Unternehmens sein; an erster Stelle stehen, den Ton angeben. — Mit der Bildung des Streichquartetts in der Kammermusik (17. u. 18. Jh.) wurde der erste Geiger Spieler und Dirigent in einer Person. Nach ihm mußten sich die drei anderen Mitspieler richten. Er *gab* nicht nur sinnbildlich, sondern auch wörtlich *den Ton an,* nämlich das A.

GELD

Geld stinkt nicht: Kurzform des Sprichwortes: « Am Gelde sieht man's nicht, womit es verdient ist! » Noch kürzer das lateinische « non olet » = es stinkt nicht! Eine vom römischen Kaiser Vespasian (69–79 n. Chr.) überlieferte Geschichte erzählt, daß er im Zuge einer durchgreifenden Verwaltungsreform sich nicht scheute, Steuern auf die Bedürfnisanstalten zu erheben. Von seinem Sohn Titus in vorwurfsvollem Tone darauf angesprochen, hielt der Kaiser diesem das erste Geld aus jener « Urinsteuer » unter die Nase und fragte ihn, ob es rieche, was der Sohn verneinte. Nach diesem Vorgang heißen noch heute in Frankreich die Bedürfnisanstalten « vespasiennes ». — Eine moderne, krassere Form solcher vespasiennes sind Spielbanken und öffentliche Häuser, aus denen der Fiskus Gewinn zieht. (Siehe auch *Draht* und *Münzen.*)

GELEGENHEIT

Die Gelegenheit beim Schopfe fassen: den günstigen Augenblick wahrnehmen, ausnutzen. — Der griechische Bildhauer Lysippos stellte Kairos, « die günstige Gelegenheit » (eigentlich « die günstige Zeit »), als Jüngling mit flatterndem Schopf an der Stirn und kahlem Nacken dar. (Einzige antike Kopie in Trogir, dem alten Tragurion in Dalmatien.) Dazu der alexandrinische Dichter Poseidipp: « Warum fällt die eine Haarlocke in die Stirn? Damit mich greifen kann, wer mir begegnet. So ist's, beim Zeus! Warum bist du kahl am Hinterkopf? Wenn ich mit geflügelten Füßen an jemand vorbeigeflogen bin, wird mich keiner von hinten erwischen, so sehr er sich auch mühe! » In der älteren deutschen Literatur finden wir die « Gelegenheit » als Weib ebenfalls mit Stirnlocken und unbehaartem Hinterkopf. — Da die Gelegenheit flüchtig wie der Wind ist, muß man sie wie das Mögliche in Goethes « Faust » (Vorspiel) « beherzt sogleich beim Schopfe fassen ».

GELIEFERT

Er ist geliefert: um ihn ist es geschehen, er ist verloren, er ist nicht mehr zu retten. — Die Redensart erinnert an den Strafvollzug, in dem der Verurteilte morgens vor der Hinrichtung seinem Scharfrichter « mit gebundenen Händen » ausgeliefert wurde.

GERÄDERT siehe RAD

GERUCH

In keinem guten Geruch stehen: keinen guten Ruf haben, sich keiner Wertschätzung erfreuen. — Man könnte an die « faule Sache » denken, die nicht gerade gut riecht, aber auch an das biblische Brandopfer, das mit seinem wohlgefälligen Geruch zu Gott emporsteigt. Die Wendung hat jedoch mit beidem nichts zu tun. Vielmehr stammt sie aus dem altdeutschen Rechtsverfahren, in dem mit dem « Geruch » oder dem « Gerüften » eine Klage vor Gericht eingeleitet wurde. Das Gerüfte richtete sich gegen den Verklagten. Es griff ihn in scharfer Weise an, um seine Position zu erschüttern. Siehe Schiller, der Don Carlos zu König Philipp sagen läßt: « Dein Geruch ist Mord. Ich kann dich nicht umarmen! »

GERUHEN

Etwas zu tun geruhen: bei Herrscherhäusern in bezug auf den regierenden Fürsten heute noch ernst gemeint; in der allgemeinen Umgangssprache jedoch ironisch gesagt, als ob sich jemand herabließe, etwas zu erledigen. — Dieses Wort kommt nicht von « ruhen », sondern vom mittelhochdeutschen « ruochen »: bestrebt sein, die Gedanken auf etwas konzentrieren. Es heißt also eigentlich « ernstlich bemüht sein, etwas zu tun ».

GESCHLAGEN

Ein geschlagener Mann sein: Einfluß, Achtung und Ansehen völlig verloren haben. — Das Entehrende in die=

ser Redensart wurzelt in der altdeutschen Strafe des Stäupens mit Rutenschlägen. Dieser Strafvollzug war nicht viel weniger entwürdigend, wenn er nur symbolisch vorgenommen und etwa der Verurteilte mit einer Rute um den Hals durch die Stadt geführt wurde.

GESCHREI

Viel Geschrei und wenig Wolle: viel Aufhebens um eine unbedeutende Sache machen; viel Wesens um eine Angelegenheit machen, ohne daß etwas Nennenswertes dabei herauskommt, viel Staub aufwirbeln. — Von der Schafschur. Geschrei ist hier eine Entstellung des « Gescherei » (der Schafe). Trotz sorgfältigen Scherens wurde manchmal nur wenig Wolle gewonnen. Der Ausdruck bezieht sich auch auf das Hausschwein, das bekanntlich viel Geschrei macht, wenn man es einzufangen sucht. Dazu die scherzhafte niederdeutsche Redensart: « Veel Geschrie un wenig Wull, sä de Düwel, do schor he'n Swien. »

GESCHÜTZ

Ein grobes Geschütz auffahren: einem Menschen massiv entgegentreten, eine Auseinandersetzung in derber Form führen. — Aus dem alten Festungskrieg von der Vorstellung, das schwerste Geschütz entscheide den Kampf. Auch bildlich auf politische und kulturelle Streitigkeiten angewandt.

GESICHT

Das Gesicht wahren: eine würdige Haltung bewahren, sein Ansehen hüten. — Chinesischen und japanischen Ursprungs. Die Tugend der Selbstbeherrschung wird die Kinder dieser asiatischen Völker nicht gelehrt, sondern sie ist Bestandteil ihres Charakters. Die Haltung oder « das Gesicht verlieren » gilt unter ihnen als einer der beschämendsten Vorfälle, die einem sittlichen Makel gleichkommen.

Ins Gesicht schlagen: widersprechen.

GESTERN

Nicht von gestern sein: mehr können und wissen, als einem andere zutrauen. — Die Wendung ist eine Umkehrung der Stelle aus Hiob 8, 9: «Denn wir sind von gestern her und wissen nichts.»

GEWICHT

Großes Gewicht auf etwas legen: es für wichtig nehmen, es hoch bewerten. — Aus der Kaufmannssprache. In die eine Schale der Waage muß man so viel Gewichte legen, wie die Ware in der anderen Schale wiegt. Ebenso

Einem gewogen sein: ihm wohlwollend zugetan sein. — Man ist bereit, einem Menschen, dem man gewogen ist, viel auf der Waagschale zuzuwiegen. Allerdings auch im gegenteiligen Sinne ironisch: *Er kann mir gewogen (gestohlen) bleiben!*

GIFT

Darauf kannst du Gift nehmen: darauf kannst du dich fest verlassen; Beteuerungsformel, daß eine Behauptung wahr sei. — Nicht vom Gottesurteil genommen, das im germanischen Bereich niemals mit Hilfe von Gift vollzogen wurde, sondern vom Bibelwort Markus 16, 18: «und so sie etwas Tödliches trinken, wird's ihnen nicht schaden.» — Daneben die Ableitung von der ärztlichen Praxis, dem Patienten eine gifthaltige Arznei anzuempfehlen, ohne daß er einen Schaden davonträgt.

GLAUBEN

Er hat daran glauben müssen: eine schmerzliche Erfahrung machen, ein tiefes Mißgeschick erleiden oder gar sterben. — Religiösen Ursprungs. Die Wendung ist unvollständig. Sie muß heißen: «Er hat daran glauben müssen, daß es einen Gott gibt, oder daß Gott die Sünder straft.»

Wer's glaubt, wird selig: ich glaube das nicht. —

Ironischer Hinweis auf die Stelle bei Markus 16, 16: « Wer da glaubet und getauft wird, der wird selig werden. »

GLEICH

Gleiche Brüder, gleiche Kappen: gleiche Rechte und gleiche Pflichten haben. — Das Wort geht auf die Bruderschaften (Mönchsorden) zurück, bei denen alle zu einem Orden gehörigen Brüder gleiche Kleidung und gleiche Kappen tragen. Der Ausdruck hat aber im Laufe der Zeit eine ironische, verächtliche Bedeutung bekommen.

Etwas auf seine Kappe nehmen: die Verantwortung für etwas übernehmen. — Kappe ist hier für Kopf gesetzt. Jemand übernimmt die Verantwortung und bürgt dafür mit seinem Kopf.

GLOCKE

Etwas an die große Glocke hängen: etwas ausposaunen, was nicht für die Allgemeinheit bestimmt ist; es überall herumerzählen, obwohl es nicht jedermann wissen soll. — Die Wendung geht auf den alten Brauch zurück, öffentliche Bekanntmachungen durch Gemeindediener mit der Schelle ausrufen zu lassen. Besonders wichtige Ankündigungen wurden mit der großen Kirchenglocke ausgeläutet, so daß auch die entfernter Wohnenden unterrichtet werden konnten.

Er weiß, was die Glocke geschlagen hat: erfahren haben, daß einem Unangenehmes droht.

Er hat etwas läuten hören: oft mit der Ergänzung « weiß aber nicht, wo die Glocken hängen ». Von jemand, der unvollständig unterrichtet ist. Die Redensart zielt auf Glockengeläute, deren Herkunft schwer zu bestimmen ist, weil der Wind die Klänge verweht.

GLÜCK

Auf gut Glück: etwas ohne Vorbereitung in der Hoffnung tun, daß es gelingen werde. — Im Mittelhochdeutschen hat das Wort Glück noch die Bedeutung von

Zufall. Wer etwas auf gut Glück versucht, tut es in Erwartung eines freundlichen Zufalls.

Glückspilz ist einer, der unverhofft und oft Glück hat. – Gegen Ende des 18. Jh. unter Einfluß des englischen «mushroom» = Pilz und Glückspilz, aufgekommen.

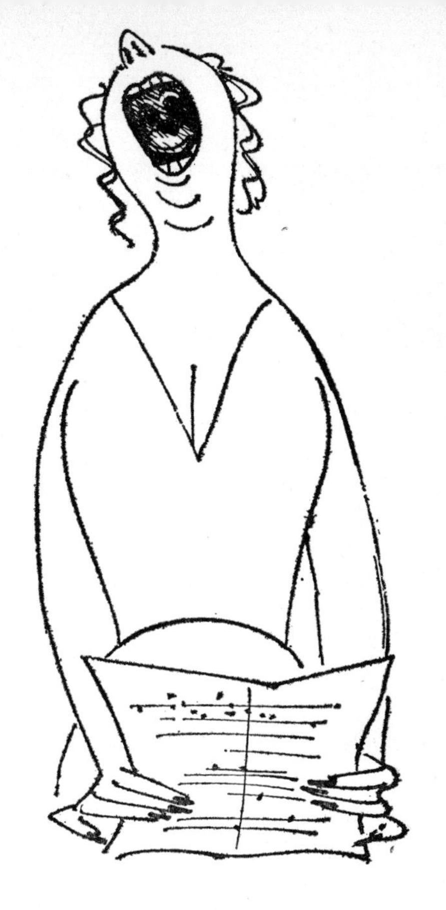

Gold in der Kehle haben ...

GNADE

Den Gnadenstoß geben: die Qualen eines Menschen oder Tieres durch rasche Tötung abkürzen. – Früher galt diese Redensart nur dem Menschen. Die mittelalterliche Justiz kannte den Tod durch Rädern (siehe Rad). Bei dem «Rädern von oben» konnte der Henker die Leiden des Verurteilten durch Gnadenstoß verkürzen. Ein schneller, geschickter Stoß mit dem Degen machte seinem Leben ein Ende. Das war der «Gnadenstoß», der in der Jägersprache heute noch bekannt ist. Daher auch *Gnadenschuß*.

GOLD

Seine Worte auf die Goldwaage legen: sie genau abwägen und prüfen, ob sie nicht eine unbeabsichtigte

Wirkung ausüben könnten. – Die Goldwaage ist ein äußerst empfindliches Gerät. Der Vergleich war schon den Römern bekannt. Auch in der Bibel (Sirach 28, 29) heißt es: « Du wägest Dein Gold und Silber ein; warum wägest Du nicht auch Deine Worte auf der Goldwaage? »

Gold in der Kehle haben: eine hervorragende Stimme besitzen. – Die Redensart ist doppelsinnig. Eine Stimme, namentlich die Tenorstimme, gilt als besonders schön, wenn sie metallischen (Gold-) Klang hat. Zugleich denkt man daran, daß der berühmte Sänger das metallische Gold in seiner Kehle durch große Honorare in klingende Goldmünzen verwandeln kann. – Andere Ausdrücke dieser Gattung sind *Goldgrube* für ein einträgliches Unternehmen; oft auf kleine, aber stark besuchte Wirtshäuser angewandt. Der *Goldfisch* ist nicht nur der aparte Bewohner der Hausaquarien, sondern auch das reiche Mädchen, das als Ehepartnerin begehrt wird. Sofern das Heiraten als ein Angelsport aufgefaßt wird, erscheint die Bezeichnung recht passend. Die Wendung *goldig* für « allerliebst » und « entzückend » wird bereits seit 1890 in deutschen Landen als Backfisch-Superlativ über alle Maßen strapaziert.

GOTT

Er lebt wie Gott in Frankreich: Ihm geht es besonders gut, er genießt sein Leben sorglos und in Freuden. – Entstand in der großen Französischen Revolution von 1789, in der Gott « abgesetzt » wurde und der Kultus der Vernunft an die Stelle des Christentums trat. Man stellte sich Gott gleichsam pensioniert vor, der nun in Frankreich besonders sorglos und glücklich leben könnte.

GRAS

Das Gras wachsen hören: sich äußerst klug dünken. – Die Redensart wird ironisch da angewendet, wo sich jemand ganz besonders schlau vorkommt. Schon in der Jüngeren Edda (Gylfaginning, Kap. 27) vorhanden, in der von Heimdall, dem treuen Wächter der Götter, erzählt wird: «Er bedarf weniger Schlaf als ein Vogel und sieht bei Nacht ebensogut wie bei Tage hundert Meilen weit. Er kann auch hören, daß das Gras auf der Erde und die Wolle auf den Schafen wächst.» Im 16. Jh. kam der Zusatz auf: *er hört die Flöhe husten.*

Ins Gras beißen: im Kampfe fallen, aber auch – allgemein – sterben. – Wie der Mensch bei heftigen Schmerzen zur Linderung der Qual *die Zähne zusammenbeißt,* so sucht der tödlich verwundete und zu Boden gestürzte Krieger in die Erde oder «ins Gras zu beißen». Der Ausdruck findet sich bereits bei Homer in der Ilias: «Ehe so viel Achäer den Staub mit den Zähnen gebissen» (19. Ges. 61).

Wo der hinhaut, da wächst kein Gras mehr: er schlägt gewaltig zu. – Von Berlin aus verbreitete Redensart.

Darüber ist längst Gras gewachsen: wird bildlich von einem längst vergessenen Vorfall, einem alten Streit oder einer unangenehmen Sache gesagt, die man auf sich beruhen lassen sollte. – Die Redensart stammt aus dem Flurschadensrecht: War über einen Flurschaden Gras gewachsen, daß man ihn nicht mehr sehen konnte, so konnte man ihn auch nicht mehr einklagen. – Die Redensart kehrt in diesen Versen wieder: Wenn über eine dumme Sache nun endlich Gras gewachsen ist, kommt sicher ein Kamel gelaufen, das alles wieder 'runterfrißt!

GROSCHEN

Nicht bei Groschen sein: nicht bei Verstande, geistig unbemittelt sein. – Ursprünglich «nicht bei Gelde sein». Aus der Einstellung entwickelt, daß einer, der nicht bei Gelde ist, auch nicht bei Verstande sein kann.

Endlich ist der Groschen gefallen: Endlich hat er es kapiert! — Eine junge Redensart, die von der Verwendung des Groschens zur Ingangsetzung eines Verkaufs- oder Musikautomaten herrührt. Der Groschen muß erst fallen, ehe der Mechanismus ausgelöst wird. Ähnlich ist der Eindruck, wenn ein Gesprächspartner eine Aussage oder einen Witz erst mit einer gewissen «Spätzündung» begreift. Der Groschen, der den Denkmechanismus in Bewegung setzt, scheint noch nicht bei ihm gefallen zu sein.

GRÜN

Einem nicht grün sein: nicht gewogen, nicht wohlgesinnt sein. — Grün ist die Farbe des frischen Wachstums in der Natur. Grün ist belebend und wohltuend. Wer einem nicht grün ist, will einem nicht wohl. Die positive Bedeutung von «günstig, wachsend, blühend» für grün hat auch Pate gestanden bei der Redewendung

Komm an meine grüne Seite: komm an meine Herzseite, die dir wohlgesinnt ist. — Grün ist auch im Verkehr das Zeichen für «freie Fahrt», während rot Warnung oder Stop bedeutet.

Etwas über den grünen Klee loben: etwas übermäßig loben. — Die Dichter des Mittelalters priesen in ihren Liedern vielfach den grünen Klee. Wer über den grünen Klee hinaus lobt, bewundert und verherrlicht eine Person oder Sache über alle Gebühr.

Auf keinen grünen Zweig kommen siehe *Zweig.*

GRÜTZE

Grütze im Kopf haben: besonders gescheit, klug sein. — Grütze ist grob gemahlenes, ausgehülstes Getreide, das besonders nahrhaft ist. Wer Grütze im Kopf hat, kann sich im Besitz von Geisteskräften wähnen. Auch wer *Grips im Kopf hat,* gilt als begabt, denn «Grips» kommt von begreifen. Das Gegenteil: *Stroh im Kopf haben.*

Haare lassen . . .

H

HAAR

Es hing an einem Haar: Die Entscheidung hing von einem kleinen Zufall ab, fast wäre es schiefgegangen, wäre das Haar gerissen. — Nach Cicero hatte der Tyrann von Syrakus, Dionysius der Ältere, einst bei einem Gast= mahl über dem Kopf seines Höflings Damokles, der Macht, Reichtum und Glück des Herrschers überschwenglich ge= priesen hatte, ein scharfes Schwert an einem Pferdehaar aufhängen lassen, um drastisch die Vergänglichkeit allen Lebens und die Gefahr anzudeuten, in der auch der ver= meintlich Mächtigste zu jeder Zeit schwebt. Daher *Damo= klesschwert.*

Haare auf den Zähnen haben: sich nichts gefallen lassen, sein Recht verteidigen, energisch sein; aber auch grimmig, ja zänkisch, streitsüchtig sein. — Alte Redensart, mehr auf Frauen als auf Männer gemünzt. Starke Behaarung gilt ja — vom Haupthaar abgesehen — als Zeichen der Männlichkeit. Im alten Volksglauben hatte der in den Werwolf (Mannwolf) verwandelte Mensch sogar Haare zwischen den Zähnen. Eine Frau, die «Haare auf den Zähnen hat», wird daher nicht für sanft-weiblich, sondern streitbar gehalten. Im Ersten Weltkrieg war «poilu», wörtlich der Behaarte, der Ausdruck für den rauhen und selten vorbildlich rasierten französischen Frontkämpfer.

Ein Haar in der Suppe finden: eine unangenehme Entdeckung, eine peinliche Erfahrung machen und daher aufgestört, abgeschreckt sein. — Wie sehr das Haar in der Suppe Ekel und Abscheu erregt, bestätigt schon Grimmelshausen im «Simplicissimus», in dem er den Prediger Abraham a Santa Clara sagen läßt: «Es gibt Köch, die so säuisch mit den Speisen umgehen, daß man zuweilen so viel Haar in der Suppe findet, als hätten zwei junge Bären darin gerauft. Pfui!»

Die Haare stehen einem zu Berge: als Zeichen höchsten Entsetzens. — Die Redensart findet sich bereits in der Bibel «Und da der Geist an mir vorüberging, stunden mir die Haare zu Berge».

Etwas an den Haaren herbeiziehen: etwas zur Begründung seines Standpunktes gewaltsam ins Feld führen, was nicht zur Sache gehört; sich um jeden Preis, auch gegen die Logik, durchsetzen wollen. —

Jemand die Haare vom Kopfe fressen: jemand ausbeuten, ihn bis zum letzten in Anspruch nehmen — meist wirtschaftlich.

Haarspalterei: Kleinigkeitskrämerei.

Haare lassen: mit Schaden noch davonkommen. — Stammt ebenso von der Wirtshausrauferei wie der Ausdruck «an den Haaren herbeiziehen». Einer muß «Haare (auch Federn!) lassen», wenn sich die Streitenden *in den Haaren liegen.*

Groß ist die Zahl der Redensarten mit «Haar». Die wichtigsten von ihnen seien hier in einer kleinen erfundenen Geschichte untergebracht: Im Gasthof «Zum Schwarzen Schaf» saßen drei Männer, die sich eine *haarige* Geschichte von einem Jäger erzählten, der von einem Löwen *mit Haut und Haaren* gefressen worden war. Den Gästen *standen die Haare zu Berge.* Plötzlich fing einer Streit an. Seine törichten *Haarspaltereien* und Dinge, die er *an den Haaren herbeigezogen* hatte, ließen *kein gutes Haar* an den Kumpanen. Der Wirt aber, so gutmütig, daß er niemand *ein Härchen krümmen* konnte, und von dem mit Recht behauptet wurde, *ihm fräßen seine Kinder die Haare vom Kopfe,* machte dem Streit ein Ende. Er wies dem Störenfried *haarscharf* nach, daß er unrecht hatte, gab eine Runde Bier aus und beruhigte seine Gäste mit den Worten, sie möchten sich *keine grauen Haare wachsen lassen.* So hing der Gasthausfrieden *an einem Haar,* weil einer *Haare auf den Zähnen* hatte und überall *ein Haar in der Suppe* fand. Wäre es aber zu einer Keilerei gekommen, so hätte der Zanksüchtige gewiß mächtig *Haare lassen* müssen!

HAFER

Ihn sticht der Hafer: Er wird übermütig. — Ein reichlich mit Hafer gefüttertes Pferd wird leicht unbändig und mutwillig.

HAGESTOLZ

Ein echter Hagestolz: ein eingefleischter Junggeselle, der von der Ehe nichts wissen will. Auch im Sinne von Einzelgänger, Weiberfeind, Sonderling. — Das Wort hat ursprünglich weder etwas mit Stolz noch mit Ehegegnerschaft zu tun, es stammt vielmehr — entstellt — vom althochdeutschen Hagustalt, dem armen Hagbesitzer. Das Hauptgut ging in altgermanischer Zeit auf den Erstgeborenen über. Die jüngeren Söhne mußten sich mit

Nebengütern oder Hagen zufriedengeben, deren Ertrag ihnen keine Heirat erlaubte, zumal der Freier damals einen ansehnlichen Kaufpreis für die Braut zahlen mußte. Der «Hagestolz» war also, bei Licht betrachtet, Junggeselle wider Willen. Erst später kam die Bedeutung des Einspänners hinzu.

HAHN

Hahn im Korbe sein: der Meistbegünstigte in einer Gruppe sein; besonders gern bei einem Manne angewendet, der als einziges männliches Wesen von einer Gesellschaft junger Mädchen umgeben ist. — Wurzelt in der älteren Redewendung vom Hühnerkorb, der den ganzen Hühnerhof meint, von dem als bestes Stück wegen seiner wichtigen biologischen Funktion der Hahn gilt. Wird aber auch auf die in romanischen Ländern zum Teil heute noch üblichen Hahnenkämpfe zurückgeführt, bei denen die Favoriten vorher im Korbe dem Publikum gezeigt werden, der «Hahn im Korbe» also zum Gegenstand der Bewunderung wird.

Nach dem kräht kein Hahn mehr, auch *es kräht kein Hahn danach:* Niemand kümmert sich um ihn, für die Umwelt ist er gestorben; um die Sache wird kein Aufhebens gemacht. — Da die Hähne viel krähen, muß es um eine Person oder Sache schlecht stehen, nach der kein Hahn mehr kräht.

Einem den roten Hahn aufs Dach setzen: einem das Haus in Brand stecken. — In der altnordischen Göttersage verkündet der rote Hahn Fjalar mit seinem Krähen den Anbruch der Götterdämmerung. Aus der Vorstellung, daß der Hahn in der Frühe den Tag ankündigt, wurde er zum Symbol des anbrechenden Lichtes, der rote Hahn aber zum Sinnbild des flackernden Feuers. In den Breslauer Malefizbüchern wird berichtet, daß Fehde- oder Absagebriefe, um ihnen mehr Nachdruck zu verleihen, mit einschüchternden Zeichen wie Schwertern und Armbrüsten versehen wurden. Ähnlich haben später Gauner und Bett=ler den Bürgern, die ihnen Almosen verweigert hatten, mit Rotstift gezeichnete Hähne als Drohung ans Haus gemalt. Die sinnfälligste Erklärung dieser Redensart bietet jedoch ein plastisches Bild aus der Geschichte: Als der fränkische Reichsritter Wilhelm v. Grumbach, ein Schwager Florian Geyers, 1563 Würzburg überfiel, ließ er ein Haus abbren=nen (heute noch zum «Roten Hahn» genannt), auf dessen Dach ein verängstigter, krähender Hahn aufgescheucht wurde. Seine Federn fingen Feuer und von Dach zu Dach flatternd, zündete er die halbe Stadt an, wie die Legende erzählt.

HAKEN

Die Sache hat einen Haken: sie weist eine ver=steckte Schwierigkeit oder gar Gefahr auf. — Der Fisch stürzt sich auf den Köder an der Angel, ohne den Haken zu erkennen, der ihn das Leben kostet. So wird der Mensch von vermeintlichen Vorteilen gereizt, blind für die ver=derblichen Folgen.

HALBLANG

Mach mal halblang: übertreibe nicht, schneide nicht auf. — Ausdruck vom Entfernungsschätzen, bei dem ein zu hoher Wert angegeben wird.

HALBSTARK

Sich wie ein Halbstarker benehmen: sich laut und anmaßend, dummdreist, ungezogen, frech, flegelhaft be=tragen. — Wahrscheinlich aus der Seemannssprache. Ähn=lich «*halbmast*», «*halbstocks*» (das Setzen der Flagge in halber Höhe als Zeichen der Trauer). Unter «*halbseemän=nischer* Bevölkerung» verstand man nach alter Definition die See=, Küsten= und Haff=Fischer, später auch das Ma=schinen= und Bedienungspersonal an Bord. An Stelle der

Bezeichnung «Leichtmatrose» hat man im Mecklenburgischen während des 18. Jh. das Wort «Halfmatrose» verwendet. Der vollwertige Matrose hieß «Vollmatrose» (so Kapitän Ernst Wagner, Leiter der Seemannsschule Hamburg). Sicher stellte der «Half»- oder «Halbmatrose» gegenüber dem Vollmatrosen auch nur eine halbe Arbeitskraft dar, er war gleichsam «halbstark». Da der «Halbmatrose» im Alter zwischen dem Schiffsjungen und dem erwachsenen Vollmatrosen stand, wurde der Ausdruck «*halbstark*» dann in Norddeutschland ganz allgemein auf die Altersgruppe der 16- bis 21jährigen angewandt, zunächst mit leicht ironischem, doch durchaus nicht abwertendem Beiklang. Seinen abfälligen, ja problematischen Sinn bekam er erst nach dem Ersten Weltkrieg.

HÄLFTE

Die bessere Hälfte: die Ehefrau. — Meist ironisch oder in einer Mischung von Humor und Galanterie von der Bibelstelle abgeleitet, nach der Mann und Frau ein Leib sind.

HALLELUJA

Hallelujamädchen: weibliche Angehörige der Heilsarmee. — Berlinischen Ursprungs. Anspielung auf die frommen Gesänge der Heilsarmee, in deren volkstümlicher, nicht selten gassenhauerähnlicher Weise oft das Wort «Halleluja» vorkommt. Ähnlich *Hallelujabruder* für den männlichen Angehörigen der Heilsarmee und *Hallelujapalme* für Weihnachtsbaum.

HALS

Die Sache hängt mir zum Halse heraus: ich bin einer Sache gründlich überdrüssig, ich habe genug davon. — Es gibt Tiere, die sich so überfressen, daß ihnen ein Teil der Nahrung noch aus dem Maule heraushängt. Wenn Federwild das zuviel Gefressene wieder ausspeit, nennt

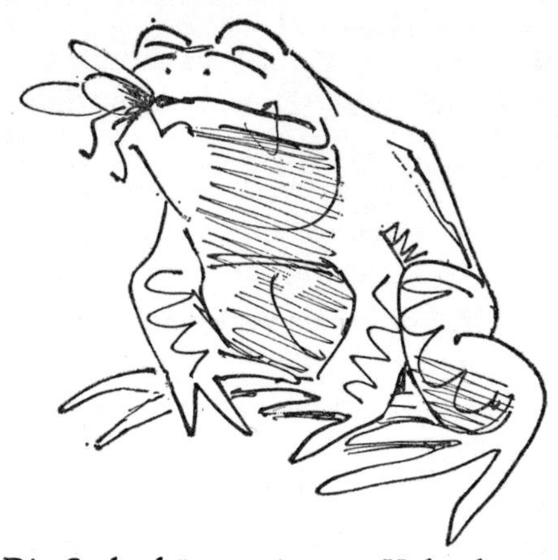

Die Sache hängt mir zum Halse heraus

dies der Jäger: «Das Geäs aushalsen.» Hier als Sinnbild des Überdrusses.

Hals= und Beinbruch: Glückwunsch vor wichtigem Ereignis; vor einer nicht alltäglichen Entscheidung, die mit einem Risiko verbunden ist, wie beim Fliegen, in der See=fahrt, vor Bergtouren, aber auch vor Premieren im Thea=ter oder vor Prüfungen. Nach altem Aberglauben werden bei unverhüllten Glückwünschen die bösen Geister ange=lockt, die dann erst recht Unheil stiften. Wird jedoch das Gegenteil ausgesprochen, werden die Dämonen hinters Licht geführt, und alles geht gut. Zuerst in der Fliegerei des Ersten Weltkrieges.

Hals über Kopf: überstürzt, in toller Hast. — Die Redensart bedeutet eigentlich: den Hals vor den Kopf setzen, sich überschlagen.

Dann steh' ich da mit dem gewaschenen Hals: dann ist alles umsonst; dann bin ich der Blamierte, der Bloß=gestellte, der lächerlich Gemachte, der Dumme. — Schluß=satz eines jüdischen Witzes, in dem die Mutter den kleinen Moritz auffordert, sich den Hals zu waschen, weil die Tante zu Besuch komme. Der Sohn antwortet darauf: «Und wenn die Tante nicht kimmt, steh' ich da mit dem

gewaschenen Hals!» — Von den verwandten Wendungen
sind im Sprachgebrauch: *Er kann den Hals nicht voll
kriegen* für einen, der nicht genug bekommen kann;
einem den Hals stopfen, wenn jemand zum Schweigen
gebracht werden soll; *etwas in den falschen Hals kriegen,*
wenn jemand eine Sache gründlich mißverstanden hat, als
Vergleich mit der Speise, die versehentlich in die Luftröhre
gelangt ist. Weiter: *Es kostet ihn den Hals,* womit unmiß=
verständlich auf die Strafe des Enthauptens angespielt wird.
Er bricht sich den Hals, das heißt, er fordert seinen Unter=
gang heraus, er ruiniert sich, sagt man, wenn jemand *wag=
halsige* Dinge unternimmt, die fast zwangsläufig zur Ver=
nichtung führen. Manchem gelingt es jedoch, *den Hals aus
der Schlinge zu ziehen,* wie jenem, der im letzten Augen=
blick noch unter dem Galgen begnadigt wurde. *Bleibt mir
vom Halse!* ruft der von Zahlungsbefehlen verfolgte
Schuldner seinen Gläubigern zu, denn *er steckt bis über
den Hals in Schulden.* Sein Pech ist, daß ihm außerdem
seine Braut davongelaufen ist. *Sie hat sich einem anderen
an den Hals geworfen,* sich ihm aufgedrängt. Als der ver=
lassene Bräutigam das hörte, *blieb ihm vor Schreck das
Wort im Halse stecken. Das Wasser steht ihm nun bis zum
Halse,* und es bleibt ihm nichts anderes übrig, als sich
Braut und Schulden *vom Halse zu schaffen.*

HALTEN

Einen kurzhalten: jemand nur geringe Bewegungs=
freiheit einräumen — sei es geistig, sei es materiell. — Aus
der Reitersprache vom Pferd, dessen Zügel kurz gehalten
werden, um es nicht, wie bei hingegebenem Zügel, frei
ausschreiten zu lassen.

Er muß dafür herhalten: er muß die Verantwor=
tung übernehmen, womöglich eines anderen Zeche be=
zahlen. — Aus der Rechtssprache. Der Verurteilte muß
seinen Kopf für die Tat und den Strick oder den Scharf=
richterblock herhalten!

Jemand hinhalten = ihn durch Versprechungen vertrösten.

HAMMEL

Um wieder auf besagten Hammel zurückzukommen: nach einer Abschweifung wieder das eigentliche Thema der Unterhaltung aufnehmen. — Von einer Geschichte, die der deutsche Schriftsteller August v. Kotzebue einem französischen Bühnenautor des 15. Jh. und dieser wieder dem römischen Dichter Martial (1. Jh. nach Chr.) entlehnt hat. Von wem dieser sie abgeschrieben hat, ist unbekannt. In der französischen Posse schweift der Kläger, der sich von einem Schäfer um seinen Hammel und von dem Anwalt des Beklagten um sechs Ellen Tuch betrogen fühlt, andauernd vom Thema ab und spricht schließlich nur noch von dem Tuch. Darauf ermahnt ihn der Richter, sachlich zu bleiben, mit dem Zuruf: «Um wieder auf besagten Hammel zurückzukommen!» (Kotzebue «Die deutschen Kleinstädter»).

Jemand bei den Hammelbeinen kriegen oder *die Hammelbeine langziehen:* jemand scharf herannehmen, ihn drankriegen, auch quälen, schikanieren. — Seit dem Ersten Weltkrieg aus der Soldatensprache.

HAMMER

Unter den Hammer kommen: öffentlich, gerichtlich versteigert werden. — Der Hammer hat seit alters rechtssymbolische Bedeutung. In der nordischen Sage weiht der Gott Thor (deutsch Donar) mit dem Hammer Verträge, auch Eheverträge. Durch Herumsenden eines Hammers als Vollmachtzeichen wurden früher die Gemeinden zu Gerichtssitzungen und Beratungen einberufen. Grenzen wurden so festgelegt, wie die rivalisierenden Herren den Hammer weit werfen konnten. Mit dem Hammer, dem Sinnbild der Machtbefugnis, wird bei der Versteigerung der Zuschlag erteilt, somit der Verkauf abgeschlossen (daher: zuschlagen).

Zwischen Hammer und Amboß: zwischen Tür und Angel, in sehr bedrängter Lage. — Kommt in den meisten toten und lebenden europäischen Sprachen vor. Davon die Variante *Hammer oder Amboß sein:* entweder Bedrücker oder Bedrückter, Schlagender oder Geschlagener, Herr oder Diener sein. In Goethes zweitem «Kophtischen Liede» heißt es: «Du mußt steigen oder sinken, du mußt herrschen und gewinnen oder dienen und verlieren, leiden oder triumphieren, Amboß oder Hammer sein.»

HAND

Die Hand auf etwas legen: von ihm Besitz ergreifen, es sich aneignen, es mit Beschlag belegen. — Die Hand galt nach altdeutschem Recht als vollgültiger Stellvertreter der Person. Mit der Handgebärde wurden Rechtsverbindlichkeiten geschlossen. Die Hand auf eine Person oder Sache gelegt, bedeutete: von ihr Besitz ergreifen, sie seiner Gewalt unterwerfen.

Die Hand über jemand halten: ihn beschützen, ihm Beistand leisten, helfen, zur Seite stehen. — Herren, denen im Mittelalter das Begnadigungsrecht zustand, konnten die Hand über Angeklagte oder Verurteilte halten und sie so außer Verfolgung setzen. Auch im Zweikampf genügte es, wenn der Sekundant die Hand über seinen Paukanten hielt, um den Kampf zu unterbrechen oder zu beenden und den Kämpfer vor weiteren Angriffen zu schonen (Boxkampf).

Von der Hand weisen: etwas ablehnen, abschlagen, verschmähen, abweisen, verweigern, verwerfen. — Das Gegenteil der Geste von «die Hand darauf legen»; jede Beziehung, jede Berührung von sich weisen.

Hand und Fuß haben: von einer Sache, die als wohlbegründet gilt. — Im Mittelalter waren die rechte

Hand und der linke Fuß für den wehrfähigen Ritter von besonderer Bedeutung, denn mit der rechten Hand wurde das Schwert geführt, und den linken Fuß setzte der Mann zuerst in den Steigbügel. Als schwerste Strafe galten deshalb Abhauen der rechten Hand und des linken Fußes.

Hand aufs Herz! rufen wir jemand zu, wenn wir ihn ermahnen wollen, ehrlich seine Meinung zu sagen. – Mit der Beteuerungsformel, die Hand aufs Herz gelegt, wurden im Volksglauben die innersten Kräfte zur Wahrheit aufgerufen. Nach altem Recht mußten Frauen und Geistliche beim Schwur vor Gericht die Hand auf die linke Brust legen. (Freie Männer schworen im allgemeinen beim Barte.)

Um die Hand eines Mädchens anhalten: ihm unmittelbar oder mittelbar bei den Eltern einen Heiratsantrag machen. – Das germanische Recht kennt den Brautkauf durch Vertrag vom Vater oder Vormund. Mit der Handgeste (der Vater legte die Hand seiner Tochter in die des Bräutigams!) wurde der Vertrag rechtskräftig.

Seine Hände in Unschuld waschen: seine Unschuld beteuern, sich schuldlos erklären. – Matth. 27, 24 im Neuen Testament berichtet von dem bekannten Ausspruch des Landpflegers Pontius Pilatus. Bei Römern und Juden war es Brauch, sich vor versammeltem Gericht die Hände zu waschen, um seine Unschuld zu beteuern. – Zahlreiche andere Redewendungen mit «Hand» in dieser Kurzgeschichte: *Willy Winter hielt um Sophie Sommers Hand bei ihrem Vater an.* Der aber *schlug die Hände über dem Kopf zusammen* und sagte: «*Hand aufs Herz! Sie leben doch von der Hand in den Mund,* darum kann ich Ihnen meine Sophie nicht *in die Hand geben.*» «Das stimmt nicht», antwortete der Freier, «*ich werde nicht mit leeren Händen kommen,* denn *ich habe alle Hände voll zu tun.* Ich bin nämlich *die rechte Hand* meines Chefs. *Wir legen nicht die Hände in den Schoß,* sondern *wir arbeiten* fabelhaft *Hand in Hand.* Wir sind keine Leute, die *zwei linke Hände haben,* im Gegenteil: uns *geht* das Tagespensum *leicht von der Hand.* Ich werde Ihre Sophie buchstäblich *auf Händen tragen!*» «Das sagen sie alle!» entgegnete der Vater. «Diese Heiratsanträge *nehmen* wirklich *überhand.* Alle wollen sie Sophie *mit Handkuß nehmen. Mir sind übrigens die Hände gebunden.* Ein anderer *hat die Hand im Spiele.* Sophies Verlobung mit Friedrich Frühling ist *von langer Hand vorbereitet.* Er hat mir *unter der Hand* mitgeteilt, daß er sie *kurzerhand* heiraten werde.» *«Hand von der Butter!»* (siehe Butter) rief nun Willy Winter empört, «sonst werde ich *handgreiflich! Ich lege meine Hand dafür ins Feuer,* daß keiner außer mir Sophie freien wird!» «Nun denn!» kapitulierte der Vater. «*Mit hohler Hand* stehe ich vor Ihnen und lasse mich bestechen: *eine Hand wäscht die andere.* Hier mein *Handschlag!* Aber wenn Ihr nicht glücklich werdet, *wasche ich meine Hände in Unschuld!*»

HANDSCHUH siehe FEHDEHANDSCHUH

HANDWERK

Jemand das Handwerk legen: den unerlaubten Machenschaften, dem schädlichen Treiben eines Menschen ein Ende bereiten. — Die alten Handwerkerinnungen, die sogenannten Zünfte, ließen die Ausübung eines Handwerks nur unter strengen Vorschriften zu. Wer dagegen verstieß, konnte zeitlich oder für immer von dem Beruf ausgeschlossen werden. Dies nannte man «das Handwerk legen», heute «stillegen».

HANEBÜCHEN

Eine hanebüchene Grobheit: eine unverschämte Flegelei und Rücksichtslosigkeit; eine derbe, grobe, unerhörte Roheit. — Hanebüchen kommt von Hainbuche, Hagebuche, plattdeutsch Hanebuche, einem Birkengewächs, das erst nach 30 bis 40 Jahren Frucht trägt. Das

Holz der Hainbuche ist besonders hart und druckfest und wird als Maschinen=, Drechsler= und Stellmacherholz ver= wendet. Die Eigenschaften des Holzes kommen in Redens= arten wie hanebüchener Witz, hanebüchener Kerl, hane= büchene Geschichte zum Ausdruck.

HANSE

Jemand hänseln: ihn necken, üblen Scherz mit ihm treiben. — Die Redensart hat nichts mit dem Vornamen Hans zu tun, sondern mit den zur Hanse (althochdeutsch «hansa»=bewaffnete Schar), zusammengeschlossenen be= vorrechtigten Genossenschaften oder Gilden deutscher Kaufleute, die auswärtigen Handel trieben. Wie es zum Beispiel heute noch beim Gautschen der Buchdrucker Brauch ist, mußte sich der Anwärter für die Aufnahme in die Hanse allerlei drastischen Handlungen und Zeremo= nien unterziehen, bei denen er schließlich auch noch die Zeche zu bezahlen hatte. «*Hänseln*», also für die Auf= nahme in die Hanse reif machen, wurden diese derben Scherze genannt. Dazu gehörte das «Hobeln», Vorbei= ziehen des Körpers an einem harten, rauhen Gegenstand, und das «Rasieren», eine schmerzhafte Bearbeitung des Gesichts. Es handelt sich hier um eine symbolische Reini= gung wie bei der Taufe: der Neuling sollte unschuldig und rein in die Bruderschaft aufgenommen werden.

HARKE

Einem zeigen, was eine Harke ist: ihm begreiflich machen, was er zu tun habe; ihm gründlich Bescheid sagen, ihn handgreiflich belehren. — Schon im 16. Jh. bei Ackermann «Der ungeratene Sohn» bezeugt. Glaubhaft aus der weitverbreiteten Anekdote hergeleitet, daß ein Bauernsohn, der in der Fremde gewesen war, weder seine Heimat noch seine Muttersprache, ja nicht einmal das Feldgerät wiedererkennen wollte; als er dann aber aus Versehen auf die Zinken der Harke trat, daß ihm der Stiel an den Kopf schlug, rief er: «Verfluchte Harke!» — «He kennt de Harke nich» ist heute noch in Holstein die ironische Bezeichnung für einen dünkelhaften, hochmütigen Menschen.

HARNISCH

Jemand in Harnisch bringen: ihn zornig machen. — Aus der Kriegersprache. Wer im Harnisch war, galt als gerüstet und bereit zum Waffengang. *Im Harnisch sein,* kampfbereit, aber auch zornig sein. Gleiche Bedeutung: *entrüstet sein.* Nicht von Rüstung, sondern vom alten Wort Rüste = Ruhe («Der Tag geht zur Rüste»). *Entrüstet:* aus der Ruhe gebracht, ähnlich wie *entsetzt* = aus dem Sitzen gebracht = *aufgebracht!*

HASE

Mein Name ist Hase... Es gab wirklich einen Studenten *Viktor Hase,* von dem die berühmte Redensart: «Mein Name ist Hase, ich weiß von nichts!» stammt. Sein Bruder erzählt in seinen Erinnerungen von ihm folgende Geschichte: «Ende des vorigen Semesters 1854/55 hatte mein Bruder einem fremden Studenten einen Dienst erwiesen. Dieser hatte das Unglück gehabt, im Duell einen anderen zu erschießen, war auf der Flucht nach Heidelberg gekommen, von wo er in Straßburg über die französische Grenze wollte. Dieser Student wandte sich an Viktor um Zuflucht und Hilfe. Nun war jeder Mißbrauch der Studentenlegitimationskarte streng verboten, aber das ließ sich nicht verbieten, die Karte zu verlieren. Viktor verlor sie, jener fand sie, kam glücklich über die Grenze und ließ die Karte wieder fallen. Sie wurde gefunden und als verdächtig dem Universitätsgericht übersandt. Zur Untersuchung gezogen, äußerte sich der junge Jurist sofort: «*Mein Name ist Hase,* ich verneine die Generalfragen, *ich weiß von nichts!*» Der Fall Hase hat sich rasch herumgesprochen.

Da liegt der Hase im Pfeffer: das ist der Punkt, auf den es ankommt; da liegt der Hund begraben (siehe Hund). — Der ehemalige Sinn der Wendung war: das Unglück ist geschehen und ebensowenig zu ändern wie der Tod des Hasen, über den man, wie beim Hasenpfeffer, bereits die scharf gewürzte Sauce gegossen hat. Heute ist unter Betonung des Wortes « da » nur noch « Darum dreht es sich! » gemeint.

Wissen, wie der Hase läuft: sich gut auskennen, sich nicht hinters Licht führen lassen. — Um Hund und Jäger zu täuschen, läuft der Hase im Zickzack. Goethe sagt in « Sprichwörtlich » dazu: « Lief' das Brot, wie die Hasen laufen, es kostete viel Schweiß, es zu kaufen. » Wer klug ist, läßt sich nicht von Finten beirren; schaut zu, wie der Hase läuft. Englisch: « To see how the cat jumps » — sehen, wie die Katze springt. — *Das Hasenpanier ergreifen:* die Flucht ergreifen, ausreißen. Der Hase richtet bei der Flucht seine Blume (Schwanz) in die Höhe wie ein Banner. *Angsthase, Hasenfuß* liegen in der gleichen Richtung, während *alter Hase,* zum Beispiel: *alter Rundfunkhase,* auf eine langjährige Erfahrung zielt. Wer *mit allen Hunden gehetzt* und doch davongekommen ist, ist ein *alter* und *kein heuriger Hase!*

HAUBE

Unter die Haube kommen: einen Mann kriegen, heiraten. — Während die Mädchen früher in Deutschland offenes, herunterhängendes Haar als Zeichen der Unberührtheit trugen, banden die verheirateten Frauen das Haar hoch und steckten es unter eine Haube.

HAUEN

Nicht gehauen und nicht gestochen: nichts Ordentliches, schlecht oder doch mittelmäßig. — Aus der Fechtersprache. Die Waffe wurde so schlecht geführt, daß nicht zu erkennen ist, ob Hieb oder Stich.

Das haut hin: das trifft sich gut, das trifft ins Ziel. Dagegen: *Das haut einen hin!* – Ausdruck des Erstaunens aus der Soldaten- und Studentensprache.

Abhauen: weggehen, abziehen, sich davonmachen, verschwinden. – Aus der Sprache des fahrenden Volks und Wandergewerbes. Nach den Schützenfesten und Jahrmärkten werden von den Budenbesitzern Pfähle und Latten abgeschlagen, abgehauen. Wer abhaut, will weiterziehen.

HAUS

Auf den hätte ich Häuser gebaut: dem hätte ich besonders vertraut, auf den hätte ich mich bedenkenlos verlassen. – Eigentlich: dieser Mensch erschien mir so solide wie der feste Grund, auf dem man Häuser bauen kann.

Er ist ganz aus dem Häuschen: vor Freude und Überraschung närrisch oder von Sinnen sein. – Wenn einer «zu Hause ist», dann ist er verständig, dann hat er seine Sinne beisammen. Im übertragenen Sinne bedeutet es auch, daß jemand zum Beispiel in einer Kunst, einer Wissenschaft bewandert ist. Ist er «aus dem Häuschen», so ist er von Sinnen. Eine andere Erklärung ist, daß es früher in den Städten kleine Tobhäuschen für Geistesgestörte gab. Wer also «aus dem Häuschen» war, war tobsüchtig, zornig. Diesen Sinn hat die Wendung auch bei Goethe («Feindseliger Blick», 1825): «Warum bist du gleich außerm Haus, warum gleich aus dem Häuschen, wenn einer Dir mit Brillen spricht.» Heute wird die Redensart nur noch im Zusammenhang mit Freude gebracht.

Einfälle haben wie ein altes Haus: wunderliche, sonderbare Einfälle haben. – Ein Wortspiel, das scherzhaft das Einfallen, den Einsturz eines alten Hauses mit Einfällen im Sinne von Gedanken verbindet.

Da hängt der Haussegen schief: die Ehefrau grollt ihrem Manne; das Ehepaar liegt im Streit; aber auch: mit der Wirtschaft geht es abwärts. – Der Querbalken über dem Eingang oder der Torbogen des Fachwerkhauses trug eingekerbt oder in bunter Zierschrift den Haussegen. Liegt, steht oder hängt dieser schief, so ist das Haus verwahrlost oder altersschwach. Der Wurm sitzt im Gebälk, das Fundament ist angegriffen. Der Hausvater hat es an nötiger Sorge fehlen lassen. – Eine andere Auslegung, die auf das Versagen der Ehefrau abzielt, erinnert an den «Haussegen», der früher in bürgerlichen Wohnküchen über dem Herd hing mit Sprüchen wie: «Eigener Herd ist Goldes wert!», «Sich regen bringt Segen!» oder «Trautes Heim, Glück allein!» Wenn Mann und Frau Streit hatten und die Untertassen flogen, konnte es leicht geschehen, daß der Haussegen eins abbekam und dann schief hing. Wenn es mit der Wirtschaft bergab ging, lag es oft daran, daß die Frau eine Schlampe war (mittelhochdeutsch «slampen» = herabhängen) und sich nicht die Mühe machte, den Haussegen geradezuhängen.

HAUT

Seine Haut zu Markte tragen: die unangenehmen Folgen einer Sache auf sich nehmen, sich mit voller Verantwortung für etwas einsetzen. – Im Mittelhochdeutschen findet man schon den Ausdruck «Er muß seine Haut dafür geben». In einer märkischen Lehre heißt es, man solle seine Haut selbst zum Markte tragen, wenn man sie günstig verkaufen wolle. Hierbei ist noch die Tierhaut gemeint. Erfährt man jedoch bei dem römischen Geschichtsschreiber Tacitus, daß bei den Germanen Vieh oder Viehhäute als Bußgeld galten, so ist leicht vorzustellen, wie in dem Wort «seine Haut zu Markte tragen» die Viehhaut im Laufe der Jahrhunderte in menschliche Haut umgedeutet wurde.

Aus der Haut fahren: wütend werden, außer sich sein, die Fassung verlieren. – Die Haut als äußere Hülle des Menschen wird gleichsam gesprengt, so groß ist die Erregung. Das Gegenteil liegt in der Wendung *nicht aus seiner Haut herauskönnen* — in seinen Grundsätzen, seiner Haltung unbeweglich, ja starr sein. Erinnert entfernt an die biblische Mahnung, man solle den « alten Adam » aus= und den neuen anziehen.

Auf der faulen Haut, auf der Bärenhaut liegen: müßiggehen, faul sein. — Geschichtsklitterung (=fälschung) der Humanisten, die Tacitus die Behauptung unterstellten, die Germanen hätten meist auf Bärenhäuten gefaulenzt. Zur Verbreitung dieser Meinung hat später das Studentenlied von Kunitz und Ruer « Tacitus und die alten Deutschen » beigetragen, in dem es heißt: Die alten Deutschen, sie wohnen auf beiden Seiten des Rheins, sie liegen auf Bärenhäuten und trinken immer noch eins! — Weitere Verbindungen: *Mit Haut und Haaren* (siehe Haar), *mit heiler Haut davonkommen, ich möchte nicht in seiner Haut stecken* und *er ist nur noch Haut und Knochen* für einen erschreckend abgemagerten Menschen.

HECHEL

Einen durchhecheln: unverblümt, mit spitzer Zunge über die schlechten Eigenschaften eines Abwesenden sprechen. — Von der Hechel, einem kammartigen Werkzeug mit Drahtspitzen abgeleitet, durch dessen Zähne der Flachs hindurchgezogen wird (daher auch: *durch die Zähne ziehen!*), um ihn zu säubern. Abgekürzte Form: *jemand durchziehen* oder auch *jemand durch den Kakao ziehen,* wobei « Kakao » als Verhüllung eines derberen Kraftausdrucks aufzufassen ist.

HECHT

Der Hecht im Karpfenteiche sein: eine aktivierende, ebenso belebende wie störende Rolle in einer trägen Masse spielen. — Der Hecht gilt als angriffslustiger, behender Raubfisch, der die langsamen und schwerfälligen Karpfen im Teich hin= und herjagt und sie nicht fett werden läßt. Das politische Witzblatt der « Kladderadatsch » bildete

Auf der faulen Haut liegen ...

1867 Bismarck als «Hecht im europäischen Karpfenteiche» ab. Man spricht auch von einem *alten* oder *tollen Hecht* im Sinne von Draufgänger, Schürzenjäger, Frauenfreund. Dabei klingt der Volksglaube an, der dem Hecht Lang=lebigkeit und dauernde Geschlechtskraft zuschreibt. *Hier zieht es wie Hechtsuppe,* heißt es, wenn ein starker Luft=zug durch das Zimmer geht. Die Redensart beruht vielleicht auf dem Wortspiel: Hechtsuppe muß lange ziehen! Wahr=scheinlicher jedoch ist die Eindeutschung aus dem jiddi=

schen *hech supha* = wie Sturmwind. — «*Bei euch ist ein furchtbarer Hecht!*» ruft einer aus, der einen Raum voller Tabaksqualm betritt. Das plattdeutsche Eigenschaftswort «hecht» = dicht ist hier substantiviert worden.

HEFT

Das Heft in der Hand haben: über Macht verfügen, die Lage beherrschen. — Gemeint ist das Schwert, das man nur gut führen kann, wenn man den Griff, also das Heft, fest in der Hand hält. Wer *das Heft aus der Hand gibt,* begibt sich der Macht, des Einflusses.

HEIDEN

Eine Heidenangst haben: sich besonders ängstigen, sich sehr fürchten. — «Heiden» als Verstärkungsvorsilbe, wurzelt in der früheren christlichen Auffassung vom Heidentum. Die Nichtbekehrten, die Heiden, galten als barbarisch, wild, ungestüm, unfügsam, kriegerisch. Ihnen war daher nach ihrem Tode ein Höchstmaß von Strafen und Qualen zugedacht. Redensarten mit «Heiden» bekräftigen einen Ausdruck, wie *Heidengeld* (viel Geld), *Heidenlärm* (Riesenkrach), *Heidenangst* (große Angst).

HEIM

Einem heimleuchten: ihm eine Abfuhr erteilen; ihm gründlich die Meinung sagen. — Erst im Laufe der Jahrhunderte hat die Redensart ihren ironischen Sinn erhalten. Ursprünglich bedeutete er eine friedlich-bürgerliche, höfliche Sitte. Als es noch keine Straßenbeleuchtung gab, wurde dem Besucher für den Heimweg ein Diener mit einer Laterne mitgegeben. Die freundschaftliche Geste verwandelte sich mit der Zeit zu einem höhnischen Brauch. So als Graf Hermann von Thüringen 1232 unverrichteter Sache wieder von Fritzlar abziehen mußte und die Verteidiger voller Spott auf den Mauern ihrer Stadt Strohwische anzündeten, damit er schneller den Weg nach Hause fände. Oder wenn 1311 der Rat der Stadt Schweid=

nitz den Rädelsführer ihrer Bäckermeister, die auswandern wollten, verbannte, indem man «ihn mit großem Gefolge, und zwar zu seinem Hohn am hellen Tage mit angezündeten Fackeln zur Stadt hinausgeleitete». — In der Wendung *jemand heimgeigen* steckt eine ähnliche Vorstellung. Wohlhabende Leute wurden früher, wenn sie von Tanz oder Fest heimkehrten, von spielenden Musikanten begleitet. (Siehe auch Geige.)

HEIN

Freund Hein: verhüllende Bezeichnung des Todes. — Hein ist die Kurzform von Heinrich. Im Schweizerischen *Beinheinrich* für Tod, im Englischen *Old Henry.* In Hein steckt der Totengott Henn(e). Im Niederdeutschen (auch im Sächsischen) sind «Heinz und Henne» die volkstümliche Bezeichnung für den Tod.

HENKER

Seine Henkersmahlzeit halten: scherzhaft für Abschiedsessen. — Den zum Tode Verurteilten wurde das Recht eingeräumt, sich ihr Lieblingsgericht als letztes Mahl zu wünschen, das der Henker servieren mußte.

HERAUS

Er nimmt sich viel heraus: er ist unverschämt, anmaßend, frech. — Die Wendung geht auf die Zeit zurück, als man noch keine Gabeln benutzte, sondern das Fleisch mit den Fingern aus der gemeinsamen Schüssel holte. Dabei fehlte es nicht an Leuten, die sich durch dreistes Zulangen unbeliebt machten und «sich mehr herausnahmen», als ihnen zustand.

Jemand herausstreichen: ihn rühmen; ihn lobend hervorheben; ihn anerkennend erwähnen; verherrlichen. — Hängt wahrscheinlich mit dem Pferd zusammen, das vom Roßtäuscher vor dem Verkauf «herausgestrichen», d. h. besonders schön gestriegelt wird, um seine Fehler zu verbergen und es teurer zu verkaufen. (Siehe auch *Zahn.)*

HERZ

Aus seinem Herzen keine Mördergrube machen: offenherzig sein, seine wahren Gedanken nicht verbergen. — Nach Matth. 21, 13 (und Jeremias 7, 11), wo Luther etwas ungenau übersetzt: «Mein Haus soll ein Bethaus heißen; ihr aber habt eine *Mördergrube* daraus gemacht.» Muß eigentlich «Räuberhöhle» heißen. — Andere Zusammensetzungen mit «Herz» in dieser *herzhaften* Kurzfassung: Bei dem Gedanken, dem Vater seine Missetat beichten zu müssen, *fiel ihm sein Herz in die Hosen.* Er mußte schon *sein Herz in beide Hände nehmen* und *seinem Herzen einen Stoß geben, um sein Herz auszuschütten. Er trug* zwar *sein Herz auf dem rechten Fleck,* aber *nicht auf der Zunge.* So *faßte er sich* schließlich doch *ein Herz,* nachdem *er sich selbst auf Herz und Nieren geprüft hatte,* ob er dem Vater versprechen könne, nicht rückfällig zu werden. *Der Vater hatte* Gott sei Dank *ein weiches Herz!* Außerdem *war ihm sein Sohn* von Jugend an *ans Herz gewachsen,* ja *er hatte ihn richtig ins Herz geschlossen. So konnte er es nicht übers Herz bringen,* ihn zu bestrafen. Dem Vater waren die reuevollen Worte des Sohnes *aus dem Herzen gesprochen.* Er dankte ihm *von ganzem Herzen* und *drückte den demütigen Sünder tief bewegt ans Herz, und so waren sie beide* wieder *ein Herz und eine Seele.* Das nicht *herzig* zu finden, wäre *herzlos!*

HESSEN

Ein blinder Hesse: altes Scheltwort für einen kurzsichtigen, geistig beschränkten Menschen. — Musterbeispiel für die Lebensdauer einer über die Jahrhunderte erhaltenen Redensart. Stammt von einer Anekdote aus dem thüringisch-hessischen Erbfolgekriege (1247—1264), in dem Sophie von Brabant, die Tochter der heiligen Elisabeth, gegen die Wettiner Ansprüche Hessen zugunsten ihres Sohnes Heinrich, des Stammvaters der hessischen Fürsten (Haus Brabant), von Thüringen löste. In einem dieser Gefechte sollen die Hessen in der Abend=dämmerung Heu= und Misthaufen, die sie irrtümlich für ihre Feinde hielten, angegriffen haben. Die Wendung ist 1541 bei Sebastian Franck bezeugt (Sprichwörter): « ‚Du bist ein blinder Hesse!' wolt einen groben dölpel und fantasten damit anzeigen. » Der Ausdruck bekam im 18. Jh. eine neue, sarkastische Wendung, als hessische Fürsten zahlreiche Landeskinder an England als Söldner für den Krieg nach Nordamerika verkauften. Man sagte damals: « Die Hessen sind so blind, daß sie nicht einmal die verbrecherische Geldgier ihrer Fürsten erkennen. » Kassel war zu der Zeit der Sammelpunkt der unglück=lichen, zu diesem Zweck gepreßten jungen Leute. Daher stammt auch der Ausdruck: *« Ab nach Kassel! »*, der nach der Kapitulation von Sedan (2. 9. 1870) neue Nahrung erhielt, als Napoleon III. auf das Kasseler Schloß Wil=helmshöhe verbannt wurde.

HEXE

Einen Hexenschuß bekommen: heftiger, meist plötzlich auftretender Kreuz= und Lendenschmerz, der die Beweglichkeit behindert. — Nach mittelalterlicher Vor=stellung Pfeilschüsse von Hexen und Kobolden die Ur=sache.

HIMMEL siehe GEIGE

HINEIN

Er ist hineingefallen: Pech gehabt haben; getäuscht, übervorteilt worden sein. — Zu ergänzen: in die Grube, wie das Wild in die Falle. Dazu die scherzhafte Wendung: « Das war ein Reinfall von Schaffhausen » als Zusammen=klang beider Bilder: Reinfall und Rheinfall!

HINTER

Hinter etwas kommen: eine Sache erfassen, er=gründen, begreifen; ein Rätsel lösen. — Gemeint ist, daß man um einen Gegenstand herumgeht und ihn so betrachtet, daß man ihn rundherum, von allen Seiten zu kennen glaubt.

Ins Hintertreffen geraten: hintangesetzt werden, in Nachteil geraten. — Geht auf die Kriegersprache zurück. Wer von der vordersten Schlachtreihe in eine hintere gedrängt wurde, konnte keinen bedeutenden Einfluß auf den Ausgang des Kampfes nehmen. Das wurde als so peinlich empfunden, daß sich der Ausdruck mit der Vorstellung von Mißgeschick und Pech verband.

Sich auf die Hinterbeine stellen: sich sträuben, widersetzen, weigern; Widerstand leisten. — Das Bild kommt vom störrischen Pferd, das sich aufbäumt.

In der Hinterhand sein: der letzte sein, der sich äußert, handelt oder entscheidet. — Vom Kartenspiel. Der letzte, der ausspielt, ist «in der Hinterhand».

HOCH

Hochgehen: verschiedene Bedeutungen. — Im Sinne von sich aufregen, aufbrausen. Was in die Luft gesprengt wird, geht hoch. Eine Rakete, eine Granate, eine Bombe geht hoch. Daher gleichbedeutende Ausdrücke: *explodieren, platzen. Die Konferenz platzt, geht hoch, fliegt auf* (wie die Vögel, die auf- und davonfliegen). Außerdem kann «hochgehen» verhaften bedeuten. «Jemand hochgehen lassen» = jemand verhaften lassen.

Jemand hochnehmen: necken, jemand drillen, scharf zurechtsetzen, auch verhaften (Variante: *hoppnehmen).*

Hoch und heilig etwas versprechen: etwas fest versprechen. — Stabreimende Redensart, bei der mit «hoch» das Erheben der Schwurfinger gemeint ist.

HOF

Jemand den Hof machen: sich um seine Gunst bewerben, ihm schmeicheln, ihm seine Verehrung und Ergebenheit bezeugen, sich eifrig um jemand bemühen. — Wörtliche Übersetzung aus dem französischen «faire la cour à quelqu'un». Entstammt der Zeit, in der das französische Hofleben die Gesellschaft Europas bestimmte. Unter «Hof» war die gesamte Umgebung eines Fürsten zu verstehen. Die ihm dienten, stellten den Hof dar und «machten ihm den Hof». Wurde später auch auf das Umwerben einer Frau bezogen: *die Cour schneiden* oder *die Cour machen.* Wie bei Wilhelm Busch: «Und war doch der größte Narr am Hofe der Königin seines Herzens.»

HÖHLE

Sich in die Höhle des Löwen wagen: seinen ganzen Mut zusammennehmen, sich ein Herz fassen und der Gefahr mutig ins Auge sehen. — Die Redensart wurzelt in der Fabel des Äsop, in der ein schlauer Fuchs die List eines alten Löwen rechtzeitig durchschaut. Dieser hatte sich krank gestellt und den Fuchs gebeten, ihn in der Höhle zu besuchen, damit er ihm leicht zur Beute falle. Der Fuchs erwiderte, er würde den König der Tiere gern besuchen, aber es mache ihn stutzig, daß viele Spuren in die Höhle hinein-, aber keine herausführten.

HÖLLE

Einem die Hölle heiß machen: ihn einschüchtern, ängstigen, durch Drohungen in Schrecken versetzen. — Nach den grellen Schilderungen von höllischen Folter- und Feuerqualen, mit denen die christliche Kirche einst ihre Zuhörer in Angst und Schrecken versetzte. «Machen» heißt hier darstellen, also die Hölle so heiß schildern, daß der Gläubige fügsam und fromm wird.

HOLLAND

Da ist Holland in Not: es herrscht große Not und Bedrängnis. — Stammt aus der Zeit der spanischen Schreckensherrschaft in den Niederlanden und der Zeit Ludwigs XIV., als dieser in Holland einfiel. Um sich des Angreifers zu erwehren, durchstachen die Holländer ihre Dämme und setzten das Land unter Wasser.

HOLZ

Auf dem Holzwege sein: fehlgehen, im Irrtum sein. — Holzwege sind im Walde nur zum Abfahren des Holzes bestimmt; sie führen zu keinem Ziel und sind meist in schlechtem Zustand. «Holzwege» hat der Philosoph Martin Heidegger sein 1950 erschienenes Buch genannt.

Sie hat Holz vor der Tür: sie ist vollbusig. — Anspielung auf die aufgestapelten Holzvorräte vor dem Bauernhaus. Bayerisch *sie hat Holz vor der Hütten.* Nordostdeutsch *se häft god Holt vor de Dör.*

HOPFEN

An dem ist Hopfen und Malz verloren: es wird nichts mehr aus ihm, bei ihm ist alle Mühe vergeblich. — Hopfen und Malz galten bereits um das Jahr 800 in Deutschland als feste Bestandteile des Bieres. Die weite Verbreitung der Redensart erklärt sich daraus, daß die Hausfrau früher selber für den Bedarf des Hauses braute. Wenn der Trunk trotz vieler Mühe mißlungen war, dann waren eben Hopfen und Malz verloren.

HORN

Einem Hörner aufsetzen: den Ehemann betrügen, entweder seine Frau verführen oder als Ehefrau sich verführen lassen. — Das Horn ist sprichwörtlich bald ein Zeichen der Kraft, bald das Sinnbild der Dummheit. Schon die Griechen kannten diesen Ausdruck, der sich aus der Vorstellung herleitet, der Mann, der vom Betrug seiner Frau nichts merkt, sei so dumm wie der gehörnte Ochse. Der betrogene Ehemann wird *Hahnrei* genannt. Das ist der niederdeutsche Name für den Kapaun, den verschnittenen Hahn. Die Endsilbe « rei » kommt vom ostfriesischen «rein» (niederländisch ruin) und bedeutet «kastriert» (Wallach). Der Ausdruck geht auf den grausamen Spott zurück, dem Kapaun seine abgeschnittenen Sporen in den Kamm einzupflanzen, wo sie wie Hörner festwuchsen.

Eine dritte Lesart beruht auf dem alten astrologischen Glauben, die im Zeichen des Steinbocks Geborenen neig=ten zu ehelichem Unglück. Daher nennt der Franzose den betrogenen Ehemann auch «Widder».

Er hat sich die Hörner noch nicht abgelaufen (ab=gestoßen): noch keine Erfahrungen — vor allem in der Liebe — gesammelt haben; in jugendlichem Übermut un=überlegt und ungestüm auf sein Ziel losgehen. — Geht auf eine Beobachtung in der Tierwelt zurück. Hirsche und Rehböcke werden wesentlich ruhiger, wenn sie sich die Hörner an den Bäumen abgestoßen haben.

Den Stier bei den Hörnern packen: eine Sache mutig bei ihrer gefährlichen Seite anpacken; ohne Um=schweife beherzt auf sein Ziel losgehen. — Um den Stier wehrlos zu machen, muß er bei den Hörnern gepackt wer=den, über die dann ein Seil geworfen wird.

In ein Horn blasen; in eines anderen Horn blasen; ins gleiche Horn blasen: mit einem anderen gleicher Mei=nung sein, ihm beistimmen, beipflichten, dieselbe Ansicht bekunden. — Nicht selten als Ausdruck für jemand, der eines anderen Einfluß unterliegt. — Luther schreibt: «Nicht mit ihnen heulen — und in ein Horn blasen.» Das Horn als Blasinstrument gab früher nur einen Ton her. Ganz gleich wer hineinblies, es kam immer derselbe Ton heraus.

Es geht aus wie das Hornberger Schießen heißt es von einem eindrucksvoll angekündigten Unternehmen, das ergebnislos verläuft; von einer Sache, aus der nach großem Ausposaunen und lauten Ankündigungen nichts wird. — Bezieht sich auf eine Begebenheit, die in Hornberg im Gutach=Tal (Schwarzwald) passierte. Nach dem Dreißig=jährigen Kriege kündigte der Herzog von Schwaben den Hornbergern seinen Besuch an. Die Bürger waren sich der hohen Ehre bewußt und setzten alles daran, dem Herzog einen glänzenden Empfang zu bereiten. Man lud alle wehrhaften Mannen und Schützengilden eine Tagereise in der Runde ein, um für den Fürsten ein großes Schützen=

fest zu veranstalten. Als es an einem heißen Sommertag soweit war, versammelten sich die angesehensten Hornberger mit ihren Gästen auf der Burg und sprachen schon morgens eifrig dem Wein und Bier zu. Da der Herzog mit Kanonendonner und Gewehrsalven empfangen werden sollte, hielten die Wächter auf Bergfried und Rondell Ausschau, um durch ein Hornsignal die Ankunft des hohen Gastes zu melden. Schon früh bezecht, glaubten sie mal in einer Postkutsche, mal in einem Krämerkarren oder einer Rindviehherde den fürstlichen Troß zu erkennen, und ihre ständigen falschen Alarme lösten eine fast pausenlose Schießerei aus. Als der Herzog verspätet abends eintraf, gab es kein Pulver mehr für Salut und Schützenfest!

HUCKE siehe Lüge

HÜLLE

Alles in Hülle und Fülle haben: sich im Überfluß befinden, aus dem Vollen leben. — Genau das Gegenteil meinte die Redensart ursprünglich. Wenn Luther sagt: «Da er keinen Lohn verdient hatte, denn Hülle und Fülle», so bedeutet das, er habe kein Geld, sondern nur Kleidung (Hülle) und Nahrung (Fülle) erhalten, was — nach heutiger Auffassung — einen niedrigen Lebensstandard bedeutet. Das Wort «Hülle» gewann aber im Laufe der Zeit einen anderen Sinn, und so lesen wir schon 1691 bei Stieler: «Hülle und Fülle haben, d. h. Überfluß haben», und fast hundert Jahre später bei Gottfried August Bürger in «Des Pfarrers Tochter von Taubenhain»: «Da trieb es der Junker von Falkenstein in Hüll' und Füll' und in Freude!»

HUHN

Ein Hühnchen mit jemand rupfen: mit jemand einen Streit austragen; ihn zur Rede stellen, ihm aufs Dach steigen. — Rupfen war im Mittelalter soviel wie tadeln, schelten, Vorwürfe machen. Diese Bedeutung wandelte sich, und aus « jemand rupfen » ist « mit jemand ein Hühnchen rupfen » geworden. Nach einer anderen Auslegung meinte die Redensart früher « Händel pflegen » das heißt « einen Streit austragen ». Dieses « Händel » sei in Süddeutschland als « Hähndl » (Hähnchen) verstanden worden. So wurde « Händel pflegen » in « Hühnchen rupfen » verfälscht.

HUND

Da liegt der Hund begraben: da liegt der Hase im Pfeffer; das ist das Entscheidende, das Wichtige; das ist der Punkt, auf den es ankommt; das ist die Ursache der Schwierigkeiten. — Eine der merkwürdigen Redensarten, die aus einem sprachlichen Mißverständnis entstanden ist. Die Wendung hat nichts mit unserem ältesten Haustier zu tun, kommt vielmehr vom mittelhochdeutschen « hunde », das Beute, Raub, Schatz bedeutet. Es müßte also eigentlich heißen: « Da liegt *die hunde* begraben », somit die Stelle, wo ein Schatz vergraben liegt. Auf diese Weise kehrt die alte Redensart, obwohl mißverstanden, zu ihrem ursprünglichen Sinn zurück.

Auf den Hund kommen: herunterkommen, verkommen, scheitern. — Es ist sonderbar, daß der Hund als ältester Freund des Menschen trotz seiner Treue in den Redensarten so schlecht wegkommt. Ursprünglich galten die Hunde Wotans sogar als geheiligte Tiere. Erst das späte Mittelalter hat sie verächtlich gemacht, wie es heute noch in den Ausdrücken *Hundeleben, Hundewetter, Hundekälte, falscher Hund, feiger Hund, frecher Hund, hundemüde, hundeelend* ausgesprochen wird. Nach altdeutschen Rechtsbräuchen wurden Verbrecher oft zwischen Hunden gehenkt. Ein adliger Missetäter mußte zur Strafe öffentlich Hunde tragen; damit war er « auf den Hund gekommen ». — Eine andere Erklärung geht bis in die

Antike zurück, wo «vom Pferd auf den Esel kommen» heruntergekommen heißt. Ist einer auf den Hund gekommen, so ist er noch tiefer gesunken. — Bergleute verbinden den Ausdruck gern mit ihrem Förderwagen, dem sogenannten Hund. Wer nicht mehr vor der Kohle arbeiten, sondern nur noch den «Hund» bedienen darf, erhält weniger Lohn, kommt also auf den Hund. — Der Jägersprache entstammen die Wendungen: *mit allen Hunden gehetzt* und

Vor die Hunde gehen: verkommen, verludern. — Krankes und schwaches Wild wird leicht ein Opfer der Jagdhunde. Ein Mensch, der keine Widerstandskraft hat, verludert.

Mit allen Hunden gehetzt: verschlagen, schlau, mit allen Wassern gewaschen, in allen Kniffen erfahren. — Rührt vom Wild her, dem es gelingt, immer wieder den nachsetzenden Hunden zu entkommen. Dem steht das Bild des Vagabunden gegenüber, der mit den Hunden vom Hofe des Bauern gehetzt wird.

Damit lockt man keinen Hund vom Ofen: das ist nichts wert; da muß schon Besseres kommen, mit etwas vergeblich reizen; es müssen gewichtigere Gründe ins Feld geführt werden, um Erfolg zu haben. — Gewöhnlich läßt sich der Hund schon mit dem kleinsten Bissen von seinem warmen Platz weglocken. Der Anreiz muß also sehr klein sein, lohnt sich das Aufstehen nicht einmal für ihn.

Von ihm nimmt kein Hund ein Stück Brot: er wird von allen gemieden, verachtet, in Verruf erklärt. — Hunde haben meistens eine gute Witterung für schlechte Menschen. Von ihnen nehmen sie nichts.

Hundstage: die heiß-schwülen Tage von Ende Juli bis Ende August. — Nach dem hellsten aller Fixsterne genannt, dem Hundsstern oder Sirius, der zu dieser Zeit den Himmel beherrscht.

Andere Redensarten vom Hunde sind: *eine Sache verhunzen,* sie entstellen, verunstalten, verzerren. — Die

Ein ganz dicker Hund

Wendung bedeutet, etwas so schlecht wie einen Hund behandeln und müßte eigentlich «verhundsen» oder «verhundzen» geschrieben werden. Wenn einer heftig weint, sagt man: *«Er heult wie ein Schloßhund.»* Gemeint ist nicht ein Hund im Schlosse, sondern der angeschlossene Kettenhund, der viel heult. *Lumpenhund* und *Himmelhund* sind gerade keine Auszeichnungen, und wenn einer *bekannt wie ein bunter Hund* war, so war das früher auch nichts Schmeichelhaftes. Ein «bunter», das heißt ein gefleckter Hund fällt mehr auf als ein einfarbiger. Manchmal ist es *so schlechtes Wetter, daß man keinen Hund vor die Tür jagt.* — Es gibt Leute, die, obwohl sie aufeinander angewiesen sind, sich von morgens bis abends zanken. Von ihnen sagt man: *«Sie sind wie Hund und Katze»*, eine Redensart, die nur bedingt richtig ist, denn es gibt viele Hunde und Katzen, die sich vorbildlich vertragen. *Einen dicken Hund* nennt man alles, was erstaunt, überrascht, erfreut oder auch entsetzt. Im übrigen ist es *hundsgemein*, daß wir dem Hunde alle schlechten Eigenschaften andichten. *Was kann der arme Hund dafür?*

Wo die Hunde mit dem Schwanz bellen, siehe *Buxtehude.*
Der Knüppel liegt beim Hund, siehe *Knüppel.*

HUNDERT

Vom Hundertsten ins Tausendste kommen: während eines Gespräches fortwährend vom Thema abschweifen, den Faden verlieren, über nichtige Einzelheiten das Wesentliche vergessen. — Hergeleitet von der vom 15. bis 17. Jh. vielbenutzten Rechenbank, bei der es irrtümlich passieren konnte, daß man « das Hundert in das Tausendste warf ».

HUNGER

Am Hungertuche nagen: hungern, darben, ärmlich leben, sich kümmerlich behelfen. — Hier liegt ein ähnliches Mißverständnis wie beim « begrabenen Hund » vor. Ursprünglich hieß es « am Hungertuche nähen ». Das Hungertuch, auch Fastenvelum genannt, ist ein großer, schon um das Jahr 1000 nachweisbarer, meist weißlinnener Vorhang, der während der Fastenzeit bis zum Karmittwoch in den meisten Kirchen am Eingang des Chores angebracht wurde. Es sollte den Altar verhüllen und zur Buße mahnen. Das Hungertuch war manchmal mit gesticktem oder gemaltem Bildwerk, vornehmlich Passionsdarstellungen, verziert. Weil es am Mittwoch der Karwoche während der Passion bei den Worten: « Velum templi scissum est! » (« und der Vorhang im Tempel zerriß . . . ») entfernt zu werden pflegte, hieß es auch « velum templi ». In nachmittelalterlicher Zeit kam sein Gebrauch allmählich ab, ist jedoch bis heute nicht ganz ausgestorben (z. B. im Münster zu Freiburg i. Br.). — Die einzelnen Stücke des Vorhangs mußten zusammengenäht werden: es wurde am Hungertuche genäht. Als man den Sinn des Wortes nicht mehr verstand, wurde aus « nähen » « nagen », weil man sich in Verbindung mit dem « Hunger » leichter vorstellen konnte, daß dieser eher durch Nagen als durch Nähen gestillt werde.

An den Hungerpfoten saugen: hat den gleichen Sinn wie die vorige Redensart: am notwendigsten Mangel leiden. — Bezieht sich auf den Bären, der in seinem warmen Winterlager keine Nahrung zu sich nimmt und mehr aus Zeitvertreib als aus Hunger an seinen Tatzen saugt.

Kohldampf schieben: Hunger haben oder leiden. — Verkoppelung mehrerer Ausdrücke gleicher Bedeutung aus der Gaunersprache, dem Rotwelsch. Sowohl «koll» (verkürzt aus «koller») als auch «Dampf» meinen Hunger; auch «schieben» ist aus dem rotwelschen «scheffen» = sich befinden eingedeutscht, das wiederum auf dem Hebräischen fußt.

HUT

Unter einen Hut bringen: einen bestimmten Personenkreis zu einer gemeinsamen Ansicht bekehren, für dasselbe Ziel gewinnen; aber auch von Sachen und Fragen, die auf einen Nenner gebracht werden. — Dazu «Viel Köpfe, viel Sinne!» Die Redensart geht von der gewagten Auffassung aus, daß unter *einen* Hut gebrachte Köpfe auch dieselben Gedanken hegen müßten. Hut ist hier als bildliche Bezeichnung für Herrschaft gesetzt. In den alten Rechtsbräuchen galt bei Übertragungen von Gut und Lehen der Hut als Symbol. Man denke an Geßlers Hut auf der Stange im «Tell», an die Fürstenkrone als Zeichen monarchischer Gewalt (ursprünglich auch nichts weiter als ein Hut mit Zacken!) oder an die Mitra, die Bischofsmütze. Was unter *einen* Hut kam, ob Land oder Leute, kam unter *eine* Herrschaft; und hier regierte dann tatsächlich ein Wille, und zwar der des Herrn! — Daß Verschwörer früher zur Bekundung ihrer Einigkeit in einen Hut greifen mußten, ist ein weiterer Beweis für diese Symbolik des Hutes.

Das geht über die Hutschnur: das geht zu weit, das ist zu arg. — Die Hutschnur war nach einer neuerdings in Eger gefundenen Urkunde vom Jahre 1356 ein Maß für den aus der Leitung fließenden Wasserstrahl. Das Wasser

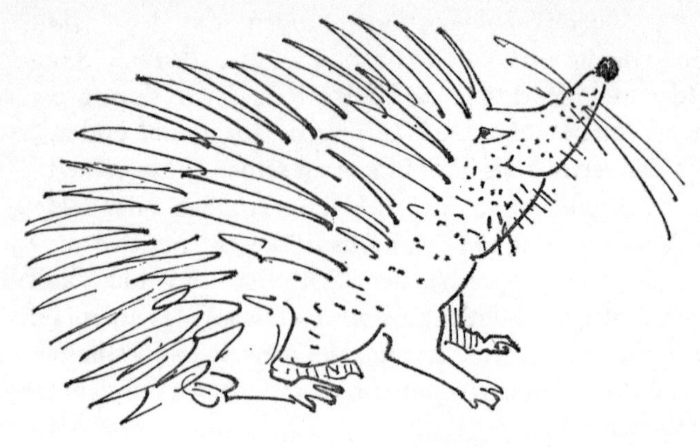

. . . wie der Igel

sollte nicht stärker aus den Röhren kommen «danne als ein hut snur» — als eine Hutschnur. Wer gegen diese gewiß aus Sparsamkeit erlassene Vorschrift verstieß, machte sich strafbar. — Heute denkt man begreiflicherweise an die wirkliche Hutschnur als Steigerung des Ausdrucks «Es geht mir bis an den Hals». — Weitere Ausdrücke: *Auf der Hut sein* = bedachtsam, vorsichtig sein (von hüten). *Eins auf den Hut kriegen* = getadelt werden. Hut ist hier bildlich für Kopf. *Der Ladenhüter* ist ein scherzhaftes Bild für eine schwer verkäufliche Ware, die gleichsam den Laden bewacht. *Da geht einem der Hut hoch!* ist eine Wendung jüngeren Datums. Der Hut geht hoch, wenn sich die Haare sträuben, und diese sträuben sich in Zorn, vor Schrecken oder aus Erregung. *Er hat Spatzen unterm Hut!* sagt man von einem ungehobelten Menschen, der zu faul oder unerzogen ist, um beim Grüßen den Hut abzunehmen.

I

IGEL

Das paßt wie der Igel zum Taschentuch (Handtuch): es paßt wie die Faust aufs Auge, nämlich überhaupt nicht.

— Scherzhaft-mildere Form für die schon im 17. Jh. bezeugte weit derbere Redensart: «Das paßt wie der Igel zum Arschwisch!»

J

JAGD

Das ist ein echtes Jägerlatein: das ist erfunden, übertrieben, erdichtet, aufgeschnitten. — Für die aufgebauschten Erzählungen der Waidleute von ihren Jagdabenteuern. Ebenso *Anglerlatein* und *Seemannsgarn* (siehe Garn).

JAKOB

Das ist der wahre Jakob: das ist der richtige Mann; das rechte Mittel, das wir schon lange suchen; das ist der begehrte Gegenstand. — Die spanische Stadt Santiago de Compostela birgt das Grab des heiligen Jakob, des Schutzheiligen Spaniens, zu dem im Mittelalter auch viele Deutsche wallfahrteten. Diese sahen verächtlich auf jene Pilger herab, die den weiten beschwerlichen Weg nach Spanien scheuten und lieber die näher liegenden Gräber von Heiligen gleichen Namens aufsuchten, von denen jedoch — nach dieser Auffassung — keiner «der wahre Jakob» war!

JEMINE

O Jemine! Ausruf des Mitleids oder Entsetzens, der Überraschung. — Entstellt aus «*O Jesu Domine*», der lateinischen Anrede für «Herr Jesus!»

JOCH

Jemand unter das Kaudinische Joch beugen: jemand in die Knie zwingen, kränken, demütigen. — Der Ausdruck wurzelt in der römischen Niederlage bei den kaudinischen Engpässen zwischen Capua und Benevent 321 v. Chr. Die samnitischen Sieger ließen die entwaff-neten vier römischen Legionen schmachvoll zwischen einem Spalier von zueinander gesenkten Spießen hin-durchgehen (siehe Spießruten laufen).

JOTA

Nicht ein Jota: gar nichts. — Jota ist der kleinste Buchstabe des griechischen Alphabets.

JUBEL

Das kommt nur alle Jubeljahre vor: das kommt höchst selten, in großen Zeitabständen vor. — Das Jubel-jahr (auch Halljahr) kehrte bei den Israeliten alle fünfzig Jahre mit einer Neuverteilung des Landbesitzes wieder, die dem sozialen Ausgleich dienen sollte. Dieses Jubeljahr wurde im ganzen Lande durch Posaunenschall (mit dem Widderhorn, hebräisch «jobel») angekündigt. Im späten Mittelalter verschmolz das hebräische jobel mit dem latei-nischen jubilus (Jauchzer), nachdem die christliche Kirche um 1300 die jüdische Einrichtung auch bei sich eingeführt hatte, jedoch nicht mit einer Neuverteilung des Bodens, sondern mit einem Sündenablaß, der in gewissen Zeitab-ständen gewährt wurde. In *Jubiläum* umgebildet, wurde der Ausdruck auch auf weltliche Feiern angewendet, die in größeren Zeitabständen wiederkehren.

K

KADAVER

Kadavergehorsam: blinder Gehorsam, unterwür-fige Folgsamkeit. — Die Wendung spielt auf Ignatius von Loyola an, den Gründer des Jesuitenordens, der seinen Ordensbrüdern befahl, sich von der göttlichen Vorsehung durch die Oberen führen zu lassen, «als wären sie ein

Leichnam, der sich überallhin tragen und auf jede Weise behandeln läßt ».

KADI

Zum Kadi laufen: jemand vor Gericht verklagen. — Der Kadi ist die arabische Bezeichnung für den islamischen Richter, der nach dem Glaubensgesetz entscheidet.

KAFFEE

Das ist kalter Kaffee: für ein Geschwätz, bei dem nichts herauskommt. — Jüngere Redensart der städtischen Umgangssprache. Eigentlich « abgestandener Kaffee », der sein Aroma verloren hat.

KAIN

Das Kainszeichen tragen: gebrandmarkt sein. — Das Kainszeichen war ursprünglich ein Schutzzeichen, denn im 1. Mose 4, 15 steht: « Und der Herr machte ein Zeichen an Kain, daß ihn niemand erschlüge, wer ihn fände. »

KAKAO siehe HECHEL

KALT

Jemand kaltstellen: seinen Einfluß schwächen; ihn lahmlegen oder ganz ausschalten. — Die Volkstümlichkeit dieses Wortes geht auf Bismarck zurück, der 1858 seiner Schwester aus Petersburg schrieb: « Sehr schön wäre es, wenn Ihr uns hier besuchen wolltet, ehe ich an der Newa ‚kaltgestellt' werde. » Halb wörtlich, halb bildlich gemeint. Freilich denkt man im allgemeinen an das Kaltstellen der Speisen, damit sie nicht verderben.

Einen kaltmachen: ihn töten, ermorden. — Das Wort « morden » wird hier mit der Wirkung (Kaltwerden der Leiche) umschrieben. Weitere Ausdrücke: *auf kaltem Wege* = ohne Aufsehen, unauffällig; und *kalter Krieg* = politischer Nervenkrieg ohne Schießen.

KAMM

Alles über einen Kamm scheren: nach einem Schema abtun, ohne Rücksicht auf die Unterschiede. – Vom Wollscheren hergeleitet, bei dem grobe und feine Wolle über den gleichen Kamm geschoren wird. Wahrscheinlicher jedoch liegt die Wurzel des Ausdrucks in einer altgermanischen Rechtseinrichtung: das lange Haar (siehe Bart), Zeichen des freien Mannes, zu scheren, kam einer Entehrung gleich. Die Redensart will also sagen, daß man nicht alle gleich scharf verurteilen sollte; dies vor allem in der negativen Form: *nicht alle über einen Kamm scheren.* Auch die Wendung: «*Laß mich ungeschoren!*» will eine Beleidigung zurückweisen.

Ihm schwillt der Kamm: er wird übermütig, anspruchsvoll, herausfordernd. – Dem Hahn schwillt der Kamm, wenn er wütend ist oder zum Angriff gereizt wird.

KANDARE siehe GEBET

KANONE

Unter aller Kanone: unter aller Kritik, unter jedem Niveau. – Hat mit der Kanone nichts zu tun, sondern müßte «unter allem Kanon» heißen. Geht zurück auf die Geschichte von einer deutschen Lateinschule, deren Schüler so schlecht waren, daß die Professoren eine Stufenleiter von fünf Zensuren, einen sogenannten Kanon, einführten. Diese Neuerung scheint nicht viel genützt zu haben, denn die Arbeiten fielen weiterhin meist so schlecht aus, daß die Zensur lautete: «sub omni canoni» = unter allem Kanon, was die Schüler scherzhaft mit *unter aller Kanone* übersetzten. Derberer Ausdruck: *Unter aller Sau.*

KANTE

Sein Geld auf die hohe Kante legen: sparen. – Wenn Geldmünzen aufbewahrt werden sollen, verpackt man sie in Papierrollen. Nach dem Zählen werden die

Rollen auf die Kante, also hoch gestellt: daher « hohe Kante ».

Jemand am (beim) Kanthaken nehmen (kriegen): jemand derb anpacken, ihn in seine Gewalt nehmen. — Die Redensart stammt aus der Seemannssprache und hängt mit dem plattdeutschen Wort « kentern » zusammen. Kentern, das Umkippen eines Schiffes, heißt eigentlich « sich auf die Kante legen ». Das Wort bedeutete ursprünglich « den Walfisch zum Bearbeiten auf die Kante legen », was mit dem sogenannten « Kenter= oder Kanthaken » geschah. Der Ausdruck müßte also genaugenommen lauten: « Jemand *an den* Kanthaken kriegen oder *beim* Kanthaken *haben*, damit man ihn richtig bearbeiten kann. » Da das Kanten des Wals auf sehr robuste Weise vor sich geht, ist das Bild für « jemand grob zur Rechenschaft ziehen » gut gewählt.

KANTONIST

Ein unsicherer Kantonist: ein Mensch, auf den man sich nicht verlassen kann, eine wankelmütige Person. — König Friedrich Wilhelm I. von Preußen, der Soldatenkönig, teilte für die Aushebung der Truppen das Land in Kantone oder Aushebungsbezirke ein. Die jungen Leute, die sich dem Militärdienst durch die Flucht entzogen, wurden als « unsichere Kantonisten » bezeichnet.

KAPPE siehe GLEICH

KARNICKEL

Das Karnickel sein: der Verantwortliche, der Übeltäter, der Anstifter sein. Auch in der Bedeutung von Sündenbock (siehe dies). — Geht auf eine alte Berliner Geschichte zurück, die Heinrich Lami in den dreißiger Jahren des 19. Jh. in Verse gebracht hat: Auf dem Markt zerreißt der Pudel eines Herrn das lebende Kaninchen einer Hökerin. Trotz der angebotenen zehnfachen Entschädigung verlangt die Frau, daß man zusammen zur Polizei gehe. Darauf bietet sich ein Schusterjunge, der dabeistand, für ein Trinkgeld als Zeuge mit der Feststellung an: *«Der Karnickel hat angefangen!»*

KARTE

Jemand in die Karten sehen: die geheimen Absichten des anderen ergründen. — Diese Redensart stammt, wie viele andere, vom Kartenspiel. Wie es Spieler gibt, die versuchen, ihrem Nachbarn in die Karten zu sehen, so versteht sich, daß sich die meisten *nicht in die Karten schauen lassen* möchten. Man kann auch *mit offenen Karten spielen,* wenn man seinem Partner gegenüber ehrlich ist: und zwar im regelrechten Spiel, wie im Skat, allerdings nur beim Null ouvert! Manche müssen hingegen nachdrücklich verwarnt werden, *ihre Karten aufzudecken.* Es gibt Leute, die *alles auf eine Karte setzen,* häufig haben sie allerdings *auf die falsche Karte gesetzt.* Sie bemühen sich, ihren Freund hineinzulegen. Das ist ein *abgekartetes Spiel* (siehe auch abkarten). Der hat aber noch *alle Trümpfe in der Hand* behalten und *spielt sie* zum Ärger der anderen *aus.* Damit ist ihr Plan *wie ein Kartenhaus* zusammengefallen.

KASSEL siehe HESSEN

KASTANIE

Die Kastanien aus dem Feuer holen: für einen anderen sich einer Gefahr oder doch einer Unannehmlichkeit aussetzen, ohne selbst etwas davon zu haben. — Die Wendung wurzelt in einer orientalischen Fabel, die durch Lafontaine bekanntgeworden ist. Der Affe Bertram bewegt die Katze Raton, geröstete Kastanien aus dem Feuer zu holen, die er sofort selber frißt.

KATZE

Die Katze im Sack kaufen: unüberlegt, ohne nähere Kenntnis und Prüfung etwas kaufen oder hinnehmen. —

Eine Redensart, die in den meisten Sprachen und Dialekten vorkommt und wegen ihrer Anschaulichkeit keiner Erklärung bedarf. Wer allerdings *die Katze aus dem Sack läßt,* der verrät, daß er etwas Böses vorhatte, als er sie in

Katzenjammer

den Sack steckte. Läßt er die Katze heraus, so gibt er damit ein Geheimnis preis. Wenn jemand *wie die Katze um den heißen Brei geht,* macht er Ausflüchte und drückt sich um die Wahrheit. *Der Katze die Schelle umhängen* = ein Geheimnis ausplaudern, eine Sache laut werden lassen. Kommt von der Fabel mit den Mäusen, die den Einfall hatten, der Katze eine Schelle umzuhängen, damit sie vor ihren Überfällen geschützt waren. Ein Ausdruck der Geringschätzigkeit ist: *Das ist für die Katz!* Er bedeutet: das nützt nichts, das ist vergeblich, das ist nichts wert. Die Wendung ist ein Teil des Sprichworts « Was einer erspart mit dem Mund, das ist für die Katz' und den Hund! » Wer *einen Kater* hat, spürt die Folgen eines starken Rausches. Der «Kater» ist hier die Verkürzung von *Katzenjammer,* was eigentlich «Kotzenjammer» hieß und die Nachwirkung durchzechter Stunden besser charakterisierte. Nach dem «Kater» kommen der erfrischende *Katerbummel* und das *Katerfrühstück.* Während dieses Frühstücks auf den Gedanken zu kommen, mit dem Trinken von vorne anzufangen, dürfte eine *Kateridee* sein. Kinder, die sich nicht gern waschen, begnügen sich mit einer *Katzenwäsche,* einer oberflächlichen Reinigung. Die Katze, so sauber sie ist und so gern sie sich putzt, scheut das Wasser. Während die Großen tafeln, wird den Kleinen am *Katzentisch* serviert. Ein kurzer Weg ist nur ein *Katzensprung,* denn unser beliebtes Haustier ist nicht dafür bekannt, daß es *große Sprünge macht.* Mit ohrenbetäubendem Lärm bringen Studenten einem unbeliebten Professor ein nächtliches Ständchen, auch *Katzenmusik* genannt. Wenn sie dann später zur Rechenschaft gezogen werden, *katzbuckeln* sie vor dem Professor und sind *katzenfreundlich,* benehmen sich also liebedienerisch und heucheln Ergebenheit. *Hund und Katze* siehe Hund.

KAUF

Etwas in Kauf nehmen: etwas Unangenehmes um einer Aufgabe willen hinnehmen; sich mit einer ärgerlichen Geschichte im Interesse einer Sache, einer Idee abfinden. — Allerorts und jederzeit versuchten Händler, die begehrte Ware gemeinsam mit dem Schund loszuwerden. Der Kunde «nahm das in Kauf», sofern die gute Ware ihm das wert war.

Sich jemand kaufen: einen beim Kanthaken nehmen, den Standpunkt klarmachen, herunterputzen. — Geht von der Vorstellung aus: jemand mit Geld bestechen; für sich und seine Ziele gewinnen. Das geschieht fast immer unter vier Augen. Der Ausdruck machte einen Bedeutungswandel durch. Die geheime Aussprache blieb, an die Stelle der Bestechungen traten jedoch ernste Vorhaltungen.

KEGEL siehe KIND

KEILEN

Jemand für eine Sache keilen: für etwas zu gewinnen suchen, beispielsweise jemand zum Eintritt in eine Studentenverbindung bewegen. — Die Korporationen bemühten sich, neueingeschriebene Studenten als Mitglieder zu «keilen». Hergeleitet aus zwei Ursprüngen: einmal aus der Vorstellung, daß der in das Holz getriebene Keil langsam aber sicher eindringt. Ebenso beharrlich gilt es, den Studenten zu «bearbeiten». Nach der anderen Lesart stammt es von dem alten, im Rheinland gebräuchlichen Wort «kallen», das reden, beschwatzen bedeutet.

KERBE

In dieselbe Kerbe hauen: jemand unterstützen, mit ihm auf dasselbe Ziel hinarbeiten. — Aus der Sprache der Holzfäller. Der Baum kommt schneller zu Fall, wenn mehrere in dieselbe Kerbe hauen.

Etwas auf dem Kerbholz haben: ein Vergehen begangen haben; kein reines Schuldkonto, etwas ausgefressen haben. — Das Kerbholz ersetzte auf dem Lande bis ins 19. Jh. bei den des Lesens und Schreibens Unkundigen das Schuldbuch; es waren zwei aufeinander passende Holzstäbe, in welche die Schulden des Käufers eingekerbt wurden. Einen Stab erhielt der Gläubiger, den anderen der Schuldner. Zur Abrechnung schickte der Gläubiger dem Schuldner seinen Stab, der sich durch Zusammenlegung mit dem seinen von der Richtigkeit der Rechnung überzeugen konnte. Die Schulden auf dem Kerbholz wurden in der Redensart mit der Zeit zu Schuld und Missetaten.

KIEKER siehe KORN

KIND

Mit Kind und Kegel: mit der ganzen Familie. – Hat nichts mit dem Kegelspiel zu tun. Kommt schon im 13. Jh. als «kindes kegel» vor. Zunächst verächtliche Bezeichnung für Kind (wie Blag und Göre), dann für «uneheliches Kind». «Mit Kind und Kegel» heißt: mit ehelichen und unehelichen Kindern, die ebenfalls im Hause des Vaters aufgezogen wurden.

KINKERLITZCHEN

Kinkerlitzchen (machen): Flausen (machen). – Entlehnt dem französischen «quincaille» = Kurzwaren, Tand oder Flitterkram und unter Anhängung der beiden Verkleinerungssilben «litz» und «chen» nach dem Wortklang ins Deutsche übernommen.

KIRCHE

Die Kirche im Dorf lassen: überlegt und umsichtig denken und handeln. – Absage an die wilde Bauwut mancher Epochen. Durch radikales Vorgehen kann man viel zerstören. Läßt sich im Dorfe auch manches ändern, die Kirche sollte man klugerweise stehenlassen.

KITTCHEN

Jemand ins Kittchen bringen: ihn ins Gefängnis bringen. – Kittchen bedeutet im Gaunerjargon Gefängnis, Zuchthaus. Verkleinerungsform des hebräischen «kitt(e)» = Haus. Es steckt allerdings auch das mittelhochdeutsche «kîche» (keuchen) = Gefängnis, Kerker, darin.

KLAMM

Klamm sein: kein Geld haben. – In der Gaunersprache wird klamm sein auch mit *in der Klemme sitzen* – sich in großer Geldverlegenheit befinden – gleichgesetzt. «Klemme» ist das gespaltene Stückchen Holz, in das sich beim Vogelstellen der Vogel verfängt.

KLEE

Über den grünen Klee loben, siehe *Grün.*

KLINGE

Einen über die Klinge springen lassen: jemand fallenlassen, ja, ihn zu Fall bringen, beseitigen. – Die Redensart bedeutete früher nicht weniger, als daß der Kopf beim Schwerthieb über die Klinge springt. Luther sagt: «Die ihm den Kopf über eine kalte Klinge hatten hüpfen lassen.»

KLIPP

Klipp und klar: ganz eindeutig. – Stabreimende Formel. Klippen = passen, stimmen. Geht auf den Zuschlag beim Viehhandel zurück, bei dem in die Hände geschlagen wird: *klipp, klapp* (auch von der zugeschlagenen Falle!). Daher: *es hat geklappt!* Die Redensart *Klar wie Kloßbrühe!* muß eigentlich «Klosterbrühe» heißen, womit eine besonders dünne und durchsichtige Suppe gemeint ist.

KNALL

Knall und Fall: unvermittelt, plötzlich. – So schnell wie auf den Knall der Flinte der Fall des Wildes auf der Jagd folgt. Ähnlich: *gesagt, getan!*

KNIE

Eine Sache übers Knie brechen: etwas ohne Überlegung, ohne Vorbereitung oder gewaltsam erledigen. – Wird ein Stück Holz über dem Knie zerbrochen, ist die Bruchstelle unsauberer als beim Zersägen. Der Sinn des Ausdrucks: schneller, aber unordentlicher!

KNOTEN

Den gordischen Knoten lösen: eine unlösbar scheinende Schwierigkeit auf verblüffend einfache Weise ent=

wirren. (Ähnlich « Ei des Kolumbus » siehe dies). — An einem Wagen des Zeus zu Gordium in Phrygien befand sich nach der griechischen Sage ein unlösbar verschlungener Knoten. Ein Orakel verhieß dem, der ihn zu lösen verstehe, die Herrschaft über Asien. Um den Spruch zu verhöhnen oder zu erfüllen, durchschlug Alexander der Große den Knoten mit dem Schwert.

Er ist ein Knoten: er ist ein ungebildeter Mensch mit schlechten Manieren. — Kommt vom plattdeutschen « Gnoten » = Genosse, d. h. der Handwerksbursche als Mitglied einer Genossenschaft (Studentensprache).

KNÜPPEL

Einen Knüppel am Bein haben: in seiner Beweglichkeit und Freiheit behindert sein. — Wem ein Knüppel ans Bein gebunden ist, fühlt sich im Gehen behindert. Wer jemand *einen Knüppel zwischen die Beine wirft,* bringt ihn zu Fall. *Der Knüppel liegt beim Hund:* es liegt untrennbar beieinander. — Eigentlich: es gehört so natürlich zusammen wie Hund und strafdrohender Knüppel.

KNÜLLER

Knüller: besonderer Schlager (Zugstück) in der Publizistik. — Vom studentischen Ausdruck « knülle » für betrunken. Der « Knüller » ist eigentlich der im Rausch entstandene glänzende Einfall. Es kann sich auch um eine aufsehenerregende Tatsache handeln, die einen Artikel lesenswert macht. Ein « Knüller » in einem Programm, schlechthin die Attraktion. Gegensatz die *Schnapsidee,* ein alberner Einfall.

KOHLEN

Feurige Kohlen auf jemandes Haupt sammeln: jemand durch Großmut beschämen. — Nach dem Brief des Paulus an die Römer 12, 20: « So nun deinen Feind hungert, so speise ihn ... Wenn du das tust, so wirst du feurige Kohlen auf sein Haupt sammeln.» In einer jüngeren Redensart ist Kohlen gleich Geld: «Hauptsache, die Kohlen stimmen!»

KORB

Jemand einen Korb geben: ihm eine Absage erteilen. – Unerwünschte Anbeter wurden früher in einem schadhaften Korb zum Kammerfenster der Burg emporgezogen, in der die Geliebte wohnte. Bei dieser Prozedur fielen sie häufig mit dem Sitz durch. Daher auch «*durchfallen*» beispielsweise bei einer Prüfung, «aus allen Wolken fallen», «er ist unten durch», «einen abfallen lassen». «Hahn im Korbe» siehe Hahn.

KORN

Aufs Korn nehmen: die Aufmerksamkeit auf eine Person oder Sache lenken; etwas nicht aus den Augen verlieren. Der Jäger- und Soldatensprache entlehnt. Das Korn ist das Stiftchen vorn am Gewehrlauf, die Kimme der dahinter liegende Einschnitt. Der Schütze stellt sein Gewehr ein, indem das visierende Auge über Kimme und Korn mit dem Ziel eine Gerade bildet, er «nimmt sein Ziel aufs Korn». Ähnlich: *es auf jemand oder etwas abgesehen haben.* Die Kimme wurde früher auch die «Absicht» genannt. Gleichbedeutend das plattdeutsche *einen auf dem Kieker haben* (von kieken = sehen).

KRAGEN

Es geht um Kopf und Kragen: es geht ums Leben. Kragen ist der mittelhochdeutsche Ausdruck für Hals, daher sind heute noch Geizkragen und Geizhals ein und dasselbe. Die Redensart spielt auf die Hinrichtung an. Ähnlich: *es geht ihm an den Kragen* = es geht ihm an den Hals. Der neuere Ausdruck: *da platzt einem der Kragen* (scherzhaft auch «Papierkragen») für *da packt einen die*

Wut meint, daß Wut die Halsadern anschwellen läßt und das Gefühl erzeugt, der Kragen werde einem zu eng.

KRAM

Das paßt ihm nicht in den Kram: das kommt ihm ungelegen, unerwünscht. — Kram ist die Ware des Krämers; dieser empfindet es als eine Zumutung, eine Ware zu führen, die er sonst nicht feilhält, die nicht in seine Branche, « in seinen Kram paßt » und die leicht als Ladenhüter (s. d.) liegenbleibt. Anderer Ausdruck: *der ganze Kram,* verächtliche Bezeichnung für eine Sache, die man für wertlos, für unnütz hält. In gleichem Sinne die stabreimende Verstärkung *Krimskrams* für Plunder, Gerümpel oder auch törichtes Gerede. *Jemand den ganzen Kram vor die Füße werfen (schmeißen)* = eine übernommene Arbeit brüsk niederlegen.

KRAWATTE

Er ist ein Krawattenmacher: ein Wucherer oder — stärker — ein Halsabschneider. — In Krawatte steckt Kroate! Im Dreißigjährigen Kriege trugen kroatische Landsknechte ein buntes Halstuch, das von den Franzosen in Anklang an Kroate « cravate » genannt und später als modisches Attribut der Herrengarderobe populär wurde. Die Redensart erinnert an einen Menschen, der einem anderen die Halsbinde oder Krawatte so fest zuzieht, daß dieser zu ersticken droht. Auch: *Krawattendreher.*

KREDENZEN

Jemand den Becher kredenzen: einen Becher Wein als Willkommentrunk darbieten. Die Redensart hatte früher einen ganz anderen Sinn. Kredenzen kommt von credere = glauben und bedeutet soviel wie beglaubigen, bestätigen, bezeugen. Wurde einem Fürsten Speise oder Trank « kredenzt », so waren sie vorher von dem « Vorkoster » auf Gift geprüft und als unschädlich « beglaubigt » worden. Solche Aufgaben hatten die heute noch im Lon=doner Tower postierten mittelalterlich gekleideten, mit Hellebarden bewehrten englischen Leibgardisten, die so=genannten «beefeaters» oder Rindfleischfresser bei ihren Königen, deren Hauptmahlzeit das Beefsteak war.

KREIDE

In der Kreide stehen: Schulden haben. — Früher schrieb der Wirt die Schulden der Gäste mit Kreide an die Tafel. Joseph Viktor v. Scheffel verwendet die Redensart scherzhaft=doppelsinnig in seinem bekannten Gaudeamus=Lied «Der Ichthyosaurus» vom Übergang aus der Lias= in die Kreideformation: «Sie (die Saurier) kamen zu tief in die Kreide, da war es natürlich vorbei» (das heißt: sie starben aus!). *Einem etwas ankreiden* = einem etwas nachtragen, ebenso: *es einem anstreichen.* Hingegen: *wer gut angeschrieben ist,* erfreut sich der Sympathie des Gast=wirts, weil er bei diesem keine Schulden hat.

KRETHI

Krethi und Plethi: zusammengewürfeltes Volk, Gesindel. — Eigentlich die Leibwache des Königs David, die aus Kretern und Philistern bestand, von Luther in «Krether und Plether» übersetzt. 2. Sam. 8, 18: «Benaja, der Sohn Jojadas, war über die Krether und Plether, und die Söhne Davids waren Priester.»

KRIEGSBEIL siehe STREITAXT

KRIPS

Jemand beim Krips nehmen: jemand am Genick ergreifen, am Kanthaken nehmen (siehe dies), in seine Gewalt bringen. — Das plattdeutsche Krips kommt von griepen = greifen. Krips ist das, was man anfassen kann; hier das Genick oder der Rockkragen. Hingegen *Grips* (siehe Grütze).

KRÖTE

Die paar Kröten: geringschätzige Bemerkung für einen Geldbetrag, der als zu gering erscheint. — Hat nichts mit der Familie der Froschlurche zu tun, sondern stammt vom niederdeutschen «Groschen» oder «Groten», einer wenig kaufkräftigen Münze, die in diesem Falle eigentlich «Gröten» heißen müßte.

KROKODIL

Krokodilstränen weinen: Tränen heucheln; sich traurig stellen. — Nach der Sage von dem Krokodil, das die Stimme eines weinenden Kindes nachahmt, um seine Opfer anzulocken.

KRUMM

Etwas krummnehmen: etwas übelnehmen. — Im Gegensatz zu grade wird das Krumme im Volksglauben als das Böse, Schlimme gewertet. Wer *krumme Wege* geht, ist vom graden Pfad der Tugend abgewichen. Eine *krumme Sache* ist wie die *krumme Tour* höchst bedenklich. Auch bei Luther krumm im Sinne von «böse»: «Wer weiß, warumb unser Sachen so krumb gehen», nämlich so schief gehen. Schief hat die gleiche Bedeutung: daher *einen schief ansehen.* «Der große Krumme» heißt der Bösewicht in Ibsens «Peer Gynt». Anders jedoch ein seit 1745 bezeugter studentischer Ausdruck *krummliegen* für ohne Geld sein, darben, Not leiden. Spielt auf das Bild des Hungernden an, der sich in Magenschmerzen *krümmt;* kann jedoch auch auf den in Schuldhaft «krummgeschlossenen» Häftling zurückgehen.

KUCKUCK

Das mag der Kuckuck wissen sagt man, wenn man ratlos, unentschlossen ist und nicht weiß, wie es weitergehen soll. — Die Redensart wurzelt im alten Volks-

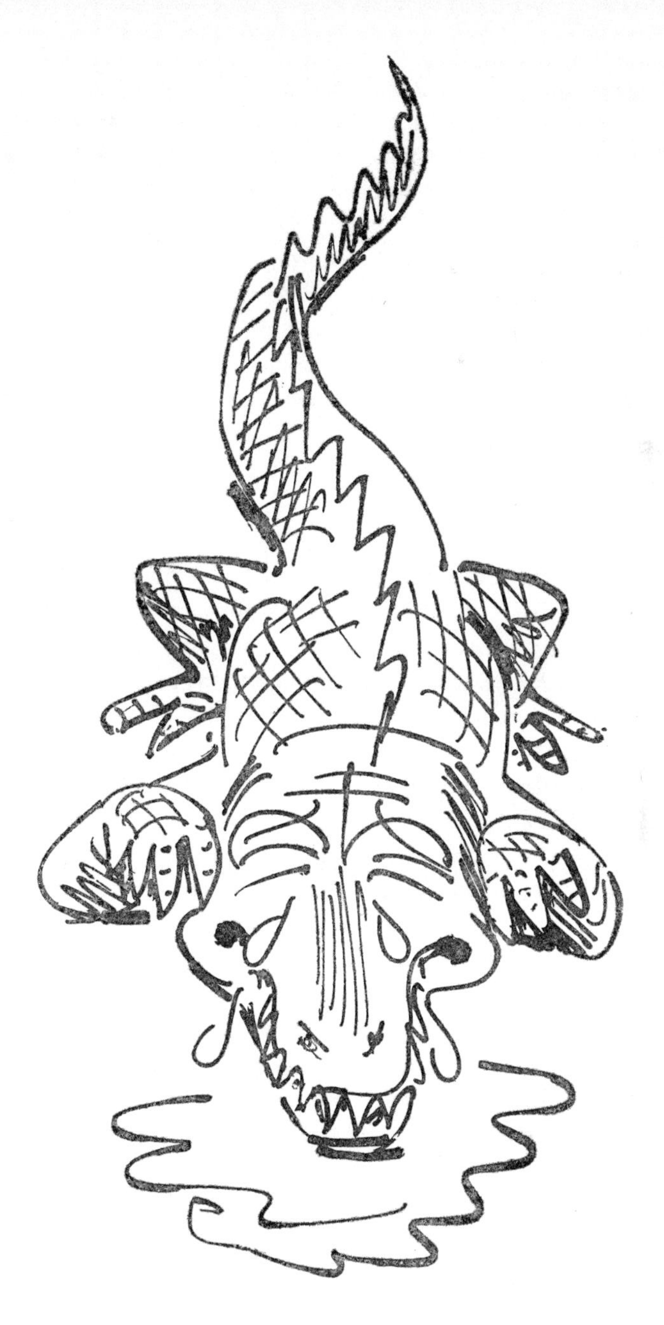

Krokodilstränen weinen

glauben von der wahrsagerischen Fähigkeit des Kuckucks. Schon im Mittelalter galt er als Künder der Lebensjahre. Außerdem glaubte man, daß er dem Menschen Geld bringe, sofern man während seines Rufes auf die Geldbörse geklopft hatte. – Allerdings ist Kuckuck auch das Hehlwort für Teufel. *Zum Kuckuck!* oder *hol dich der Kuckuck!* sind entsprechende Ausdrücke. Weil er seine Eier in fremde Nester legt und ein übler Brutparasit ist, gilt er als teuflisch, böse, herzlos. In diesem Zusammenhang ist die Bezeichnung *Kuckuck* für den Hoheitsadler auf der Siegelmarke des Gerichtsvollziehers ironisch aufzufassen.

KUH

Das geht auf keine Kuhhaut: das überschreitet die Grenze des Zumutbaren, das ist unbeschreiblich. – Im Mittelalter wurden Verbrecher auf einer Kuhhaut zur Richtstätte geschleift, Ehebrecherinnen wurden in eine Kuhhaut genäht und im nächsten Fluß oder Teich ertränkt. Was auf keine Kuhhaut geht, erscheint schlimmer als übelster Rechtsbruch. – Eine andere Erklärung: Wie man früher oft auf präparierte Tierhäute schrieb, so wurde dem Teufel nachgesagt, daß er die Sünden der Menschen auf einer Kuhhaut aufzeichne, um sie den Sterbenden als Rechnung zu präsentieren. Der Mensch, dessen Untaten nicht mehr auf des Teufels Kuhhaut gingen, mußte schon ein besonders hartgesottener Sünder sein. In Wolfhart Spangenbergs Drama «Mammons Sold» von 1614 sagt ein schurkenhafter Bauer: «Summa, ich habe so viel getrieben, wann es alles solt seyn beschrieben, es gieng auff keine Kuhhaut nicht.» Schließlich eine Deutung aus der Antike, in der sich die Opfernden während der kultischen Handlung auf eine weitgespannte Stierhaut setzten. Wer auf der Stierhaut keinen Platz fand, durfte am Opfermahl nicht teilnehmen. (Siehe auch *Sündenregister* unter *Sünde.*)

KULISSE

Hinter die Kulissen schauen: begreifen, wie es um eine Sache wirklich bestellt ist; unvermittelt eine Enttäuschung erfahren. — Der Theaterfreund erlebt oft eine Entzauberung, wenn er hinter die Bühne oder die Kulissen sieht. Der volkstümliche Ausdruck wird auf alle möglichen Gebiete angewendet.

KUNTERBUNT

Kunterbunt: durcheinander, verworren. — Um 1500 aus dem mittelalterlichen Latein von «contrapunctum» vielstimmig, später verworren.

KUPPELN

Sich den Kuppelpelz verdienen: eine Heirat vermitteln. — Kuppeln ist hier ohne anrüchige Nebenbedeutung im alten Sinne von zusammenfügen (koppeln) gemeint. Die Wendung geht auf das germanische Eherecht zurück. Der Pelz, der Kaufpreis des Bräutigams für die «Muntgewalt», das heißt die Herrschaft des Gatten über das Mädchen, ist längst zur bloßen Redensart geworden. Vater oder Vormund der Braut erhielten den Pelz.

KURZ

Den kürzeren ziehen: verlieren, leer ausgehen, im Nachteil sein. — Von einem bereits bei den alten Juden, Griechen und Römern bekannten Losspiel mit Stäbchen, Streifen oder Halmen. Wer den kürzeren zieht, geht beim Ausspielen eines Gegenstandes leer aus. *Zu kurz kommen, schlecht wegkommen,* niederdeutsch «to kort scheeten» meint, daß der Schuß das Ziel nicht erreicht, weil zu kurz visiert worden ist. *Kurz angebunden sein:* siehe Angebinde.

L

LACHEN

Der lachende Dritte ist derjenige, der den Vorteil davon hat, wenn zwei sich streiten.

Erst können vor Lachen! sagt man, um anzudeuten, daß eine Sache nicht so einfach sei. — Die Wendung ist nur ein Teil der Redensart: «Erst können vor Lachen! sagte der Gehenkte, als er pfeifen sollte.» Typischer Fall von Galgenhumor. Weitere Beispiele siehe Galgen.

LACK

Wir sind die Lackierten: Wir sind die Hereingefallenen, die Betrogenen. — Der Lackanstrich gibt einer minderwertigen Ware oft ein glänzendes Aussehen. Wenn jedoch der Lack abbröckelt, tritt die trügerische Absicht zutage. Scherzhafte Varianten: *gelackmeiert sein* (berlinisch) und *dastehen wie ein lackierter Affe.*

Fertig ist der Lack: Schlußsatz bei der Erklärung eines Vorschlages, dessen Verwirklichung als sehr einfach hingestellt wird. — Stammt von der Verwendung des Siegellacks beim Verschließen eines wichtigen Briefes. Auch hier kommt der Lack zum Schluß. *In Frack und Claque und Lack* (in Frack und Klappzylinder und Lackschuhen) bezeichnete früher den Festanzug des Herrn beim Ball.

LÄUTEN siehe GLOCKE

LAMETTA

Lametta: Orden und Ehrenzeichen auf Uniform und Frack. — Weiterbildung des Ausdrucks «Christbaumschmuck» (siehe dies); wurde nach 1933 von Claire Waldoff mit ihrem Chanson «Hermann heeßt er!» bekannt gemacht.

LAMPE siehe LEBEN

LANZE

Eine Lanze für jemand brechen: jemand verteidigen, für ihn eintreten. — Geht auf den mittelalterlichen Zweikampf zurück, in dem der Sekundant im Augenblick der Gefahr seinem Schützling beisprang und seine eigene Lanze riskierte (vergleiche Stange).

LAPPEN

Durch die Lappen gehen: entwischen, entkommen. — Die Redensart stammt aus der Jägersprache. Um das Wild am Ausbrechen aus dem Jagdrevier zu hindern, wurden bunte Zeuglappen zwischen den Bäumen aufgehängt, vor denen die Tiere zurückscheuten. Oft genug durchbrachen sie in ihrer Todesangst die Absperrung und «gingen so durch die Lappen». Seit dem 18. Jh. wird die Wendung auch auf Menschen angewandt.

LARIFARI

Das ist Larifari: das ist dummes Geschwätz. — Nach einer Erklärung ist das mittelhochdeutsche lari = leer mit dem bedeutungslosen «fari» nur des Reimes und Klanges wegen verbunden worden, wie bei «Krimskrams» und «Zickzack». Die andere Auslegung spielt darauf an, daß «la re fa» Trällersilben der Solmisation sind, das heißt jener jahrhundertelang gebräuchlichen Methode, durch bestimmte Tonsilben die Stufen der Sechstonreihe und damit vor allem den Unterschied von Ganz- und Halbtönen festzulegen.

LATEIN

Mit seinem Latein zu Ende sein: keinen Rat mehr wissen, nicht weiter können. — Ursprünglich Anspielung auf den Lateinschüler, der mitten in seiner Rede steckenbleibt, weil ihm die notwendigen Vokabeln fehlen. Dann schlechthin auf alle Künste und Wissenschaften bezogen, von der Vorstellung ausgehend, daß der ratlose Gebildete hilfloser sei als der Ungebildete (siehe unter «dumm» Ausspruch Molières).

LAUBE

Fertig ist die Laube: die Sache ist rasch erledigt, eilends abgemacht, ebenso schnell, wie eine Gartenlaube aus wenigen Brettern gezimmert wird. — Diese Berliner Redensart wird meist am Schluß eines Berichts gebraucht, um anzudeuten, daß alles ganz glatt geht.

LAUF

Auf dem laufenden sein: ständig über alle Neuigkeiten und Fortschritte unterrichtet sein; genau und zeitnah Bescheid wissen. — Die Wendung ist eine Übersetzung des französischen *être au courant.*

Einem den Laufpaß geben: ihn wegschicken, entlassen, mit ihm brechen. — Im 18. Jh. bekamen die entlassenen Soldaten einen «Laufpaß», auch «Laufzettel» genannt, der ihnen als Ausweis und Empfehlung bei der Suche nach Arbeit diente. Noch im selben Jahrhundert bekam der Ausdruck einen geringschätzigen Sinn, wie in Schillers «Parasit», in dem der Ministerialangestellte La Roche sagt: «Mein Platz ist vergeben. Seit gestern abend hab' ich meinen Laufpaß erhalten.»

Wie ein Lauffeuer verbreitet sich ein Gerücht, das schnell die Runde macht. — Lauffeuer, auch «Bodenfeuer», ist ein durch Entzündung von trockenem Gras und Heide entstandenes Feuer, das im Gegensatz zum «Stammfeuer» nur die Bodenfläche erfaßt und sich sehr schnell ausbreitet. Man kann freilich auch an Fernzündungen älterer Art oder an Lauffeuer bei Feuerwerken denken. Seit 1617 ist eine Methode bezeugt, nach der das Pulver im Laufen als Strich auf den Boden ausgestreut und in Brand gesetzt wurde.

LAUS

Ihm ist eine Laus über die Leber gelaufen: er ist verärgert. — Die Leber gilt als äußerst empfindliches Organ des menschlichen Körpers. Läuft die ekelerregende Laus darüber, so verursacht sie besonderen Widerwillen und Gereiztheit. Der so Betroffene *spielt dann die gekränkte Leberwurst,* wobei die «Wurst» nur eine komisch-spöttische Hinzufügung ist. Die *Läuse im Pelz* sind schwer zu finden, außerdem vermehren sie sich rasch. Schon bei Geiler von Kaisersberg (1445—1510), dem größten Sittenprediger des Mittelalters, finden wir: «Man darf nit lüs in den belz setzen, sie wachsen selbst darin.» *Einem eine Laus in den Pelz setzen* = ihm Ärger bereiten, ihn schädigen. Ähnlich ist die Redensart *jemand einen Floh ins Ohr setzen,* ihn mit einer Mitteilung beunruhigen; ihm etwas einreden, woraus ihm Nachteile erwachsen. Die Berliner Redensart *Ich dachte, mich laust der Affe!* wendet an, wer sich unangenehm überrascht sieht. Gedacht ist an das Bild des wandernden Schaustellers, dessen dressierter Affe gelegentlich auf die Schulter eines Zuschauers springt und ihm nach Affenart die Kopfhaare untersucht. Die Wendung geht von der falschen Vorstellung aus, der Affe suche nach Läusen, während er in Wirklichkeit auf die Kopfschuppen aus ist. — «Laus» als verächtliche Verstärkung in *Lauselümmel* und ähnlichen Ausdrücken.

LEBEN

Jemand das Lebenslicht ausblasen: ihm das Leben rauben, ihn töten (auch bildlich). — Die Nornen, die Schicksalsgöttinnen im altgermanischen Glauben, stellen nicht nur das Schicksalsgewebe her, dem niemand entrinnen kann (siehe Faden), sie wachen nach den «Deutschen Rechtsaltertümern» von Jacob Grimm auch über das Lebenslicht an der Wiege. Verlischt das Licht, so stirbt der Mensch. Ein Rest dieser bis in die mythischen Zeiten zurückreichenden Vorstellungen ist in dem norddeutschen Aberglauben erhalten geblieben, daß von den Lichtern, die dem Geburtstagskind angezündet werden, keines von einem anderen gelöscht werden darf. Im Liede von den zwei Königskindern, die einander so lieb hatten, ist es eine böse Nonne, die den Jüngling heimtückisch ertrinken läßt, indem sie das als Zeichen vereinbarte Licht auslöscht. Ohne Zweifel ist mit der Nonne ursprünglich eine Norne gemeint, aus der in christlicher Zeit wegen der Klangähnlichkeit die Nonne wurde. — Das «Lebenslicht» wird humorvoll zur «Lampe» in der Berliner Redensart *Einen auf die Lampe gießen* für Alkohol trinken. Nach der volkstümlichen Meinung wecken geistige Getränke die Lebensgeister. Wer Wein, Bier oder Kognak trinkt, hofft die Brenndauer seines Lebenslichts zu verlängern. Derselbe Sinn liegt im «glühenden Lämpchen» des bekannten Volksliedes «Freut euch des Lebens». Vergleiche auch Gottfried August Bürger, der aus der Beichte des Archipoeta des 12. Jh. übersetzt: «Echter Wein ist echtes Öl zur Verstandeslampe.»

LEBER

Frei von der Leber weg reden: freimütig, rückhaltlos, ohne Scheu sprechen. — Vielleicht geht die Wendung auf einen alten norddeutschen und thüringischen Brauch beim Opferschmaus zurück, bei dem die Tischsitte, «Leberreime» zu erfinden und vorzutragen, eine große Rolle spielt. Wer sich seine Leberstücke aus der Schüssel geholt hatte, mußte einen selbstverfaßten Vers ohne langes Besinnen «frei von der Leber weg sprechen». Eine andere Deutung spielt darauf an, daß Leber und Galle als Sitz des Zorns und Ärgers galten (siehe Laus). Wer seinen Ärger von der Leber herunterredete, machte seinem Herzen Luft. Goethe schreibt am 8. April 1812 an Zelter: «Ich höre es gern, wenn Sie von der Leber weg referieren und urtheilen.»

LEDER

Vom Leder ziehen: angreifen, scharf vorgehen, losschlagen, sich rücksichtslos äußern. – Unter «Leder» ist hier die lederne Schwertscheide zu verstehen. Der Angreifer «zog das Schwert vom Leder», um loszuschlagen.

LEIB

Beileibe nicht! Zwischenruf im Sinne von: nur ja nicht! – Leib hatte im Mittelhochdeutschen die Bedeutung von Leben, wie es in *Leib und Gut* = Leben und Gut, *sich entleiben* = sich das Leben nehmen, und *Leibrente* = Lebensrente zutage tritt. Auch der *Leibarzt* ist für das Leben seines Patienten verantwortlich. *Beileibe nicht!* heißt also: bei Strafe des Lebens nicht! Andere Wendungen: *Sich jemand vom Leibe halten, einem zu Leibe wollen, gehen, rücken. Bleib mir vom Leibe!*

LEIM siehe GARN und PECH

LEISTEN

Schuster, bleib bei deinem Leisten: sprich nicht von Dingen, die du nicht verstehst; mache dich nicht an irgend etwas heran, was du nicht gelernt hast, was du nicht kennst. – Der griechische Maler Apelles (4. Jh. v. Chr.), ein Freund Alexanders des Großen, soll mit dieser Wendung einen Schuster gemaßregelt haben, der an einem Gemälde des Künstlers nicht nur die Schuhe, sondern auch anderes abfällig beurteilt hatte.

Alles über einen Leisten schlagen: alles nach einem Schema machen, ohne Unterschiede zu berücksichtigen; Verschiedenartiges nach der Schablone behandeln; alles über einen Kamm scheren, alles in einen Topf werfen. – Der Schustersprache entlehnt.

LETZT

Zu guter Letzt: zum erfreulichen Beschluß, zum guten Ende, zuletzt. – Müßte eigentlich «zur guten

Letze » heißen. Die vielfach auch ironisch gebrauchte Wendung hat nichts mit « zuletzt » zu tun. « Letzt » ist aus dem mittelhochdeutschen « letze » = Abschied hervorgegangen. Letzen heißt ein Ende mit etwas machen, Abschied feiern, auch laben, erquicken. Man sagt ja auch heute noch: sich an etwas letzen, das heißt sich laben. Die Grundbedeutung der Redensart ist somit: zum guten Abschiedstrunk oder =schmaus. Im gleichen Sinne noch Wieland: « Wie sie zu guter Letze den goldnen Becher mir bot. »

LEVITEN

Jemand die Leviten lesen oder *die Lektion erteilen:* ihm eine Strafpredigt halten, einen Verweis erteilen, ihn zurechtweisen. — Die Redensart, schon mehr als zwölfhundert Jahre alt, geht auf den Bischof Chrodegang von Metz zurück, der — um der Zügellosigkeit seiner Geistlichkeit zu begegnen — einen Kanon aufstellte, nach dem die « Canonici » sich fortan zu gemeinsamem Speisen, Schlafen, Singen und Beten zu versammeln hatten. Bei diesen Gelegenheiten las der Bischof einen Abschnitt aus dem 3. Buch Mosis vor (dem sogenannten « Leviticus », weil es vornehmlich Gesetze für Leviten, nämlich Priester, behandelt). Diese *Lektion* wurde durch Mahn= und Strafreden ergänzt.

LICHT

Mir geht ein Licht auf: ich fange an zu begreifen, mir werden die Zusammenhänge klar. — Häufig in Luthers Bibelübersetzung, so im 97. Psalm, 11: « Dem Gerechten muß das Licht immer wieder aufgehen und Freude den frommen Herzen. » Wem ein Licht aufgeht, dem hellt sich eine dunkle Sache auf, so daß er besser sehen kann: *ihm dämmert's, es leuchtet ihm ein.* Bayerisch: *einen Funken von etwas kriegen.* Berlinisch: *Mir geht ein Seifensieder auf!* Eine Verquatschung: an Stelle des Lichtes tritt der Seifensieder, der neben der Seife auch

Kerzen herstellt. *Einem ein Licht aufstecken* heißt ihn auf=klären, aber auch ihn zur Rede stellen. Dabei ist an das Aufstecken eines Lichtes auf den Leuchter gedacht. In Schweden werden am 13. Dezember, dem Tage der hei=ligen Lucia, einem hübschen Mädchen, der Lucia=Braut, brennende Kerzen aufs Haar gesteckt. *Etwas ans Licht (an den Tag) bringen* bedeutet etwas entdecken und bekannt=machen. *Manche lassen ihr Licht leuchten,* was meint, *Sie wissen sich ins rechte Licht zu setzen,* sie bringen sich zur Geltung. Andere wieder *stellen ihr Licht unter den Schef=fel,* das heißt: sie sind so bescheiden, daß sie am liebsten unbeachtet bleiben möchten. Wenn ihr Licht unter dem Scheffel (veraltet für: Hohlmaß) steht, wird es nicht ge=sehen. *Wer einen anderen hinters Licht führt,* ist ein Schuft, denn er will ihn täuschen. «Hinterm» Licht ist es ebenfalls dunkel, so daß der Betrug leichter durchzuführen ist. *Er ist kein großes Licht (keine große Leuchte)* sagt man von jemand, der nicht als besonders klug gilt. Das be=rühmte *Kirchenlicht* (lumen ecclesiae) war früher als Auszeichnung für einen bedeutenden Kirchenlehrer ge=meint. Seit dem 18. Jh. wird es nur noch ironisch im Sinn von *Er ist kein großes Kirchenlicht* angewendet. Die derb=sarkastische Redensart: *vom Kirchenlicht zum Arm=leuchter!* (seit 1933) bezeichnet den geistigen und mora=lischen Abstieg eines Kirchenmannes, wobei «Armleuch=ter» ein doppelt verhülltes Schimpfwort darstellt.

LIED

Ich kann ein Lied davon singen: aus schlimmer Er=fahrung berichten können. — Johannes Agricola, Hof=prediger in Berlin, schreibt 1529: «Ich wolt einem wol ein liedlien darvon singen. Ich habe etliche vil weysigen er=zogen, aber den dank und lon, ja ein muck fueret yhn auff dem schwantze hynweg». (Davon kann ich ein Liedlein singen: Ich habe viele Waisenkinder erzogen, aber den Dank und Lohn trägt eine Mücke auf dem Schwanze hin=

weg!) Die Redensart geht auf die alten Volkslieder meist traurigen Inhalts zurück. So auch: *Es ist das alte Lied, das Ende vom Lied* (siehe Ende), *die alte Leier.* Diese Wendungen stammen fast alle aus dem mittelalterlichen Berufssängertum, so auch: *Wes Brot ich ess', des Lied ich sing'.*

LIEGEN

Wir liegen richtig! Wir treffen mit unseren Plänen, Absichten oder Erzeugnissen ins Schwarze; unsere Meinung wird von der Öffentlichkeit geteilt; wir ernten das Lob unserer Arbeitgeber. — Aus der Seemannssprache: vom Schiff, das « richtig » auf Kurs « liegt », und auch von den U-Booten des Ersten Weltkrieges gesagt, die in getauchtem Zustande « richtig liegen » mußten, d. h. nicht bug- oder hecklastig (usw.) sein durften.

LILIE

Dastehen wie eine geknickte Lilie: traurig sein, den Kopf hängen lassen. — Bild für verletzte Unschuld.

LIPPE

Eine (dicke, große) Lippe riskieren: kecke Äußerungen machen, sich ungebeten in ein Gespräch mischen. — Redensart jüngeren Datums; ähnlich wie bei « ein Auge riskieren », wird hier eine Lippe riskiert, selbst auf die Gefahr, eins draufzukriegen.

LOCH

Einem zeigen, wo der Zimmermann das Loch gelassen hat: einen hinauswerfen. — Müßte heute eigentlich heißen, « wo der *Maurer* das Loch gelassen hat ». Die Redensart stammt aus der ersten Zeit des Fachwerkbaus, wo der Zimmermann in den Balken die Lücke für die Tür freiließ, durch die der Unerwünschte hinausgejagt wird.

Jemand ins Loch stecken: ins Gefängnis sperren. — Im Englischen heißt to lock up einsperren. Die Grundbedeutung von Loch ist Gefängnis, Verschluß, Zelle. Daher auch *jemand einlochen* = ihn ins Gefängnis werfen.

Ein Loch kriegen (haben): schadhaft werden (sein), ramponiert, defekt, entzwei, zerbrochen; der Draht ist gerissen. — «Die Freundschaft kriegt (oder hat) ein Loch» heißt es, wenn sie «in die Brüche geht» oder «einen Riß bekommt». Loch kann jedoch auch «Ausweg» bedeuten. Wer viel essen kann, wer unersättlich ist, hat *ein Loch im Magen.* Ähnlich: *Er säuft wie ein Loch,* vielleicht als Anspielung auf das Erdloch, das begierig Wasser aufnimmt. *Jemand ein Loch in den Bauch reden* meint ungestüm und unaufhörlich auf jemand einreden — eine saftig-scherzhafte Wendung, die vorgibt, man könne jemand durch Reden schadhaft machen. Ebenso: *Ich lass' mir lieber ein Loch ins Knie bohren* = «ich tue alles andere eher als ...» Wer Schulden aufnimmt, um alte zu decken, *stopft ein Loch mit dem anderen zu* oder *macht ein Loch auf, um ein anderes zuzumachen.* Er darf sich dann nicht wundern, wenn er schließlich *auf dem letzten Loche pfeift,* am Ende, ruiniert ist. Das «letzte Loch» ist der höchste Flötenton, weiter geht es nicht.

LÖFFEL

Jemand über den Löffel barbieren: ihn betrügen, benachteiligen. — Dorfbarbiere schoben früher alten, zahnlosen Männern mit eingefallenen Wangen einen Löffel in den Mund, um die für die Rasur erforderliche feste Wölbung zu erzielen. Ursprünglich bedeutete der Ausdruck also: mit jemand nicht viel Umstände machen. «Rücksichtslos behandeln» wurde dann im Laufe zweier Jahrhunderte zum «betrügen». — *Die Weisheit mit Löffeln gegessen* (oder *gefressen*) heißt es von einem sich sehr klug dünkenden Dummkopf. In diesem Ausdruck liegt eine doppelte Ironie, denn die geistige Nahrung läßt

Der Salonlöwe

sich nicht wie leibliche aufnehmen; schon gar nicht löffel=weise in großen Mengen. Die Ostfriesen verstärken die=sen Spott noch, indem sie den Dummkopf die Weisheit mit dem Schaumlöffel essen lassen, durch dessen Löcher die Hälfte der Weisheitssuppe wieder in den Topf zurück=fließt: «De hett de Verstand mit Schumlepel freten.»

LÖWE

Den Löwenanteil bekommen: den größten Teil erhalten. — Nach einer Fabel des Äsop, wonach sich der Löwe bei einer Jagd mit dem Esel und dem Fuchs auf einen Hirsch die ganze Beute aneignete. Als der Esel drei gleiche Teile machte, schlug ihn der Löwe nieder. Nun befahl der Löwe dem Fuchs, die Teilung vorzunehmen. Als dieser dem Löwen die gesamte Beute anbot, fragte der König der Tiere lachend Reineke, wie er zu dieser Weisheit komme. Der wies nur stumm auf den zerschundenen Esel. – *Die Höhle des Löwen* (siehe auch Höhle) ist das Zimmer (Büro) eines Gefürchteten. *Der Salonlöwe* ist der elegante Frauenfreund, der in einer Gesellschaft dominiert.

LOS

Einen loseisen: einen aus einer schwierigen Lage befreien; mit Mühe frei machen; jemand aus einer Veranstaltung geschickt herausholen. – Zwei Ableitungen: einmal von «Eis», dann von «Eisen». Loseisen, im Sinne von Freimachen des Schiffes aus dem Eis, im 18. Jh. an der deutschen Nord- und Ostseeküste bezeugt. Der ältere Ursprung bezieht sich jedoch auf die Befreiung von der eisernen Wildfalle, in die der Fuß geraten ist.

LOT

Im Lot sein: in Ordnung sein. – Ursprünglich: genau senkrecht, so wie der Maurer beim Hausbau mit dem Richtlot oder Senkblei prüft, ob die Mauer ganz senkrecht steht, damit sie nicht umfällt. Auch *etwas ins Lot bringen,* etwas in Ordnung bringen.

LÜCKE

Das ist nur ein Lückenbüßer: das ist gerade gut genug, um eine Lücke auszufüllen. – Hat mit «büßen» nichts zu tun, vielmehr entstanden aus dem mittelhochdeutschen büezen = ausbessern, verschließen, flicken. Ein Lückenbüßer ist also ein Lückenschließer. So auch in der Bibel Nehemia 4,1: «Da sie aber hörten, daß die Mauern zu Jerusalem zugemacht wurden und daß sie die Lücken angefangen hatten zu büßen, wurden sie sehr zornig.»

LÜGE

Lügen, daß sich die Balken biegen: stark lügen. – Da Lügen als schwere Last empfunden werden, können sich schon die Balken biegen. Wer einem anderen *die Hucke voll lügt,* lügt ihm in den Rückenkorb. Im «Simplicissimus» von Grimmelshausen heißt es sogar «Er log ihr einen ganzen Lastwagen voll». Manche *lügen nach Strich und Faden,* und wahre *Lügenmeister* bringen es fertig, *das Blaue vom Himmel herunterzulügen.* Eine jüngere Wendung, die zuerst bei Adelbert v. Chamisso vorkommt, ist: *er lügt wie gedruckt.* Darin offenbart sich die ebenso weit verbreitete wie nicht gerade respektvolle Meinung über Zeitungen und andere Druckerzeugnisse.

LUFT

Es hängt in der Luft: eine schwebende Sache, die noch nicht entschieden, noch nicht spruchreif ist. — Die feinen Unterschiede der Redensarten mit «Luft» werden erst verständlich, wenn diese Wendung ergänzt wird: es hängt etwas *völlig* in der Luft. Hinter dem anscheinend harmlosen Ausdruck steht eine altgermanische Rechtsanschauung von grausiger Bedeutung: gemeint ist nämlich der Gehenkte, der «in der Luft hängen» muß, weil er den irdischen und den Frieden der Götter verletzt hat. So darf er also weder hier noch dort eine Ruhestatt finden und erst vom Galgen genommen werden, wenn ihn die Raben gefressen haben und seine Spuren vom Winde verweht sind.

Es liegt etwas in der Luft hat zweierlei Bedeutung: es bahnt sich etwas an, es bereitet sich etwas vor, es droht etwas Unangenehmes oder Unheilvolles (siehe auch unter «Busch»). Die andere Bedeutung ist: die Zeit ist für eine Idee so reif, daß diese nur ausgesprochen oder verwirklicht zu werden braucht, um allgemein Anklang zu finden. — Während die erste Deutung leicht zu verstehen ist, wenn wir nur an das Gewitter denken, das sich in der Luft zusammenzieht, so erinnert die zweite an Erfindungen und Entdeckungen, die fast gleichzeitig in verschiedenen Ländern gemacht wurden (Dampfmaschine: Papin und

Savery. Fotografie: Nièpce, Daguerre, Talbot — u. a.). Jedesmal «lag der Gedanke in der Luft». *Aus der Luft gegriffen* = erfunden, auch erlogen. Stammt vom Gaukelspiel der Zauberkünstler, die mit ihrer Geschicklichkeit bei den Zuschauern den Eindruck erwecken, sie könnten Gegenstände «aus der Luft greifen». Die Wendung ist besonders anschaulich, weil alle aus der Luft gegriffenen Dinge keinen soliden, festen Boden unter sich haben. Trugbilder entwerfen, sich kühne, unerfüllbare Hoffnungen machen, das heißt *Luftschlösser bauen* — ist ein bereits im römischen Altertum bekannter Ausdruck. Die sogenannte *dicke Luft* stammt aus dem ersten Weltkrieg. Die Angst einflößende, von Staub und Pulverdampf erfüllte Luft wurde sinnbildlich für Ärger und Verdruß. Der *Luftikus* ist ein «windiger» Bursche.

LUMP

Sich nicht lumpen lassen: sich nicht knauserig, geizig, schäbig zeigen; freigebig, großzügig sein. — Muß vollständig heißen: sich nicht für einen Lumpen ansehen lassen.

LUNTE

Lunte riechen: Gefahr wittern, Verdacht schöpfen. — Die Lunte, vom mittelhochdeutschen lünden = brennen, ist die Schnur oder der Strick, der früher abgebrannt wurde, um die Geschützladungen zu entzünden. Der weithin spürbare, unangenehme Geruch der schwelenden Lunte warnte oft den Gegner rechtzeitig vor dem folgenden Schuß. Ähnlich *den Braten riechen* (siehe Braten).

LYNCHEN

Einen lynchen oder *der Lynchjustiz übergeben:* eine Strafe aus angemaßter Machtvollkommenheit ohne legalen Richterspruch vollziehen, eigenmächtige Volksjustiz üben. — Der Ausdruck stammt von dem amerikanischen Farmer John Lynch, der sich im 17. Jh. angesichts der gesetzlosen Zustände im neubesiedelten Carolina sein Recht auf eigene Faust verschaffte. Diebe und Schwerverbrecher hängte er ohne Richterspruch und wurde dafür nicht zur Verantwortung gezogen.

M

MACHE

In die Mache nehmen oder *kriegen:* unter die Hände bekommen; beeinflussen, erziehen; auch herunterputzen, tadeln. — Bei Schiller in «Räuber» II, 3: «weil sie ihr einziges Paar in die Mache gegeben» (einziges Paar Schuhe zum Flicken). Der Ausdruck ist aber schon im 17. Jh. bezeugt. Später bekam er auch einen abschätzigen Sinn wie: *das ist alles Mache!* für «das ist alles Getue, Angabe».

MADIG

Jemand oder *etwas madig machen:* eine Person oder Sache schlecht machen, einem etwas verleiden. — Die Wendung spielt auf Nahrungsmittel an, die ungenießbar sind, weil sie von Maden befallen wurden. Immer im Sinne von schlecht, minderwertig. Ähnlich: *da ist der Wurm drin!* Siehe Wurm.

MAGEN

Jemand im Magen haben: ihn nicht ausstehen können; auf ihn zornig, wütend, geladen sein. — Das Bild rührt von der unverdaulichen Speise her, die *einem schwer im Magen liegt* und Beschwerden macht. Derber: *einen gefressen haben. Seine Augen sind größer als sein Magen* (siehe Auge). *Der Magen hängt mir schief* = Hunger haben. *Die Nachricht schlug ihm auf den Magen, der Ma=*

Jemand im Magen haben ...

gen drehte sich ihm um: das heißt, sie verdarb ihm die Laune.

MAKULATUR

Makulatur reden: dummes Zeug, Unsinn reden. — Makulatur ist unbrauchbares Druckpapier. Da es wertlos geworden ist, läßt es sich nur noch zum Verpacken oder als Tapetenunterlage benutzen — ist also minderwertig.

MANN

Seinen Mann stehen: die Pflichten, die einem Mann zufallen, gewissenhaft erfüllen. — Ähnlich die platt=deutsche Redensart: « Dar bin ick Mann vör », was soviel heißt wie: Dafür bürge ich! Die Redensart wird auch auf die berufstätige Frau angewendet, die heutzutage ebenfalls « ihren Mann steht ».

Mit Mann und Maus untergehen: mit allem in die Fluten versinken, was an Bord ist. — Hat nichts mit der Schiffsmaus zu tun, sondern Maus, niederländisch meisje = Mädchen, ist das Weib. Das Schiff geht also mit Mann und Weib unter. — Der *Mann Gottes* wird im Alten Testament unter anderem im 5. Mose 33,1 erwähnt: « Dies ist der Segen, damit Mose, der Mann Gottes, die Kinder Israel vor seinem Tod segnete. » « Mann Gottes » ist heute jedoch ein mißbilligender Ausdruck. *Der Mann an der Spritze* ist jener, der eine wichtige Rolle spielt; dem Bereich der Feuerwehr entnommen. Wer *etwas an den Mann bringen will,* sucht einen Kunden, um eine Ware loszuwerden. Man kann aber auch eine Geschichte oder einen Witz « an den Mann bringen », ebenso eine Nachricht. *Wer den wilden Mann spielt,* führt sich hemmungslos auf, sucht beispielsweise im betrunkenen Zustand Unfrieden und Streit. Tatsächlich ist der « Wilde Mann » eine alte Sagengestalt. *Voll wie tausend Mann* ist die übertriebene Bezeichnung eines schwer Bezechten.

MANSCHETTEN

Manschetten vor etwas haben: Angst, Respekt, Furcht vor etwas haben. — Die Redensart stammt aus dem 18. Jh., als die Herren noch weiße, lange, überfallende Spitzenmanschetten trugen, ständig in Angst, sich zu beschmutzen. Die Studenten verspotteten die vornehmen

Jünglinge, weil die Manschettenmode den Gebrauch des Degens beeinträchtigte. So wurde die Manschette mit Angst gleichgesetzt. Ein weiterer Hinweis bietet sich im «Manschettenfieber», der Angst vor den eisernen Handschellen, die dem Verbrecher im Kerker oder auf dem Gang zum Richtplatz angelegt wurden. Ähnlicher norddeutscher Ausdruck: *Gamaschen vor etwas haben,* wobei die Gamaschen die «spanischen Stiefel», ein mittelalterliches Folterwerkzeug, bezeichnen.

MANTEL

Eine Sache bemänteln: eine Sache anders oder besser erscheinen lassen; bei einer Schwäche oder nicht ganz sauberen Angelegenheit schweigen und so tun, als bemerke man sie nicht. Eine Sache der Vergangenheit überlassen und jenen, der sie verschuldete, nicht in Verlegenheit bringen. — Der Mantel, von großer symbolischer Bedeutung, wurde bei der Schutzgewährung, bei der Adoption und bei der Legitimierung unehelicher Kinder im mittelalterlichen Recht verwendet. In der Kirche wurden voreheliche Kinder während der Trauungszeremonie unter dem weiten Mantel der Mutter verborgen, aus dem sie dann heraustraten, als ob sie nun von *ehelichen* Eltern «neugeboren» wären und so die Schande «bemäntelt», von ihnen genommen sei («Mantelkinder»). Fürsten, Ritter und Edle gaben ihrem Begnadigungsrecht sinnbildlich Ausdruck, indem sie dem Schuldigen ihren Mantel umhängten oder ihn damit zudeckten (daher der *Deckmantel!*). So entstand auch der Ausdruck: *der Sache ein Mäntelchen umhängen* oder *etwas mit dem Mantel der christlichen Nächstenliebe zudecken.* Im Corpus juris canonici wird mitgeteilt, der römische Kaiser Konstantin (306—337), der das Christentum zur Staatsreligion erhob, habe gesagt: «Wahrscheinlich, wenn ich mit eigenen Augen einen Priester Gottes oder jemand im Mönchsgewand hätte sündigen sehen, so würde ich meinen Mantel abnehmen und ihn bedecken, damit er von niemand gesehen würde» (Decretum Gratiani, Kap. 8, 96). So ist es auch kein Zeichen von Vertraulichkeit, sondern eine Bitte um Schutz, wenn in der Wartburgsage der Sänger Heinrich von Ofterdingen unter den Mantel der Landgräfin flüchtet.

Den Mantel nach dem Winde hängen: mißbilligend von jemand gesagt, dessen Taten sich nur nach maßgebenden Personen oder Umständen richten; von einem nur auf den Nutzen bedachten, ja charakterlosen Menschen, der feste Grundsätze verschmäht. — Ursprünglich war die Redensart harmlos und ohne bitteren Beigeschmack gemeint. Der mittelalterliche Mantel war ein rechteckiges Tuch, das nur eine Schulter bedeckte und auf der anderen Seite zugesteckt wurde. Natürlich wurde die Schlitzseite immer der Wetterseite abgekehrt: «Man hängte den Mantel nach dem Winde.»

MARSCH

Einem den Marsch blasen: einen zurechtweisen, zur Pflicht ermahnen, abkanzeln, schelten. — Aus dem 19. Jh. Die Regimentsmusiker gaben den Soldaten mit der Blasmusik das Zeichen zum Ab- oder Vormarsch und «rüttelten» sie dann auf. Ähnlicher Vorgang bei der Zurechtweisung.

MASCHE

In die Maschen geraten: Unglück, Pech haben, Mißgeschick erleiden. — Die seit 1650 bezeugte Redensart bezieht sich auf das Netz des Vogelstellers oder des Fischers und meint ursprünglich: *ins Garn gehen* (siehe Garn), gefangen werden. Daher auch: «In die Maschen des Gesetzes geraten.» Der Gegensatz dazu ist: *durch die Maschen (des Gesetzes) schlüpfen,* das heißt: entkommen, noch einmal Glück haben; aber auch: raffiniert die Lücken des Gesetzes aufspüren und mit Hilfe ihrer Kenntnis zum Erfolg gelangen. Aus dieser Wendung ist in jüngerer Zeit auch der

Ausdruck: *die große* oder *tolle Masche* von einem «glänzenden Einfall», von einem «glücklichen Vorhaben» entstanden.

MATTHÄUS

Bei dem ist's Matthäi am letzten: er hat kein Geld mehr, mit ihm ist's aus; auch: er wird bald sterben. — Aus der evangelischen Kirchensprache, dem letzten Kapitel des Matthäus-Evangeliums über das Ende der Welt. Luther verwendet die Redensart im gleichen Sinne: «Da unser Herr Jesus spricht Matthäi am letzten...» Gottfried August Bürger machte in seiner Ballade «Die Weiber von Weinsberg» (1777) den Ausdruck volkstümlich: «Doch wann's Matthä' am letzten ist, trotz Raten, Tun und Beten, so rettet oft noch Weiberlist aus Ängsten und aus Nöten.»

MATZ

Mätzchen machen: Unsinn treiben, sich sträuben, zimperlich widerstreben; auch: lächerlich übertreiben. — Matz, Verkleinerungsform von Matthias, ist der Spitzname für einen kleinen, unbedeutenden, lächerlichen Menschen (wohlmeinende Verniedlichungen: *Hosenmatz, Hemdenmatz*). Wer sich wie ein Matz benimmt, macht Mätzchen.

MAUL

Einem das Maul stopfen: ihn bestechen, damit er nichts verrät; ihn (auch gewaltsam) zum Schweigen bringen, damit er nicht gefährlich wird. — Nach einer Geschichte des ersten lateinischen Fabeldichters Phaedrus versucht ein Dieb dem kläffenden Hofhund ein Stück Brot anzubieten, um «ihm das Maul zu stopfen», damit er nicht mehr belle (siehe Hals).

Maulaffen feilhalten: dumm seine Verwunderung äußern; auf törichte Weise Neugier bekunden; mit offenem Munde staunen und untätig zusehen. — Die Redensart hat nichts mit dem Affen zu tun. Sie ist vielmehr eine Verhochdeutschung der plattdeutschen Wendung «dat Mul apen halten» = das Maul offenhalten. Bei einem ungewöhnlichen Anblick oder beim Anhören einer bestürzenden Geschichte reißen wir unwillkürlich die Augen und den Mund weit auf. Schon Geiler von Kaisersberg schreibt um 1500: «Denn es sein etlich also geartet, daß sie nicht hören können, wenn sie nicht das Maul aufsperren und gaffen, gleichwie ein Esel, der Distel frißt.» Nun kamen im 13. Jh. eiserne Halter für den Kienspan auf, mit dem damals das Haus erleuchtet wurde. Diese Halter hatten die Gestalt eines Menschenkopfes mit geöffnetem Munde und hießen deshalb «Maulauf». Der offene Mund diente zur Aufnahme der Kienspäne. Wenn man diese Tatsache berücksichtigt, darf man feststellen, daß unser Bild von «Maulaffen *feilhalten*» besonders humorvoll und plastisch gewählt ist, weil die staunenden und mit geöffnetem Mund gaffenden Menschen auf der Straße wirklich so aussehen, als seien sie lebendig gewordene Kienspanhalter, die sich gleichsam selbst zum Kauf anbieten (feilhalten!). Andere Zusammensetzungen mit «Maul», wie *das Maul aufreißen,* erklären sich von selbst.

MAUS

Daß dich das Mäusle beiß': scherzhafte Verwünschung, harmloser Zwischenruf der Verwunderung. — Die Wendung hat nichts mit der «Maus» zu tun. Sie war auch ursprünglich keineswegs harmlos, sondern drohend gemeint. Maus kommt hier von «Meisel», der «miselsucht», einem unheilbaren, tödlichen Aussatz. Wörtlich also: Daß dich die Miselsucht befalle!

Arm wie eine Kirchenmaus: sehr arm. — Seit dem 18. Jh. auch in Frankreich bekannt, wo aus der Maus die dort mehr verbreitete Ratte wurde. Zum Leidwesen der Mäuse gibt es in der Kirche keine Speisekammer, so daß sie dort verhungern müssen.

Da beißt keine Maus einen Faden ab: das steht un=abänderlich fest. — Hergeleitet von der Fabel, in der die dankbare Maus den in einem Netz gefesselten Löwen be=freit, indem sie die Fäden zernagt. Wird allerdings auch glaubhaft mit dem Schneider erklärt, der von einem Kun=den Tuch zur Anfertigung eines Anzugs erhält und be=teuert, daß er von dem Stoff nichts unterschlagen werde: « Da beißt keine Maus einen Faden ab! »

Mausetot sein: ganz tot sein. — Geht von der Vor=stellung aus, daß die Maus schon beim ersten Schlag tot ist. Eine andere Deutung leitet den Ausdruck von « maveth=tot » aus dem Rotwelsch ab. Im Hebräischen heißt maveth totsein. Es läge hier also einer der Fälle vor, bei denen in einer Redensart mehrere Ausdrücke gleicher Bedeutung verkoppelt sind: « Todestot »!

Er macht sich mausig: sich vordrängen, unan=genehm bemerkbar machen; keck hervortun, auch angrei=fen. — Die seit dem 16. Jh. bekannte Wendung hat eben=falls nichts mit der Maus zu tun, sondern mit der Mauser,

Mausetot sein ...

dem Federwechsel der Vögel. Es ist beobachtet worden, daß Jagdfalken nach der Mauser besonders angriffslustig sind. Aus mausern wurde mausig. Erst als der Ausdruck auf den Menschen bezogen wurde, bekam er einen geringschätzigen Unterton. — *Mit Mann und Maus untergehen* siehe Mann.

MENKENKE

Machen Se keene Menkenke: machen Sie keine Fisimatenten (siehe dies), keine Umstände, Schwierigkeiten; Durcheinander. Versuchen Sie nicht zu täuschen. — Berliner Ausdruck seit 1860. Lautmalende Streckform von «mengen». Durch Mengen, Drängen, Mischen kann ein Wirrwarr entstehen, der Täuschungs- und Betrugsversuche erleichtert.

MESSER

Das Messer sitzt ihm an der Kehle: er befindet sich in höchster Gefahr, in arger Geldnot. — Das Bild erinnert an einen Menschen, dem der Gegner im Kampf bereits das Messer an die Kehle gesetzt hat, so daß ihm Todesgefahr droht. Ähnlich: *Das Wasser steht ihm schon bis zum Hals,* von einem Unglücklichen gesagt, der bei einer Überschwemmung oder Wasserflut kurz vor dem Ertrinken ist.

MITSPIELEN

Jemand übel mitspielen: einem beträchtlichen Schaden zufügen, ihn niederträchtig behandeln. — Die Redensart hat nichts mit dem Kartenspiel, sondern mit dem mittelalterlichen Kampfspiel zu tun, in dem der niedergestreckte Gegner oft schwere Verletzungen davontrug.

MITTEL

Sich ins Mittel legen: zwischen zwei Parteien vermitteln; einen Vergleich vorschlagen. — Hieß ursprünglich nicht «sich ins Mittel», sondern «sich in die Mitte legen» oder «schlagen», so wie sich jemand zwischen zwei Streitende wirft, um den Kampf abzubrechen und sie zu versöhnen.

MOND

Hinter dem Monde sein; früher: wirklichkeitsfremd leben, über aktuelle Geschehnisse nicht unterrichtet sein. Heute: besonders fortschrittlich, aufgeklärt und informiert sein. — Wer «auf» oder «hinter dem Monde lebte», wobei «hinter» noch eine wesentliche Steigerung darstellte, galt als äußerst weltfremd, denn auf oder gar hinter dem Mond war man, nach den damaligen Vorstellungen, weit weg von den Ereignissen unserer Erde, konnte also nicht mitreden. Diese Bedeutung hat sich in ihr Gegenteil verwandelt. Am 4. Oktober 1959 wurde der sowjetrussische Satellit Lunik 3 gestartet, dessen Bahn über die Mondbahn hinausreicht. Diese automatische Weltraumstation oder Mondsonde fotografierte die bisher völlig unbekannte Rückseite des Mondes. Wer also heutzutage «hinter dem Mond ist», darf als gründlich informiert, als up to date und aufgeschlossen angesehen werden.

In den Mond gucken: das Nachsehen haben, leer ausgehen. — Der Mond spielt im Aberglauben eine große Rolle. Einerseits werden ihm negative Einflüsse auf Mensch und Tier zugewiesen, andererseits ist er für die Romantiker der große Mittler in Liebes- und Zauberwünschen. Er gilt ebenso als verantwortlich für die *Mondsucht,* die bekannten Dämmerzustände und Erscheinungen der Schlaftrunkenheit, wie auch für das *Mondkalb,* die Mißgeburt einer Kuh, woher das Schimpfwort für eine dumme, einfältige Person abgeleitet wird. Nach dem Volksglauben werden Menschen, die viel in den Mond gucken, blöde. Hier ist eine Redensart unter Verwechslung von Ursache und Wirkung entstanden. Ähnlich: *durch die Röhre gukken.* Gemeint ist das Fernrohr, mit dem man in den Mond schaut! Auch da bedeutet die Wendung: das Nachsehen haben, wie in: *dumm aus der Wäsche gucken. Wenn eine Uhr nach dem Mond geht,* so geht sie falsch — im Gegensatz zur Sonnenuhr. *Den Mond anbellen* heißt auf jemand schimpfen, dem das nicht schaden kann. *Schlösser, die im Monde liegen,* sind Luftschlösser (siehe Luft). Wer die Berliner Redensart: *Du kannst mir mal im Mondschein* (auch: *am Abend) begegnen,* anwendet, der meint soviel wie «Du kannst mir gestohlen bleiben» oder gar im Grunde seiner schwarzen Seele den vielzitierten «Götz von Berlichingen».

MOPS

Sich mopsen: sich langweilen. — Der Mops hat seinen Namen vom mittelhochdeutschen «mupf» erhalten, das ist Hängemaul, daher auch *muffig* = verdrießlich. Im niederländischen moppen steckt ebenso maulen, schmollen, den Mund verziehen wie im englischen to mop. Wenn der Mops auch ein Hängemaul hat, so ist es doch falsch, ihn als mürrisch zu bezeichnen. Er ist im Gegenteil ein fröhlicher Bursche, daher wird mit dem Ausdruck *mopsfidel* sein Gemüt viel besser charakterisiert. Das schließt nicht aus, daß er sich manchmal langweilt, also *mopst.*

MOOS und MOSES

Moses und die Propheten haben: viel Geld haben. — Ursprünglich lautete die Redensart *viel Moos haben* = reich sein, viel Geld haben. Der Ausdruck Moos für Geld wanderte aus dem hebräischen ma'oth = Pfennige, Kleingeld über die Gauner- in die Studentensprache (siehe «Barthel»). Im Studentenmund wurde aus Moos scherzhaft Moses; später gesellten sich die Propheten ganz von selbst nach der biblischen Erzählung vom reichen Mann dazu, der, Höllenqualen leidend, Abraham bittet, seine noch lebenden Brüder vor einem sündhaften Leben zu warnen, worauf Abraham spricht: «Sie haben Mose und die Propheten; laß sie dieselben hören.»

MOTTE

Du kriegst die Motten! Ausdruck des Erstaunens, scherzhafte Verwünschung. — Da von Motten befallene Sachen unbrauchbar und zerstört werden, war die Wendung zuerst ernst gemeint, wie sie heute noch mit einem Anflug von Zynismus Patienten in Lungenheilstätten verwenden. «Die Motten haben» bezeichnet dort die offene Tuberkulose nach dem Röntgenbild, auf dem ein tuberkulöser Lungenherd oft einer Ansammlung von Motten gleicht. Im allgemeinen Sprachgebrauch spaßig gemeint.

MUCKEFUCK

Das schmeckt nach Muckefuck: das schmeckt nach Blümchenkaffee (siehe Blume), einem dünnen, gehaltlosen Aufguß, der mit Bohnenkaffee wenig Ähnlichkeit hat. — Aus dem deutsch-französischen Kriege 1870/71, in dem die preußischen Soldaten das französische «mocca faux» (falscher Mokka) in Muckefuck eindeutschten.

MUFFIG siehe MOPS

MUMPITZ

Rede keinen Mumpitz: mache kein dummes Gerede, laß das Geschwätz. — Entstanden aus «mombotz» = Schreckgestalt oder «Mummelputz» (Vogelscheuche). Mumme bedeutet Maske (vermummen), das mittelhochdeutsche butze Kobold. Seit 1870 an der Berliner Börse als Ausdruck für Schwindel, Unsinn aufgetaucht.

MÜNZE

Mit gleicher Münze heimzahlen: etwas vergelten. — Die schon im Mittelalter bekannte Redensart erklärt sich von selbst aus der Vorstellung, daß jemand so behandelt wird, wie er selber den anderen behandelt.

Das ist auf mich gemünzt: das geht auf mich, das spielt auf mich an, zielt auf mich. — Die Wendung stammt von den Gedächtnismünzen des 16. und 17. Jh., die mit anzüglichen Ornamenten und allerhand Anspielungen « auf den sie gemünzt waren », geprägt wurden.

Etwas für bare Münze nehmen: es ernst nehmen, obwohl es scherzhaft gemeint war. — Seit dem 18. Jh. bezeugter Ausdruck, der so viel bedeutet wie eine versprochene Zahlung schon als bares Geld werten. (Siehe auch *Draht* und *Geld.)*

MUND

Morgenstund' hat Gold im Mund: wer früh aufsteht, erreicht etwas im Leben. — Hat nichts mit dem « Mund » zu tun, sondern geht auf das altdeutsche Wort « munt » = Hand zurück. Im altgermanischen Recht versinnbildlichte die Hand Macht, wie sie sich noch heute im « Vormund » darstellt, der über seine Schutzbefohlenen die Hand hält und Gewalt über sie hat. Morgenstunde hat somit Gold in der Hand, das sie unter den Frühaufstehern freigebig verteilt.

Einen mundtot machen: jemand zum Schweigen bringen. — Auch hier ist es nicht der sprechende Mund, sondern die altdeutsche « munt », die tot gemacht werden soll. Ursprünglich also: jemand die Gewalt aus der Hand nehmen, ihn entmachten.

Sich den Mund verbrennen: unbedachte Worte sprechen, die einem Unannehmlichkeiten eintragen; sich zu einer unüberlegten Bemerkung hinreißen lassen. — Bei Luther « sich das Maul verbrennen » als Vergleich mit dem Essen heißer Suppe, mit der man sich den Mund verbrennt. Dazu ein sinnreiches plattdeutsches Sprichwort: « De kann swigen, de heet eten kann » = der kann schweigen, der heiß essen kann. — Viele andere Redensarten mit Mund in dieser Kurzgeschichte: « Jetzt werde ich es ihm aber geben! » rief Egon Mundfaul wütend. « Morgen früh gehe ich zu meinem Chef und verlange Gehaltserhöhung. Schließlich bin *ich nicht auf den Mund gefallen.* Meine Leistungen werden überhaupt nicht anerkannt. *Ich werde kein Blatt vor den Mund nehmen!»* (siehe «Blatt») Am nächsten Morgen betrat er das Büro seines Brotgebers. «Sie haben mir doch schon lange eine wesentliche Gehaltsaufbesserung versprochen!» log Egon Mundfaul. «Ich habe Ihnen gar nichts versprochen!» *fuhr ihm der Chef über den Mund. «Wie können Sie mir so die Worte im Munde herumdrehen?»* «Das stimmt nicht!» tobte Egon los. *«Halten Sie gefälligst den Mund!»* rief der Chef empört. *«Ich lasse mir nicht den Mund verbieten!»* entgegnete Mundfaul. Doch der Lohnherr erwiderte: «Sie waren ja schon immer *mit dem Mund vorneweg.* Sie können sich ruhig *den Mund fusselig reden.* Sie werden sich immer *den Mund verbrennen! Ich mache Sie hiermit mundtot,* indem ich Sie fristlos entlasse!» Betroffen schlich Egon davon und klagte ironisch: *«Morgenstund' hat Gold im Mund!»*

MUT

Sein Mütchen an jemand kühlen: seine Laune, seinen Übermut oder Zorn an jemand auslassen. — Die Redensart wurde volkstümlich durch Luthers Übersetzung des Bibelverses 2. Mose 15, 9: «Der Feind gedachte: ich will nachjagen und erhaschen und den Raub austeilen und meinen Mut an ihnen kühlen.» Die verkleinerte Form findet sich in Sirach 10, 6: «Räche nicht an deinem Nächsten alle Missetat; und kühle dein Mütlein nicht, wenn du strafen sollst.» Der Ausdruck ist schon Anfang des 13. Jh. im Nibelungenlied bezeugt.

N

NACHSTELLEN

Jemand nachstellen: sich an jemand heranmachen, ihn verfolgen, jemand nicht aus den Augen lassen. — Im Mittelhochdeutschen hieß es «stellen nach». Gemeint ist das Fallenstellen auf der Jagd nach Vögeln und Wild. « Einer Frau nachstellen. »

NAGEL

Den Nagel auf den Kopf treffen: genau das Richtige sagen, erraten, treffen oder tun; die rechte Lösung im rechten Augenblick finden. — Die Redensart hat eine andere Bedeutung, als wir sie uns gewöhnlich vorstellen. Man könnte leicht daran denken, daß der Nagel, den man in die Wand einschlagen will, genau mitten auf den Kopf getroffen wird, so daß er wunschgemäß ohne Verbiegung in die Wand eindringt. Da die Wendung aus der Schützensprache stammt, ist hier nicht der Nagelkopf gemeint, auf den der Hammer schlägt, sondern der Nagel als Mittelpunkt der Scheibe, auf den der Schütze treffen soll. Dieser Nagel hieß Zweck oder Zwecke (Heftzwecke, Reißzwecke). Das Wort wurde um 1600 vom Gegenständlichen ins Geistige übertragen: so entstand daraus Zweck als Absicht, Ziel. Wer den Nagel oder den Zweck auf den Kopf traf, hatte *ins Schwarze getroffen;* wer nicht traf, hatte den Zweck verfehlt. Luther: « Es ist not, daß ein guter Schütz allwegen den Nagel treffe! »

Die Nagelprobe machen: genau nachprüfen. — Ein aus altskandinavischer Zeit stammender, in Deutschland seit 1494 bezeugter Trinkerbrauch, der darin besteht, das auf das Wohl eines Zechkumpans geleerte Trinkgefäß umgestülpt auf den Daumennagel der linken Hand zu setzen, zum Beweis, daß kein Tropfen mehr im Becher ist.

Es brennt einem auf den Nägeln: man hat große Eile, mit einer Arbeit in letztem Augenblick fertig zu werden; die Sache ist « brandeilig », wenn man mit der Erledigung einer Angelegenheit in starker Bedrängnis ist. — Vielleicht spielt die Wendung auf die Folterung an, bei der glühende Kohlen auf die Fingerspitzen gelegt wurden. Eine sinnfälligere Deutung liegt jedoch in den Beleuchtungsverhältnissen jener Zeit. Bei der Frühmesse und abends klebten sich die Mönche beim Lesen kleine Wachskerzen auf die Nägel, die oft schon abgebrannt waren, ehe der Leser die Lektion beendet hatte. — Weitere Redensarten mit «Nagel»: *Nägel mit Köpfen machen* = ganze Arbeit machen, etwas logisch zu Ende denken. Nägel mit Köpfen sind besser als Drahtstifte, die sich beim Einschlagen leicht verbiegen. *Er hat einen Nagel (im Kopf)* heißt es von einem eingebildeten, dünkelhaften, anmaßenden Menschen, als stelle man sich vor, daß diesem ein langer Nagel in den Kopf bis tief in den Hals getrieben wurde, so daß er den Kopf nicht bewegen kann. Dazu gehört die niederdeutsche Wendung «enem den Nagel daal kloppen» = einem den Nagel herunterschlagen, ihn demütigen. Der Nagel, die Ursache des Dünkels, wird durch Ab- oder Herunterschlagen unsichtbar und damit unwirksam gemacht. *Etwas an den Nagel hängen* = einen Beruf abbrechen, eine Sache aufgeben, bevor sie beendet ist. Spielt auf den Schneider an, der ein halbfertiges Kleidungsstück an den Nagel hängt, um mit einem anderen zu beginnen. *Ein Nagel zu meinem Sarg* ist jedes Verhalten, das mich meinem Ende näherbringt. Es bedeutet Verdruß, Ärger bereiten, die frühzeitiger zum Tode führen. *Das Schwarze unter dem Nagel* ist eine Geringfügigkeit, eine Kleinigkeit. Wer sie mir mißgönnt, ist geizig. *Sich etwas unter den Nagel reißen* ist eine Redensart des 20. Jh., soviel wie sich etwas widerrechtlich aneignen. Das Bild stammt von dem Raubtier, das sich die Beute «unter die Krallen reißt».

NARR

Einen Narren an jemand gefressen haben: törichterweise für jemand (etwas) eingenommen sein, närrisch auf ihn sein. — Die Wendung entspricht den Ausdrücken «jemand vor Liebe fressen» oder «hab' dich zum Fressen gern». In Hans Sachsens Fastnachtsspiel «Narrenschneiden» schneidet der Arzt einem Kranken die Narren des Geizes, der Unkeuschheit, der Völlerei und des Zornes aus dem Leibe heraus. Die Redensart ist in ihrer heutigen Form unsinnig und kann nur bedeuten, daß man auf etwas oder in jemand vernarrt ist. Das Gegenteil: «jemand gefressen haben» (siehe Magen).

NASE

Sich selbst an (bei) der Nase fassen: seine Schuld eingestehen; sich einsichtig, selbstkritisch verhalten; auch sich Vorwürfe machen. — Nach Jacob Grimms Rechtsaltertümern gab es im altdeutschen Recht eine symbolische Strafe, daß der verurteilte Verleumder sich vor seinen Richtern selbst an der Nase ziehen mußte.

Ick bin neese! sagt der Berliner, wenn er ausdrükken will, er habe das Nachsehen, er gehe leer aus. — Um die Rechtsansprüche der verschiedenen Sippenglieder, der sogenannten mâgen, zu regeln, wurden in der alten germanischen Rechtsordnung die einzelnen Verwandtschaftsgrade nach Körpergliedern bezeichnet. Dabei gingen die «Nasenmâgen» bei Erbteilungen leer aus, weil sie zu den entfernten Verwandten zählten: sie waren tatsächlich «neese»!

Jemand an der Nase herumführen: mit ihm mutwillig oder willkürlich umgehen; ihn anführen, verulken; ihn mit trügerischen Hoffnungen erfüllen, ihn mit falschen Versprechungen hinhalten. — Verkürzt: jemand *nasführen.* Die sehr alte Redensart bezieht sich auf den Tanzbären, der an einem Nasenring so herumgeführt wird, wie es dem «Bärenführer» (siehe dies) gefällt. Auch Stiere werden so gelenkt. Andere Ausdrücke: *Jemand auf der Nase herumtanzen* = sich mit jemand alles erlauben; erinnert an ungezogene, kleine Kinder, die Erwachsenen ungestraft im Gesicht und auf der Nase herumspielen. *Einem etwas auf die Nase binden* = ihm etwas weismachen, ihn anführen, veralbern, auch betrügen. Spielt auf die Pappnase an, die man einem anderen aus Schabernack aufbindet, aber auch auf das besonders gute Musterstück, das die Kaufleute früher — oft irreführend — außen auf die Packung banden (siehe Ausbund). *Einem nicht alles auf die Nase binden* = einem nicht alles mitteilen. Was auf die Nase gebunden wurde, liegt unübersehbar nahe vor den Augen. Das soll in dieser Wendung vermieden werden.

Jemand etwas unter die Nase reiben = ernste Vorhaltungen machen. Die Nase ist besonders empfindlich. So wie jemand sich nicht gern einen vielleicht auch noch übelriechenden Gegenstand unter die Nase reiben läßt, so will er auch nicht an einen Fehler erinnert werden. *Die Nase voll haben,* auch halbfranzösisch: *die Nase plein haben* kommt aus der Gaunersprache. In manchen Gefängnissen bekamen die Gefangenen früher bei Strafverschärfung « eins über die Nase gehauen ». Daher: « ich habe die Nase voll » (ähnlich « den Hosenboden voll hauen »). *Die Nase begießen* = sich betrinken. Eigentlich so hastig oder gierig trinken, daß die Nase feucht dabei wird. Oder: die Nase wird als Pflänzchen betrachtet, die durch ständiges Begießen zur Trinkernase wird. *Auf der Nase liegen* für krank sein.

Wer die Nase in alles steckt, kümmert sich unbefugterweise *um jeden Dreck* und gilt als besonders neugierig. Dem faulen Schulkind wird vorgehalten: *Steck' deine Nase ins Buch! — Etwas in der Nase haben* oder *eine feine Nase für etwas haben* kommt aus der Jägersprache und bedeutet: schon im voraus wissen, was geschieht, nach dem Jagdhund, dessen feine Nase rechtzeitig das Wild wittert. *Einem etwas vor der Nase wegschnappen* ebenfalls vom Hund, der einem anderen oder der Katze den zugeworfenen Bissen « vor der Nase wegschnappt ». Beim Menschen in allen Lebenslagen angewendet, wo einer dem anderen *mit einer Nasenlänge* zuvorkommt (auch beim Flirt). *Alle naselang* heißt jeden Augenblick, kurz hintereinander. Hier wird kurioserweise der Anschaulichkeit halber das Längenmaß als Zeitmaß verwendet. *Wer einem anderen eine Nase dreht*, hat ihn zum besten. *Mund und Nase aufsperren* (siehe auch Maul) = äußerst erstaunt dreinblicken. Da man die Nase nicht aufsperren kann, sind hier wohl die geblähten Nasenflügel gemeint. *Das sieht man ihm an der Nasenspitze an* kommt schon bei Luther vor.

Ein *naseweiser* Mensch ist vorlaut. Früher war «naseweis» eine Anerkennung für den Hund, der mit seiner Nase die Spur «weist». *Die Nase hoch tragen* oder *rümpfen* bedeutet hochmütig, «hochnäsig» sein. Die *«verliebten Nasenlöcher»* sind eine scherzhafte Wendung für Verliebtsein, und *daß du die Nase ins Gesicht behältst!* ist ein Lieblingsausruf Onkel Bräsigs, einer Figur des mecklenburgischen Dichters Fritz Reuter (1810–1874).

NASSAUER und NASS

Er ist ein Nassauer: ein Schmarotzer, ein Schnorrer; einer, der gern auf Kosten anderer lebt, der sich gern freihalten läßt oder sich auch vom Bezahlen drückt. – Anfang des 19. Jh. erhielten Göttinger Studenten von ihrem nassauischen Landesvater Freitische. Blieb einer der Stipendiaten aus, so fand sich immer ein unbefugter Student für den leeren Platz als «Nassauer». Das Scheltwort bezog sich also nicht auf die Nassauer, sondern auf die ungebetenen Gäste. Der Ausdruck naß = umsonst, unentgeltlich ist aber schon seit dem 15. Jh. bekannt. Berlinisch *per naß* oder *für naß* = irgendwo gratis hineinkommen, etwas umsonst genießen. So spricht man von «nassen Knaben, die viel verzehren und wenig haben» (Thomas Murner). Als Beispiel für diese Redensart eine Geschichte vom sprichwörtlich geizigen, nassauernden Schotten: In Paris lud ein Franzose einige Ausländer zum Essen in sein Haus mit der Bitte, jeder möge zu diesem Abend mit einer Kostbarkeit seines Landes beitragen. Der französische Gastgeber stiftete Rehrücken und Weine, der Deutsche westfälischen Schinken, Spargel und Schnaps, der Italiener

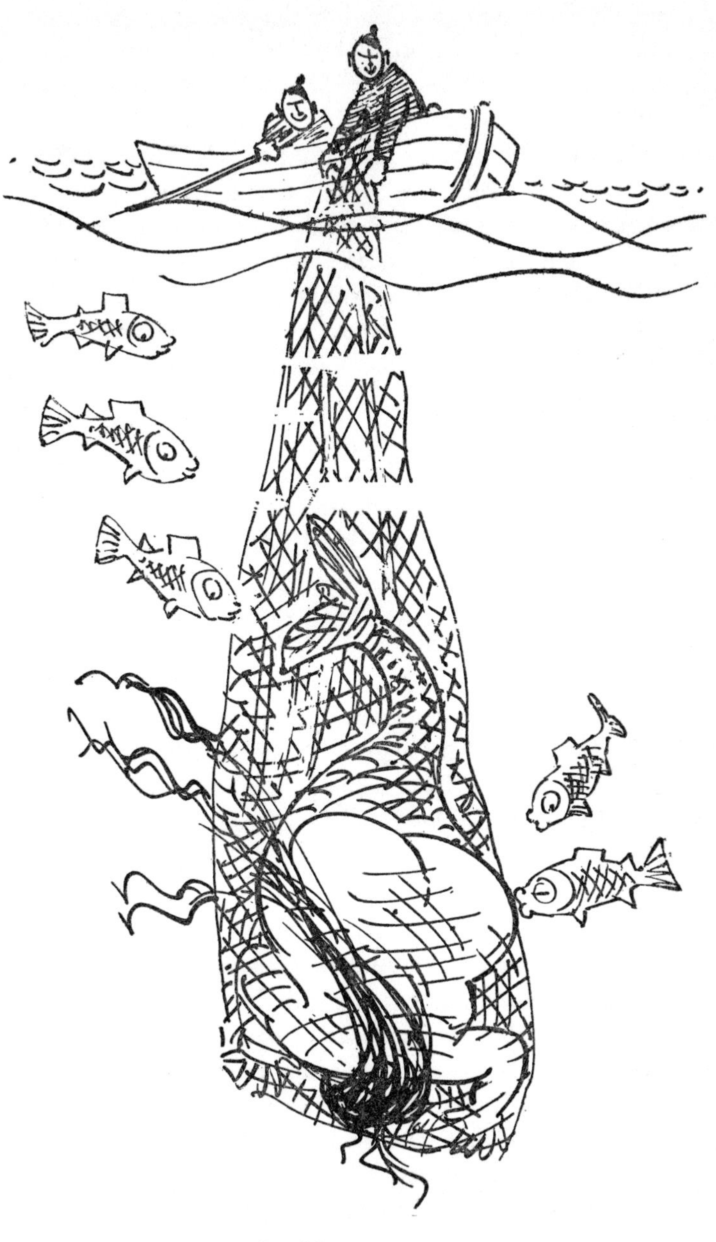

Ins Netz gegangen

steuerte Obst und Gemüse bei, der Holländer Hummer und Käse, und der Schotte — brachte seine Schwester mit.

NEID

Vor Neid platzen: vor Neid aus der Haut fahren, vor Neid außer sich sein. — Die Redensart, schon in der Antike bekannt, geht auf die Fabel des Phaedrus zurück, nach der ein neidischer, eitler Frosch, der so groß werden wollte wie ein Ochse, sich aufblies, bis er platzte. In der mittelalterlichen Vorstellung mußte der Neid sich schämen, wenn er in den Spiegel schaute, daher: *der blasse Neid!*

NESSEL

Sich in die Nesseln setzen: sich in eine unangenehme Lage bringen. — Bedarf keiner großen Erklärung für den, der sich einmal unbekleidet anstatt ins Gras in die Nesseln gesetzt hat.

NETZ

Jemand ins Netz gehen: einem ins Garn (siehe dies) gehen, auf den Leim kriechen, sich in eine Falle locken lassen. — Auch: *sich im eigenen Netz verstricken, jemand ins Netz locken, in des anderen Netz fallen* — alles Bilder vom Weidwerk, von Jagd und Fischfang.

NIEDRIG

Das muß niedriger gehängt werden: etwas anprangern, eine Sache der Verachtung preisgeben. — Als Urheber dieser Redensart gilt Friedrich der Große. Bei einem Ritt durch Berlin begegnete er einem Volksauflauf, der sich um eine Karikatur des Alten Fritzen scharte. Der König rief den Leuten zu, man möge die Zeichnung niedriger hängen, damit alle sie sehen könnten. Das begeisterte die Berliner dermaßen, daß sie das Plakat zerrissen und ein Hoch auf ihren König ausbrachten.

NIERE

Das geht mir an die Nieren: es trifft mich empfind=lich. — «An die Nieren gehen» war im Mittelalter eine schwere Strafe für Ehebrecher. Die Niere wurde als Sitz des Geschlechtstriebes angesehen, und deshalb wurde der Ehebruch mit dem Herausschneiden der Niere geahndet. Später galten die Nieren, ähnlich wie das Herz, als Sitz der Seele, des Gemütes. Daher: *jemand auf Herz und Nieren prüfen,* eine Wendung, die auf dem 7. Psalm, Vers 10, be=ruht: «... denn du, gerechter Gott, prüfst Herzen und Nieren.»

NIESEN

Etwas beniesen: ein hingeworfenes Wort, einen ausgesprochenen Wunsch oder eine vollzogene Tat durch Niesen in wohlmeinender Absicht bekräftigen. — Nach dem alten Volksglauben verließ beim Niesen ein böser Dämon den Körper des Menschen. Um dessen Rückkehr abzuwenden, wurde dem Niesenden ein «Gott helfe dir» zugerufen. Heute heißt es «Prost!» von «prosit» = es nütze. Dieser Aberglaube ist zu allen Zeiten bei allen Völ=kern verbreitet. Schon im Awesta, dem uralten Religions=buch der Zarathustra=Anhänger, erscheinen Gesundheits=wünsche beim Niesen als Mittel, die bösen Geister zu bannen. Penelope, die Gemahlin des Odysseus, beruft sich in der «Odyssee» auf das Niesen ihres Sohnes, um den vermeintlichen Fremdling (Odysseus) in den Saal zu bit=ten: «Sahst du nicht, wie der Sohn die Worte mir alle beniest hat?» Heute im Volksmund veralbert: «Er hat es benossen!»

O

OBER

Oberwasser haben: im Vorteil sein; den anderen voraus sein, obenauf sein. — Das durch das Wehr ge=

staute Wasser, das oberhalb der Mühle das Rad antreibt, das «Oberwasser», bewirkt schnelleres Arbeiten der Mühle als das «Unterwasser», das unterhalb des Mühlrads abfließt. Karl Friedrich Zelter schreibt 1831 an Goethe: «Das gab Reichardten Oberwasser.» Ähnlich: *die Oberhand haben* = im Vorsprung sein, jemand überlegen sein. Alter Ausdruck aus der Sprache der Krieger und Zweikämpfer. Der Sieger hielt solange die Hand (die Oberhand) über dem Besiegten, bis sich dieser geschlagen gab.

ÖL

Öl ins Feuer gießen: bereits flammende Leidenschaften noch verstärken; ein Übel noch ärger machen. — Schon in den Satiren von Horaz (65—8 v. Chr.): «Oleum addere camino.» In der Namenlosen-Sammlung von 1532: «Laß den Hund schlaffen, schüt nit öhl ins feur.» Das Gegenteil

Öl auf die Wogen gießen: eine Erregung beschwichtigen; Leidenschaften besänftigen, eindämmen, beruhigen. — Es war schon im Altertum bekannt, daß sich die Wogen glätten, sobald Öl auf die stürmische See gegossen wird.

Dastehen wie ein Ölgötze: stumm, steif und dumm dastehen. — Mit «Ölgötzen» sind die früher auf Straßen und Plätzen aufgestellten, mit Öl bestrichenen Götterpfähle der heidnischen Welt gemeint, später die hölzernen Hauskobolde, an denen die Öllampen aufgehängt wurden. Die primitive, plumpe Form dieser Ölgötzen mag zu der Redensart geführt haben. Bezeugt ist sie zum erstenmal 1520 bei Luther, der als «Ölgötzen» die mit heiligem Öl gesalbten römischen Priester angreift. Sein Widersacher, der Satiriker Thomas Murner, revanchiert sich kurz darauf mit dem gleichen Ausdruck in dem Streitgedicht «Vom großen Lutherischen Narren». Gelegentlich wurden mit Ölgötzen auch die im Garten von Gethsemane am Ölberg schlafenden Jünger Jesu bezeichnet, die, häufig im Bilde dargestellt, auch den Namen «Ölberggötzen» führten.

Generalinspekteur des amerikanischen Heeres ernannt, wurde er dessen eigentlicher Organisator. Da General v. Steuben die englische Sprache nur mangelhaft beherrschte, zeichnete er die von ihm gebilligten militärischen Aktenstücke mit *o.k.* anstatt mit a.c. = all correct ab. Für den « drillmaster » der amerikanischen Armee schrieb sich *all correct* eben « oll korrect ». Nach dem Ersten Weltkrieg drang der Ausdruck in die deutsche Sprache ein und wurde nach dem Zweiten Weltkrieg noch volkstümlicher.

OLIM

Zu Olims Zeiten: vor langer Zeit. — Aus dem lateinischen « olim » = « einst, in alter Zeit » wurde scherzhaft eine Persönlichkeit gemacht. Der Ulkname aus der Gelehrtenschule ist schon zu Beginn des 17. Jh. bezeugt. Der Dichter Johann Christian Günther sagt 1738 in « Curieuse Lebensbeschreibung »: « Du weißt, ich bin dein Freund aus alter Olims-Zeit! »

ONKEL

Über den großen Onkel laufen: über die große Zehe, einwärts laufen. — Berliner und sächsische Redensart aus dem französischen *« le grand ongle »* (« ongle » = Nagel, Klaue, Kralle, Huf).

P

PAAR

Zu Paaren treiben: in die Flucht schlagen, in die Enge treiben. — Die Wendung hat nichts mit unserem Paar zu tun. Sie ist ein Mißverständnis aus dem mittelhochdeutschen « barn », das Krippe heißt. Man meinte das ausgerissene Vieh, das zur Krippe zurückgetrieben wurde. « Baren » bedeutet aber auch das sackförmige Fischnetz, in das die Fische mit Stangen getrieben wurden. « Zum baren bringen» ist daher auch: ins Netz treiben. Erst als man dieses Wort nicht mehr verstand, wurde daraus «zu Paaren treiben».

PAFF

Paff sein: sprachlos, überrascht sein. — Auch «baff» sein. Lautmalendes Wort, das vom Schießen stammt. Man ist paff, nämlich überrascht, wenn unerwartet ein Schuß knallt.

PALAVER

Das Palaver: Unterhaltung, Besprechung; aber auch abschätzig: endloses Geschwätz. — Aus dem portugiesischen «palavra» von den Negern als Bezeichnung für ihre Ratsversammlungen übernommen. Während der deutschen Kolonialzeit ins Marinedeutsch eingedrungen. Palavern = reden, sich unterhalten. *Palaverkiste* scherzhaft für Rednerpult.

PANTOFFEL s. SCHUH

PAPPE

Das ist nicht von Pappe: das ist eine Sache, die Hand und Fuß hat; das ist kernig, solide, handfest. — Bezieht sich nicht auf unsere Pappe, sondern kommt von «Papp» oder «Papps», dem weichen Kinderbrei. Wenn «einer nicht von Pappe ist», so wurde er nicht mit Kinderbrei großgezogen, sondern mit solider, kräftiger Nahrung. — Auch auf Sachen angewendet.

Das ist kein Pappenstiel: keine Kleinigkeit, nichts Geringes. — Auch diese Wendung hat nichts mit der Pappe zu tun, sondern mit dem Löwenzahn, der niederdeutsch «Papenblume» und lateinisch «pappus» heißt. Die Pflanze mit dem leicht zerbrechlichen Stiel wird wegen ihrer großen Verbreitung nur gering geachtet. Etwas für einen Pappenstiel kaufen = sehr billig kaufen.

Ich kenne meine Pappenheimer: ich kenne diese fragwürdigen Menschen besser als du; ich weiß, mit welch üblen Burschen ich es zu tun habe. — Schiller meint in «Wallensteins Tod» (III, 15) die Worte an die Kürassierabordnung des Pappenheimschen Regiments: «Daran erkenn' ich meine Pappenheimer!» noch voller Anerkennung. Unsere Redensart wird in geänderter Form nur noch ironisch und abschätzig gebraucht.

PAPST

Päpstlicher als der Papst sein: sich übertrieben anstellen, unerbittlich sein; eine Verordnung oder ein Gesetz strenger auslegen, als der Gesetzgeber es gemeint hat. — Steht in Verbindung mit der Unfehlbarkeitserklärung des Papstes 1870 und der ultramontanen Bewegung, die eine Bindung des deutschen politischen Katholizismus an alle Weisungen der «jenseits der Berge» (lateinisch ultra montes) sitzenden päpstlichen Kurie forderte. Der Ausdruck wird jetzt ganz allgemein angewendet. Konstantin Prinz von Bayern liefert in seinem Lebensbild «Der Papst» (S. 179) ein treffliches Beispiel von der hohen Überlegenheit und dem feinen Humor Papst Pius' XII. (1876—1958). Darin wird von einem Priester berichtet, der päpstlicher als der Papst sein wollte: Bei einer allgemeinen Audienz erschien im Vatikan eine junge, hübsche Französin, die in ihrer modischen Aufmachung und mit ihrem kurzgeschnittenen Haar nicht ganz den Vorschriften des Protokolls entsprach. Daher wurde sie vom diensttuenden Hausprälaten gebeten, den Saal zu verlassen. Erst ihre heißen Tränen bewogen den Priester, sie in die letzte Reihe zu stellen, damit sie der Papst nicht sähe. Als Pius XII. erschien, stand die junge Dame aber bereits wieder in der ersten Reihe, und der Hausprälat entschuldigte sich beim Heiligen Vater wegen des extravaganten Haarschnitts der jungen Besucherin. «Seit wann wird die Tugend einer Frau nach der Länge der Haare gemessen?» fragte der Papst mit vernehmlicher Stimme den erstaunten Priester.

PARADE

Jemand in die Parade fahren: jemand zurückweisen, ihm schlagfertig antworten, einen Strich durch die Rechnung machen, dazwischenfahren. — Aus der Fechtersprache: die Parade, die Deckung des Gegners, durch einen erfolgreichen Stoß durchbrechen. Seit dem 17. Jh. parieren = einen Hieb abwehren.

PAROLI

Jemand ein Paroli bieten: es jemand heimzahlen, ihm scharf entgegentreten, ihm Einhalt gebieten. — Paroli ist ein italienischer Ausdruck für das französische Pharaospiel, ein Kartenglücksspiel, bei dem der Einsatz verdoppelt und in die Karte ein Ohr geknifft wurde; daher auch «Paroli biegen». Symbolische Bedeutung seit dem 19. Jh.

PATSCHE

In der Patsche sitzen: sich in Verlegenheit befinden, in der Klemme sitzen; in Bedrängnis, in Not sein. — Schallwort des 17. Jh. Von der Straßenpfütze hergeleitet. Wer in der Pfütze, in der Patsche, im Dreck sitzt, ist in arger Verlegenheit.

PAUKE

Auf die Pauke hauen: groß angeben; im Überschwang etwas anstellen; rauschendes Zechgelage veranstalten; turbulentes Fest feiern. — Pauke kommt vom mittelhochdeutschen «puken» = drauflosschlagen, trommeln. Im übertragenen Sinne auch angestrengt lernen, büffeln, ochsen. In der Schülersprache *Pauker* = Lehrer, der auf den Hosenboden paukt. *Wer mit Pauken und Trompeten durchfällt,* hat die Prüfung eindeutig nicht bestanden, hat völlig versagt. Ironische Siegerehrung für den «Ersten von hinten». Hier wird die Lautstärke der Instrumente dem Grade der Unwissenheit gleichgesetzt (Kügelgen 1853). In der Wendung «auf die Pauke hauen» sind sowohl die Pauke als auch die vergnügliche Veranstaltung unüberhörbar.

PECH siehe auch GARN

Pech haben oder ein Pechvogel sein: Mißgeschick, Unglück haben. — Stammt von der Vogelstellerei. Der an der Pechrute hängende Vogel geht an den verklebten Federn zugrunde. Wird die Rute statt mit Pech mit Leim bestrichen, *so geht der Vogel auf den Leim. Er läßt sich leimen* heißt: er läßt sich betrügen, hinters Licht führen. *Auf etwas erpicht sein:* nicht davon lassen können, versessen darauf sein, auf etwas begierig sein. Auch hier bleibt man dank seiner Gier an etwas hängen, wie der Vogel an der Pechrute.

PENNE

Penne: Schule. — Aus dem lateinischen pennale = Federkasten, -etui, entstanden. Hat nichts mit «pennen» = nächtigen, schlafen zu tun. *Pennäler* war der mit einem «Pennal» ausgerüstete Schüler, der die Lateinschule besuchte und später als angehender Student dem älteren Semester mit seinem Schreibzeug aushelfen mußte. Heute höherer Schüler. *Pennbruder,* aus der Gaunersprache (jiddisch pannai = schlafen), der in der Spelunke übernachtende Landstreicher.

PETTO

Etwas in petto haben: etwas vorhaben; etwas im Rückhalt haben, wie den Pfeil im Köcher. — Wörtlich aus dem italienischen «in petto» = in der Brust, symbolisch auch «im Herzen» (lat. pectus = Brust). Der Papst hat einen Geistlichen «in petto», den er zum Kardinal ernennen will.

PETZEN

Etwas petzen, jemand verpetzen: verraten, anzeigen, jemand denunzieren. — Eigentlich «pezetten» vom hebräischen «pazah» = den Mund auftun. Im 18. Jh. über das Rotwelsch in die Studenten- und Schülersprache übernommen.

PFANNE

Etwas auf der Pfanne haben: etwas vorhaben; etwas in Bereitschaft, in petto haben. — Geht auf die «Pfanne» der alten Gewehre zurück, jene kleine Mulde, in die das Zündpulver geschüttet wurde. — *Einen in die Pfanne hauen:* ihn unschädlich machen, vernichten, besiegen, zusammenhauen. — Auch «im Wortgefecht besiegen». Aus der Küchensprache: das Ei wird in die Pfanne gehauen und gebraten. Schon 1687 in einem Lied auf die Schlacht bei Patras auf die Türken gemünzt: «Also er zweimal stürmet an, uns in die Pfann zu hauen.» In der Schlacht des Großen Kurfürsten gegen die Schweden bei Fehrbellin (1675) ruft Marschall Derfflinger beim Angriff: «Mit den Eiern in die Pfanne, so werden keine bösen Kücken draus!»

PFEFFER

Dahin gehen, wo der Pfeffer wächst: weit weg, ganz aus dem Blickfeld. — Die Redensart stammt aus dem Mittelalter, in dem man das Ursprungsland des Pfeffers kaum kannte und nur wußte, daß er von weit herkam. Später wurde die Wendung auf Cayenne, die Hauptstadt von Französisch-Guayana in Südamerika, bezogen, die seit dem 19. Jh. eine französische Strafkolonie ist, berüchtigt wegen ihres mörderischen Klimas. Dort wächst der bekannte Cayenne-Pfeffer.

PFEIFE

Nach jemandes Pfeife tanzen: jemand blind gehorchen, sich unbedingt nach ihm richten (siehe auch Geige).

— Nach der Sage tanzen die Hexen auf dem Hexentanz=platz im Harz nach des Teufels Pfeife. Auch der Tanzbär dreht sich nach der Pfeifenmusik seines Herrn. Nach den Pfeifentönen des Rattenfängers von Hameln wurden die Kinder der Stadt ins Verderben gelockt. Gleichen Ur=sprungs sind die Ausdrücke: *jemand einen Tanz machen, ihm heimgeigen* (siehe Heim), *einem aufspielen* = jemand gehörig Bescheid sagen. *Auf dem letzten Loch pfeifen* (siehe Loch), *bei dir piept's wohl* (siehe Vogel). *Auf etwas pfeifen* = auf etwas verzichten, es ablehnen. Wer statt einer Antwort pfeift, drückt seine Mißachtung aus. Ähn=lich das niederdeutsche: *Das ist mir piepe!* soviel wie: das ist mir «schnuppe», «schnurz», gleichgültig. Gemeint ist die Pfeife, mit der gepfiffen, nicht die, aus der geraucht wird.

PFERD

Das Pferd am Schwanze aufzäumen: eine Sache verkehrt anfangen. — Wer ein Pferd vom Schwanze her aufzäumen will, merkt bald, daß er nicht zurechtkommt. Luther in einem Schreiben an «Frankfurt am Meyen»: «Das heißt der rechte Meister Klügle: der das Roß am Hintern zäumen kann und reitet rücklings seine Bahn.» — *Mit jemand Pferde stehlen können* = jemand zu allem brauchbar finden; scherzhaft: zu jeder Schandtat bereit. Dazu die Verniedlichung: *mit jemand kleine Ponys mau=sen können.* — *Sich aufs hohe Pferd setzen* = hochmütig, anmaßend, überheblich sein. In engem Zusammenhang damit: *hochtrabend* («mit hochtrabenden Reden»). Der Reiter im Sattel hat unwillkürlich ein Gefühl der Über=legenheit und des Stolzes gegenüber dem Fußgänger, auf den er herabschaut. In «Wallensteins Lager» (11. Auf=tritt) sagt der erste Kürassier: «Frei will ich sein und also sterben, niemand berauben und niemand beerben und auf das Gehudel unter mir leicht wegschauen von meinem Tier.» *Immer sachte mit den jungen Pferden!* ist eine War=

nung, nichts übereilt zu tun. *Da guckt der Pferdefuß her=vor* oder *Das trabt auf einem Pferdefuß.* Rein äußerlich betrachtet sieht die Sache ganz annehmbar aus — bei nähe=rem Hinsehen stellt man jedoch fest, daß sie « einen Haken hat ». Der Teufel versucht den Menschen in allerlei Ge=stalt, kann aber bei keiner Verkleidung sein Wesensmerk=mal verbergen: den Pferdefuß. Daher hinkt der Teufel. Aber auch: *der Vergleich hinkt,* weil die aufgestellte Be=hauptung nicht beweiskräftig erscheint. Sie trabt eben=falls auf einem Pferdefuß. (Zu *Pferd* s. auch *heraus* und *Zahn.)*

PFINGSTEN

Geschmückt wie ein Pfingstochse: geschmacklos gekleidet, aufgedonnert (siehe dies). — Der Brauch, die geschmückten Herden zu Pfingsten auf die frischen Wei=den zu treiben, stammt aus der kultischen Verehrung unserer Vorfahren gegenüber der erwachenden Natur. In Mecklenburg wurde früher wenige Tage vor dem Fest der zum Pfingstbraten bestimmte fetteste Ochse, der soge=nannte « Pfingstochse », mit Kränzen, bunten Bändern und bemalten Hörnern feierlich durch die Stadt geführt.

PFLASTER

Das ist ein teures Pflaster: ein teurer Ort. — Ur=sprünglich war ein ganz anderes Pflaster gemeint, nämlich das teure Pflaster, das der Arzt seinem Patienten ver=schrieb. Heute wird der Ausdruck nur noch auf das Straßenpflaster und damit auf Orte mit hohen Preisen und teuren Lebensverhältnissen bezogen.

PFLAUMEN

Pflaumen: spotten, necken, anzügliche Bemerkun=gen machen, verulken. — Auch: *anpflaumen.* Hat nichts mit der Frucht zu tun, sondern mit dem Flaum, dem zarten Federwuchs, der sich früher ebenfalls mit « Pf » schrieb.

Das «Flaumen»= oder Federnausrupfen ist für lebendes Geflügel zweifellos eine ärgerliche Sache.

PFIFF s. SCHLICH

PFLOCK

Einen Pflock zurückstecken: etwas milde beurteilen; nachsichtig sein; etwas einmal nicht ganz genau nehmen. — Das Bild stammt vom Bauernhof. Wird der Stellpflock des Pfluges mit der Kette zurückgesteckt, so geht der Pflug leichter, zieht aber nicht so tiefe Furchen.

PFROPFEN

Auf dem Pfropfen sitzen: in großer Verlegenheit sein; im Druck sitzen; in Geldnot sein. — Volkstümlich auch: «auf dem Proppen sitzen». Hat nichts mit dem Flaschenkorken zu tun. Gemeint ist der Stöpsel auf dem Pulverfaß. Wer darauf sitzt, kann jeden Augenblick «hochgehen». Daher: *auf dem Pulverfaß sitzen.*

PIEPEN s. PFEIFE

PIESACKEN

Jemand piesacken: ihn quälen, plagen. — Muß eigentlich heißen: «jemand mit dem Ossen=Pesek bearbeiten». «Ossenpesek» ist das niederdeutsche Wort für Ochsenziemer (=peitsche).

PIKE

Von der Pike auf dienen: in seinem Beruf von der untersten Stufe auf emporgestiegen sein, wie der General, der früher als einfacher Soldat mit der Pike (Spieß) in der Hand begann. — *Er hat einen Pik auf mich,* heißt es 1691 in Stielers «Der Teutschen Sprache Stammbaum»; das bedeutet: er grollt mir, er mag mich nicht leiden. Das französische pique = Spieß hat sich hier zu Groll verwandelt.

Auch *pikant* = reizvoll, prickelnd hat diesen Ursprung. Ebenso *pikiert* = empfindlich, gereizt von *piquer* = stechen.

PINGELIG

Seien Sie nicht so pingelig! sagte Bundeskanzler Dr. Adenauer in einer politischen Fernsehrede Anfang des Jahres 1960 und meinte damit: Seien Sie nicht so empfind=lich! — Abgeleitet vom kölnischen «*Ping*» = Pein, Schmerz (mittelhochdeutsch «pine», plattdeutsch «Pin», verwandt mit dem lateinischen «poena» = Strafe, Pein; französisch «pénible», daraus unser «penibel»), bedeutet empfindsam, empfindlich, ängstlich. «Bes nit esu pin=gelig!» sagt man in Köln, wenn es heißt, zum Zahnarzt zu gehen.

PLEITE siehe auch FLÖTEN

Pleitegeier: Symbol des betrügerischen Bankrotts (siehe dies). — Hat nichts mit dem aasfressenden Raub=vogel zu tun. Im Jiddischen ist «Geier» der «Geher», — einer der pleite geht. Das Bild mit dem Raubvogel paßt aber ausgezeichnet.

POCHEN

Auf etwas pochen: mit etwas prahlen, auf etwas bestehen. — Früher schlug oder pochte der Reiche auf seinen Geldbeutel, um damit zu prahlen.

POLEN

Noch ist Polen nicht verloren! Noch ist Hoffnung berechtigt. — Diese vielgebrauchte Redensart ist der An=fangstext des Dombrowski=Marsches, der zum ersten Male von der polnischen Legion gesungen wurde, die General Dombrowski 1796 unter Napoleon in Italien aufstellte. — *Die polnische Wirtschaft* für heilloses Durcheinander, schlimmste Unordnung ist seit 1835 bezeugt. Zuerst in den deutschen Nachbarprovinzen aufgekommen.

POMADE

Pomadig sein: phlegmatisch sein; sich lässig, arrogant Zeit lassen. — Aus dem polnischen «pomalus» = gemächlich. Allmählich von Studenten des 17. Jh. «mit Pomade vermischt» in pomadig umgewandelt.

PONTIUS

Jemand von Pontius zu Pilatus schicken: ihn planlos hin- und herschicken; jemand von einer Stelle zur anderen verweisen. — Die Redensart, die auf den ersten Anblick unsinnig zu sein scheint, da Pontius und Pilatus ein- und dieselbe Person sind, beruht auf der Vorliebe für den Stabreim. Aus der Leidensgeschichte Christi, der von Kaiphas zu Pontius Pilatus, von diesem zu Herodes und dann wieder zu Pilatus zurückgeschickt wurde. Die Wendung ist eine Ironisierung des «Instanzenweges», der seit Jahrhunderten in den Passionsspielen drastisch vor Augen geführt wird.

POPLIG

Er ist poplig: er hat eine niedrige Gesinnung; er ist ordinär, schäbig, geizig, ohne jede Noblesse, knauserig. — Vom lateinischen populus = Volk. Daher auch «Pöbel». Das Wort bezieht sich also auf das «gemeine Volk», was nicht ausschließt, daß sich «poplige» Leute auch in anderen Schichten befinden. Scherzhaft halbfranzösisch: *Grand-Popel* = eine besonders ordinäre Person oder Sache.

POSAUNE

Sie sieht aus wie ein Posaunenengel: sie hat ein pausbäckiges, rosig-gesundes Gesicht. — Besonders die Barockzeit liebte kleine posauneblasende Engel als Schmuck an Kirchen- und Jahrmarktsorgeln. Gustav Freytag schreibt in «Graf Waldemar»: «Die Welt sieht mir rosa und goldgelb aus, und alle Menschen wie liebenswürdige Posaunenengel auf einer Dorfkanzel, die Backen vorn und hinten gleich rund und gleich wohlwollend.» Andere Wendungen mit Posaune, deren Name aus dem lateinischen «bucina» (ursprünglich «bovi=cina» = «Rinder»=horn bzw. Hir=tenhorn) kommt: *etwas ausposaunen* = prahlerisch kund=geben, *die Posaunen von Jericho, die Posaune des Jüng=sten Gerichts.*

POTEMKIN

Potemkinsche Dörfer zeigen: falsche Tatsachen vor=spiegeln; Kulissen statt der Wirklichkeit vorweisen; Blend=werk, leerer Schein. — Die Wendung geht auf den rus=sischen Fürsten Potemkin zurück, einen Günstling der Kaiserin Katharina II. (1729—1796). Als ihr politischer und militärischer Ratgeber unterwarf er die Krim und zeigte seiner Monarchin dort gelegentlich einer Reise rasch aufgebaute und zum Schein bevölkerte Dörfer, um den Wohlstand des Landes vorzutäuschen.

PRANGER

Einen an den Pranger stellen: jemand bloßstellen, der öffentlichen Mißbilligung oder Verachtung preisgeben. — Pranger (von «prangen» = klemmen, drücken) war im Mittelalter der Holzpfahl oder steinerne Pfeiler, an den verurteilte Verbrecher zur öffentlichen Schaustellung mit Halseisen angeklemmt wurden. So Schiller im «Tell» (III, 3): «Höre, Gesell, es fängt mir an zu däuchten, wir stehen hier am Pranger vor dem Hut.» Häufiger: *ange=*

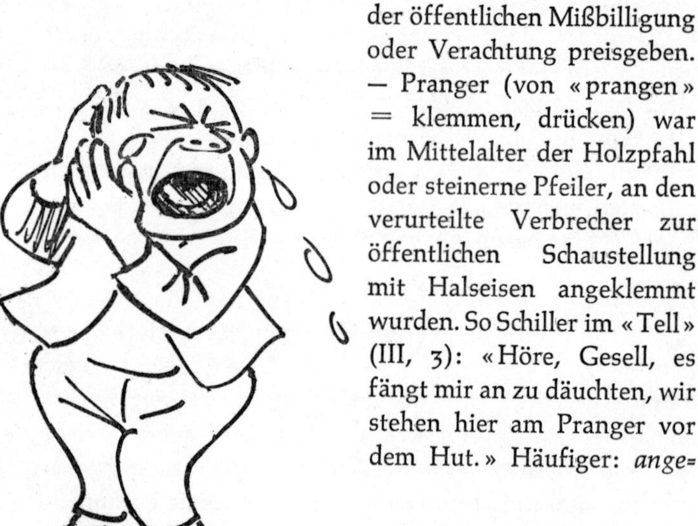

Als Prügelknabe herhalten

prangert werden = der öffentlichen Verachtung ausgesetzt sein.

PREUSSEN

So schnell schießen die Preußen nicht: so schnell geht das nicht; hier wird nicht so rasch gehandelt! — Als 1875 die französischen Zeitungen zur Revanche gegen Deutschland aufriefen und die französische Regierung stark aufrüstete, brachten die «Kölnische Zeitung» (5. April) und die Berliner «Post» (8. April) alarmierende Artikel wie «Kriegsgefahr am europäischen Horizont» und «Ist der Krieg in Sicht?». Bismarck beantwortete darauf die von einem englischen Journalisten gestellte Frage, ob «vielleicht deutsche Eroberungspläne die Ursache zu der französischen Nervosität» seien, mit dem Satz: «So schnell schießen die Preußen nicht!»

PRÄSENTIERTELLER

Auf dem Präsentierteller sitzen: allen Blicken ausgesetzt sein. — Diener, Zofen, Dienstmädchen brachten früher auf dem Präsentierteller Visitenkarten, Briefe, Zeitungen und anderes herein, wie es heute noch in manchen Hotels geschieht. Wer «auf dem Präsentierteller sitzt» (Goethe 1824), auf den sind alle Blicke gerichtet.

PRÜGEL

Als Prügelknabe herhalten: von jemand, der für einen anderen leidet, gestraft oder getadelt wird; Sündenbock für einen anderen spielen, die Schuld eines anderen auf sich nehmen. — An jungen Edelleuten durfte früher die an sich verdiente Prügelstrafe nicht vollzogen werden. An ihrer Stelle mußten arme Kinder, die für diesen Zweck gehalten wurden, die Schläge auf sich nehmen. Die wirklich Schuldigen mußten dieser Prozedur zusehen, die von Rechts wegen ihnen galt. Ähnlich heute der «Sitzredakteur» einer Zeitung.

PÜTSCHERIG

Pütscherig sein: vom Putzteufel, vom Reinlichkeitsfimmel besessen sein; im übertragenen Sinne: engherzig, kleinlich, pedantisch, bürokratisch sein. — Aus dem englischen pitch = Pech, pitchy = pechig ins Norddeutsche eingedrungen. Wer an etwas wie Pech klebt, kommt nicht davon los. Die Redensart spielt auf die emsige Hausfrau an, die den ganzen Tag auf den Knien liegt, um den Boden zu reinigen. In dieser Bedeutung entspricht es auch dem englischen Zeitwort to pitch = sich niederstürzen, niederfallen.

PULVER

Er hat das Pulver nicht erfunden: er ist dumm, beschränkt. — Die Erfindung des Schießpulvers gilt als eine der bedeutendsten Leistungen. *Er ist keinen Schuß Pulver wert* = er ist nichts wert. Der Tod durch Erschießen gilt im Gegensatz zum Erhängen oder Hinrichten durch Beil, Guillotine oder Gas als ehrenvoll. Wer keinen Schuß Pulver wert ist, ist ein verächtliches Subjekt.

PUNKT

Das ist der springende Punkt: das ist die Hauptsache; darauf kommt es an; da liegt der Hund begraben; da liegt der Hase im Pfeffer. — Aristoteles (389—322 v. Chr.) stellte sich den Ursprung des Lebens als Blutfleck im Weißen des Eies vor, der sich als Herz des werdenden Vogels hin- und herbewegt. Von den Humanisten überkommen. Noch Schiller (1795) folgt dieser Irrlehre im «Genius»: «Da noch das große Gesetz ... verborgen im Ei reget den hüpfenden Punkt.»

Einen wunden Punkt berühren = von einer unangenehmen Sache sprechen. Ursprünglich ist hier das Geschwür gemeint, das beim Berühren schmerzt.

Auf dem toten Punkt anlangen = mit einer Sache nicht weiterkommen. Seit dem 19. Jh. der Technik entnommen: eine Dampfmaschine befindet sich auf dem toten Punkt, wenn Pleuelstange und Kurbel eine gerade Linie bilden. Der Punkt als Schlußzeichen eines Satzes muß herhalten beim Ausdruck: *Nun mach aber einen Punkt!* = Jetzt mache Schluß!

PUPPE

Bis in die Puppen: sehr weit, auch sehr lange. — Friedrich der Große hatte am Großen Stern im Berliner Tiergarten Statuen aus der antiken Götterwelt aufstellen lassen, die von den Berlinern « die Puppen » genannt wurden. Da der Große Stern damals weit von der Stadt entfernt war, so galt der Spaziergang zu den Standbildern, « bis in die Puppen », als beachtliche Leistung. Die Wendung wurde dann nicht nur in der räumlichen, sondern auch in der zeitlichen Dimension gebraucht: *bis in die Puppen tanzen, schlafen* oder *arbeiten.*

PYRRHUS

Das ist ein Pyrrhussieg: ein Sieg, der mit so schweren Verlusten errungen worden ist, daß er einer Niederlage gleichkommt. — Geht auf einen Ausruf des Pyrrhus, des Königs von Epirus (279 v.Chr.), nach der Schlacht bei Ausculum gegen die Römer zurück: « Noch ein solcher Sieg, und wir sind verloren! »

Q

QUACKSALBER

Ein übler Quacksalber: ein Kurpfuscher. — Zusammensetzung aus quaken = laut schreien und Salber = Arzt. Ursprünglich war der mittelalterliche Heilkundige gemeint, der auf den Märkten mit lauter Stimme seine Salben anpries.

QUINTESSENZ

Quintessenz: das Entscheidende, der wesentliche Punkt einer Sache, Hauptinhalt, Kern. — Lateinisch « das fünfte Wesen », bei Aristoteles der Äther als fünftes Element neben Feuer, Wasser, Luft und Erde. Bei den Alchimisten der Alkohol wegen seiner stärkenden Wirkung.

QUIVIVE

Auf dem Quivive sein: auf der Hut, auf dem Posten, immer bereit sein. — Nach 1870 ins Deutsche eingedrungen vom französischen Postenruf: « Qui vive? » = « Wer da? » (wörtlich: « Wer lebt? »).

R

RABATZ s. TRARA

RABE

Ein Rabenvater sein: seine Kinder schlecht, ja grausam behandeln. — Schon 1350 berichtet Konrad v. Megenberg im « Buch der Natur », die Raben würfen ihre Jungen aus dem Nest, wenn sie ihrer überdrüssig wären. Daher *Rabenvater, Rabenmutter, Rabeneltern.*

Stehlen wie die Raben. « Er stielet wie ein Rabe » ist bei Stieler in « Der Teutschen Sprache Stammbaum » (1495) zu lesen. Hergeleitet von der Vorliebe der Raben und Elstern (« Die diebische Elster ») für blitzende Gegenstände.

Ein weißer Rabe = eine große Seltenheit. Nebenbedeutung: ein Guter, wo es gewöhnlich nur Schlechte gibt.

RAD

Sich wie gerädert fühlen: sich elend, wie zerschlagen fühlen. — Die Wendung wurzelt in der mittelalter=

lichen Todesstrafe des Räderns, einer besonders grausamen Art der Hinrichtung. Vor dem Rädern wurden dem Verbrecher die Knochen gebrochen, damit er aufs Rad geflochten werden konnte – eine Prozedur, von der sich der Ausdruck *radebrechen* herleitet, wie in der Bedeutung « eine Sprache stümperhaft sprechen ».

Das fünfte Rad am Wagen findet sich bereits in einer lateinischen Sprichwörtersammlung des 11. Jh.: « Wer uns lästig ist, der ist uns das fünfte Rad am Wagen! »

Unter die Räder kommen = zugrunde gehen, bedarf keiner Erklärung.

RAND

Das versteht sich am Rande: das versteht sich von selbst, man braucht in die Sache nicht tiefer einzudringen. – Westfälisch: « Dat de Pankauken (Pfannkuchen) rund is, süt me am Rande. » Dies Bild erklärt die Redensart auf einfachste Weise.

Außer Rand und Band sein = übermütig, mutwillig sein; die Grenzen des Erlaubten überschreiten. Dem Böttcherhandwerk entnommen: Wenn ein Faß außer Rand und Band ist, wenn also Randeinfassung und Bänder gelockert sind, fallen Seitenbretter (Dauben) und Boden auseinander.

Mit einer Sache zu Rande kommen = mit ihr zu Ende kommen. Siehe Lessing im « Nathan » (III, 7): « Du bist zu Rande mit deiner Überlegung. »

RANG

Einem den Rang ablaufen: jemand zuvorkommen, ihn übertreffen, überflügeln. – Hat nichts mit Rangstufe zu tun. Die Wendung meint, daß jemand dadurch seinen Vorteil wahrnimmt, daß er die Wegkrümmung, den « Rank » (Mehrzahl Ränke) « abschneidet », indem er gera=

deaus läuft. Der Hinweis auf diese List steckt ebenso in dem Ausdruck: *Ränke schmieden* = Listen aushecken.

RATTEN

Die Ratten verlassen das sinkende Schiff: Schmarotzer ziehen sich zurück, sobald es dem Gönner schlecht geht; Schmeichler verschwinden, wenn ein Unglück naht. — Der Seemann weiß, daß die Ratte nicht erst das sinkende Schiff verläßt, sondern daß sie oft schon Tage vorher ins Meer springt, wenn sie die Anzeichen der Katastrophe (Untergang, Explosion, Vergiftung) spürt. Die Ratten ertrinken lieber auf offener See, als daß sie mit dem Schiff untergehen. Daher ist ihre Flucht für die Besatzung eine große Warnung.

RECHNUNG

Die Rechnung ohne den Wirt machen: sich täuschen; bei einer Planung Wesentliches außer acht lassen. — Wer die Gasthausrechnung nach eigener Schätzung veranschlagt, ohne die Hauptperson — den Wirt — zu berücksichtigen, verrechnet sich meistens.

Jemand einen Strich durch die Rechnung machen siehe Strich!

RECHT s. FUSS

REDE

Jemand Rede stehen: ihm Auskunft erteilen, Rechenschaft geben; auch *Rede und Antwort stehen.* Ferner: *jemand zur Rede stellen* = von jemand Rechenschaft fordern. In diesen Wendungen bedeutet «Rede» nicht das gewöhnliche Gespräch, sondern die vor Gericht gehaltene Rede nach dem altdeutschen Gerichtsverfahren. Redner war der Fürsprecher (heute Anwalt) der Partei.

Einrede = Widerspruch.

REFF

Ein altes Reff: alte, häßliche Frau. – Aus der Seemannssprache. Von reffen (raffen) = Segel verkürzen. Bei aufkommendem Wind werden die Segel gerefft, nämlich zusammengeschnürt oder aufgerollt. Das Reff, die Segelkürzvorrichtung, wird mit dem alten Weib verglichen, denn ein Schiff mit gerefften Segeln bietet im Vergleich zu dem unter vollen Segeln fahrenden Schiff für den Seemann keinen schönen Anblick. Ähnlich: *abgetakelte Fregatte* für eine alte, häßliche, verlebte Frau.

REGEL

Nach allen Regeln der Kunst: so wie es sich gehört. – Der oft ironisch gebrauchte Ausdruck spielt auf das Gesetzbuch der Meistersinger, die «Tabulatur», an, in der die Regeln für die Kunst des Gesanges festgelegt waren.

REGEN

Aus dem Regen in die Traufe kommen: aus einem schlimmen Zustand in einen noch schlimmeren geraten. – Nach dem Bild von dem Manne, der vor dem Regen unter das Dach flüchtet und dort von dem Strahl aus der Dachrinne = Traufe (von träufeln) begossen wird. Siehe Wilhelm Busch: «Aus dem Regen in die Traufe» 1861. Beiträge zu den «Fliegenden Blättern».

REGISTER

Alle Register ziehen: etwas mit aller Kraft betreiben; alle verfügbaren Mittel anwenden, um zu überzeugen oder sonst zu seinem Ziel zu gelangen. – Von der Orgel, bei der die Register selbständige Reihen aus Pfeifen gleicher Bauart, Mensur und Klangfarbe darstellen, die durch Registerzüge betätigt werden.

Das rote Tuch . . .

REST

Der Rest ist für die Gottlosen sagt man scherzhaft, wenn der Gast die letzten Tropfen aus der Kanne oder Flasche bekommt. Nach dem Bibelspruch im Psalm 75, 9: «Denn der Herr hat einen Becher in der Hand und mit starkem Wein voll eingeschenkt und schenkt aus demselben; aber die Gottlosen müssen alle trinken und die Hefen aussaufen.» Anderer Ausdruck vom Zechgelage: *einem den Rest geben* = jemand völlig zugrunde richten, auch töten. Ursprünglich nur: ihn gänzlich betrunken machen.

RICHTIG s. LIEGEN

ROSA s. BLUME

ROSINE

Große Rosinen im Kopfe haben: ironisch für: hoch hinaus wollen; überspannte Pläne haben; große Hoffnungen hegen. — Ursprünglich hatte der reiche Kaufmann große Rosinen im Sack.

ROT

Im Kalender rot anstreichen soll man den Glückstag. — Die römischen Rechtslehrer pflegten wichtige Überschriften mit roter Tinte zu schreiben. Daher rührt die Sitte, die Sonn- und Festtage in unseren Kalendern rot zu drucken. Andere Wendung: *Das ist für ihn das rote Tuch* = das regt ihn bis zum äußersten auf, wie das rote Tuch (capa) den Stier, das der Torero im Stierkampf schwenkt. Diese Auffassung beruht auf einem Irrtum. Den Stier reizt nicht die rote Farbe als solche, sondern die Bewegung des Tuches. Ähnlich: *rot sehen,* siehe auch «aufs Dach steigen».

RUDER

Ans Ruder kommen: die Leitung, Führung, Herrschaft, Regierung übernehmen. — Aus der Seemannssprache seit dem 18. Jh. Gemeint ist das Steuerruder, durch dessen Bedienung der Kurs des Schiffes bestimmt wird.

RUMMEL

Den Rummel kennen: sich auskennen, hinter die Kulissen schauen; wissen, wie es gemacht wird, etwa wie man Menschen behandelt (im verächtlichen Sinne). — So bei Lessing «Minna von Barnhelm» III, 2: «Mein Herr versteht den Rummel.» Hat nichts mit dem geräuschvollen Jahrmarktsrummel, sondern mit dem Kartenspiel

«Rummel» oder «Rommel» und mit den gleichfarbigen Karten zu tun, auf die es im Pikettspiel vornehmlich ankommt.

S

SACK

Einen in den Sack stecken: jemand seine geistige oder körperliche Überlegenheit zeigen. — Hergeleitet vom mittelalterlichen Ringkampf, bei dem der Sieger den Besiegten zur Volksbelustigung in den Sack steckte. Da der frühere Hosensack heute Tasche genannt wird, so auch: *jemand in die Tasche stecken.* Mittelalterlicher Vers: «Swer den andern übermac, der stôzet in in sinen sac.»

In den Sack hauen = «abhauen», türmen, verschwinden, flüchten, auch eine Stellung kündigen. Aus der Sprache des Handwerksburschen, der rasch seine Habe in den Sack haut, sein Bündel schnürt, wenn er weiterziehen will.

SALBADER

Dieser lästige Salbader! sagt man von einem langweiligen Schwätzer, einem albernen Dauerredner. — Seit dem 17. Jh. von Jenaer Studenten verbreitet — nach einem Bader namens Kranich, dem Besitzer eines Bades an der Saale, der sich durch besondere Redseligkeit hervortat.

Einen langen Salm machen = «eine lange Rede halten» kommt von der Langatmigkeit gewisser Psalmen im Gottesdienst.

SAND

Einem Sand in die Augen streuen: einen täuschen, irreführen, blenden. — Geht zurück auf die römischen Gladiatoren, die auf diese Weise versuchten, den Gegner kampfunfähig zu machen. Auch als Fechtertrick bekannt, den Gegner in eine Stellung zu zwingen, daß der Wind ihm den Staub in die Augen trieb und ihn am Sehen behinderte.

Den Kopf in den Sand stecken, die Dinge nicht sehen wollen; sich der Wirklichkeit verschließen; Vogel=Strauß=Politik treiben. Dem Strauß, dem größten der lebenden Vögel, wurde angedichtet, er stecke seinen Kopf in den Sand, weil er glaube, dann nicht gesehen zu werden.

SATTEL

Jemand aus dem Sattel heben: ihn besiegen, aus dem Felde schlagen, von seinem Posten verdrängen. — Hergeleitet vom ritterlichen Zweikampf zu Pferde. Wer den Gegner mit der Lanze aus dem Sattel hob, durfte nach den Turniergesetzen ihn, sein Pferd, seine Rüstung und seine Waffen als Beute betrachten, mit der er nach Belieben verfahren konnte.

Wer fest im Sattel sitzt, ist nicht zu verdrängen. Ebenso *sattelfest sein. Wer umsattelt,* setzt sich und setzt auf ein anderes Pferd, so, wenn er den Beruf wechselt. *Wer in allen Sätteln gerecht ist,* gilt als wendig, geschickt, tüchtig. «Gerecht» ist alte Form von «richtig»: er sitzt in allen Sätteln richtig, kennt sich in allen Dingen aus («allroundman»)! Heute ein Lob, jedoch gelegentlich ironisch gefärbt, im 17. Jh. noch allgemein abschätzig gebraucht. Gerlingius (1649): «Unbeständiger als ein zweyfüßiger schuch. Der ist auf alle Sättel gerecht.» Wer von allem etwas kann, kann nichts richtig!

SAUER

Er reagiert darauf sauer: er weist es ab; er nimmt es unwillig auf, verhält sich ablehnend. — Chemischer Fachausdruck aus der Schülersprache. Blaue Kupfervitriol=kristalle reagieren im Wasser sauer. Verfärbt sich blaues

Lackmuspapier in gelöster Substanz rot, so spricht man von saurer Reaktion.

Das wird ihm sauer aufstoßen = er wird die schlimmen Folgen noch merken. Spielt auf das säuerliche Aufstoßen vom Magen her an. Allgemein üblich: *er (sie) ist sauer*. Gib ihm Saures = pack' ihn hart an!

SAULUS

Aus einem Saulus zu einem Paulus werden: aus dem Bekämpfer einer Ansicht zu ihrem Verteidiger werden; seine Meinung völlig ändern. — Der Jude Saulus in Palästina, zuerst einer der grimmigsten Christenverfolger, wurde auf seiner Reise nach Damaskus zum Paulus bekehrt und war von da ab einer der unbeirrbarsten Anhänger. Daher auch: *seinen Tag von Damaskus erleben* = ein ganz anderer Mensch werden.

SAUS

In Saus und Braus leben: verschwenderisch, ausschweifend, herrlich und in Freuden leben. — Lautmalender Reim im Anklang an Wind und Wellen, die ziellos dahinsausen und -brausen.

SCHABERNACK

Jemand einen Schabernack spielen: jemand zum Narren halten, ihn necken, ihm einen Streich spielen. — Im germanischen Recht galt es als schimpflich, den «Nakken zu schaben» oder zu scheren (siehe Kamm). Die Wendung verlor seit 1200 allmählich ihre entwürdigende Bedeutung.

SCHACH

Schachmatt sein: ganz entkräftet sein. — Hat mit unserem «matt» nichts zu tun, sondern aus dem Schachspiel dem Persischen entlehnt «schah matt» = der König ist tot. Mit diesem Ausruf kündigt der Sieger seinen letzten Zug an.

Jemand in Schach halten = ihn nicht zur Ruhe kommen lassen, ihn ständig bedrängen. Ebenfalls vom Schachspiel, wo der Ausdruck meint: ununterbrochen den König bedrohen, für dessen Schutz der Gegner jeden Zug verwenden muß und daher nicht zur Entwicklung des eigenen Angriffs kommt.

SCHAF

Sein Schäfchen ins Trockene bringen: sich einen Vorteil wahren; seinen Gewinn in der Tasche haben. – Der Regen schadet den Schafen überhaupt nicht, denn ihr Vlies ist fettig und wasserabweisend. Jedoch verursachte früher der in sumpfigen Gegenden vorkommende Leberegel mit der sog. Egelseuche häufig ein Massensterben unter dem Vieh, namentlich bei Schafen. Die Infektionsgefahr konnte fast ausgeschlossen werden, indem man die Schafe nicht mehr an sumpfigen Stellen oder am Wasser weiden ließ, sie also « ins Trockene brachte ». Das Verständnis für den Ursprung der Redensart wurde mit der Einführung der Baumwolle verschüttet, als die Schafhaltung zum großen Teil zum Erliegen kam, und als die moderne Veterinärmedizin Mittel gegen die Egelseuche fand. – Der Ausdruck hat aber wahrscheinlich noch einen anderen Ursprung. Im Niederdeutschen heißt « schepken » Schiffchen! Das Schiffchen wird ins Trockene gebracht, um es auszubessern und zu streichen. Es wird auch vor dem herannahenden Unwetter aufs Land gezogen, damit es der Sturm nicht losreißt und forttreibt. Vielleicht haben die « Landratten » aus dem « schepken » ein « Schäfchen » gemacht.

Ein Schäferstündchen halten = eine Liebesstunde verbringen. Im 17., vor allem aber im 18. Jh. spielten Hirten und Schäfer in der Darstellung von Liebesidyllen eine wichtige Rolle, die sich in allen Zweigen der Kunst widerspiegelt.

Das schwarze Schaf

Das schwarze Schaf = der von einem bestimmten Personenkreis wegen seiner extravaganten oder gar unsittlichen Haltung abstechende Mensch. — Vom Bibelwort 1. Mose 30, 32: «Ich will heute durch alle deine Herden gehen und aussondern . . . alle schwarzen Schafe.»

SCHALK s. OHR

SCHAMADE s. FANFARE

SCHANZE

Sein Leben in die Schanze schlagen: einsetzen, aufs Spiel setzen. — Nicht von der «Schanze» als Wehrbau, sondern vom mittelhochdeutschen schanze = Einsatz beim Würfelspiel. Derselben Wurzel entstammt das französische «chance». In der Zimmerschen Chronik heißt es: «Er hat harnasch und das roß in die schanz geschlagen und verloren.» Der Sinn ist also: sein Leben mit der Chance wagen, es zu behalten.

Einem etwas zuschanzen = ihm etwas zukommen, wörtlich « ihn gewinnen lassen ».

Mummenschanz = Würfelspiel der Maskierten während der Fastnacht.

SCHARTE

Eine Scharte auswetzen: einen Fehler, einen Miß=erfolg, eine Niederlage wiedergutmachen. — Aus der Bauernsprache. Sichel und Sensen, die Scharten bekom=men haben, werden mit dem Wetzstein wieder ausge=schliffen.

SCHARWENZELN

Um jemand scharwenzeln: sich ergeben, dienstbe=flissen zeigen; kriecherisch schmeicheln. — Gemischt aus dem italienischen servente (Diener, Verbeugung, Kratz=fuß) und dem tschechischen cervenec = Herzbube (deutsch: Wenzel), Allerweltsdiener.

SCHATTEN

Nicht über seinen Schatten springen: sein Wesen nicht verleugnen. — Im Volksglauben gilt der Schatten des Menschen als Symbol seiner Seele. Siehe Chamissos « Peter Schlemihl ».

SCHAU

Jemand die Schau stehlen: jemand listig über=trumpfen, den Effekt rauben; ihm den Erfolg streitig ma=chen; einen anderen an die Wand drücken und sich selbst in den Vordergrund spielen. — Wörtliche Übersetzung des englischen: to steal someone's show oder someone's thunder = jemand die Schau oder den Donner stehlen. Ursprünglich vom Theater hergeleitet, in dem ein Schau=spieler mit seiner Rolle glänzen möchte, jedoch von einem Kollegen an die Wand gespielt und um den Applaus gebracht wird. Auch im politischen Leben angewandt.

So wie man sagt, daß Chruschtschow bei der Pariser Gipfelkonferenz im Mai 1960 Eisenhower die Schau gestohlen habe. Der Ausdruck kam erst nach 1945 nach Deutschland.

SCHEREN

Scher dich zum Teufel! Fluch. – Hat mit scheren nichts zu tun (vgl. Kamm), sondern scheren meint soviel wie scharen. Wer sich zum Teufel schart, gehört zu der Gefolgschaft des Bösen. Marinesprache: « Aus einem Geschwader ausscheren » = durch Kurswechsel aus der Kiellinie des Verbandes ausbrechen. Andere Ableitung vom althochdeutschen scero = schnell, mittelniederdeutsch scheren = eilen. « Scher dich weg! »

SCHIEF

Du bist schief gewickelt: du bist falsch informiert, irrst dich, hängst einer verkehrten Ansicht an und wirst dich deshalb in deinen Erwartungen getäuscht sehen. – Wie bei der Wendung: *Du bist als Kind zu heiß gebadet worden,* geht die Redensart scherzhaft von der Vorstellung aus, daß unrichtige oder verschrobene Ansichten auf falsche Behandlung in der Säuglingszeit zurückzuführen seien.

Schief ansehen vergleiche krumm.

SCHIESSHUND

Aufpassen wie ein Schießhund: sehr aufmerksam sein; scharf achtgeben. – Im « Versuch eines grammatisch-kritischen Wörterbuches » von Adelung 1780 (Bd. 4): « Wie ein Schießhund aufmerken ». « Schießhunde » waren Jagdhunde, die darauf abgerichtet wurden, angeschossenes Wild zu verfolgen und zu holen. In der Jägersprache ist dieser Ausdruck völlig verlorengegangen, dafür lebt er in der Umgangssprache als Redensart weiter.

SCHIFF

Seine Schiffe hinter sich verbrennen: alles hinter sich lassen – ohne die Möglichkeit zur Rückkehr. – Als der Spanier Hernando Córtez, der Eroberer Mexikos, 1519 mit elf Schiffen von Kuba nach Mexiko segelte, gründete er Veracruz und ließ die Schiffe verbrennen, um seine Mannschaften zu zwingen, ihm ins Innere zu folgen. Ebenso: *alle Brücken hinter sich abbrechen* (siehe Brücke).

SCHIKANE

Mit allen Schikanen: mit allen Feinheiten, mit allen Raffinessen. – Das Wort hat seine Bedeutung häufig gewandelt. Ursprünglich vom mittelniederdeutschen «schicken» = ordnen, zuwege bringen (sich in etwas schicken = sich fügen) nach Frankreich gewandert, wo es den fast gegenteiligen Sinn chicaner = «das Recht verdrehen» erhielt. Von dort ist es zurückgekehrt als Schikane = Gemeinheit, Quälerei, Tücke, Ränke (schikanieren), schließlich verfeinert: Raffinessen, Feinheiten, alle erdenklichen Mittel. Umgangssprachlich: «Das Haus ist mit allen Schikanen eingerichtet» = mit allen neuzeitlichen Errungenschaften versehen.

SCHILD

Etwas im Schilde führen: etwas vorhaben, was der andere nicht ahnt; auch Ränke schmieden. – Den Unterton des Hinterhältigen hatte diese Redensart ursprünglich nicht, denn «im Schilde führten» (nach Tacitus' «Germania») schon die Germanen die ihre Stämme kennzeichnenden Farben. Im Mittelalter waren die Schilde der Ritter mit dem Familienwappen geschmückt, um sich beispielsweise beim Turnier den Eingeweihten und Freunden kenntlich zu machen. Wenn der Wächter auf dem Burgfried das Nahen einer Reiterschar meldete, bekam er den Befehl: «Schau zu, was führen sie im Schilde? Sind

Schlafmütze ...

sie Freund oder Feind?» (was man an ihren Wappen sehen konnte!).

Jemand auf den Schild erheben = ihn zum Führer machen, groß herausstellen. Auch dieser Ausdruck stammt aus germanischer Zeit, in der unsere Vorfahren den gewählten König auf den Schild erhoben, um ihn der Menge sichtbar zu machen.

SCHIMMEL

Der berüchtigte *Amtsschimmel:* die Herrschaft der Verwaltungsbürokratie. – Dieser Ausdruck hat nichts mit dem wirklichen Schimmel zu tun, dem ungerechterweise vorgeworfen wird, er ziehe langsamer als andere Pferde. Er stammt vielmehr von dem in Österreich gebräuchlichen vorgedruckten Musterformular «Simile», nach dem bestimmte Angelegenheiten ähnlich schematisch geregelt wurden wie in Preußen nach dem «Schema F» (siehe dies). «Simile», vom lateinischen similis = ähnlich, wurde nach dem Wortklang in Schimmel entstellt und später zum Amtsschimmel befördert oder degradiert – je nachdem!

SCHINDEN

Mit jemand Schindluder treiben: ihn niederträchtig behandeln; ihm übel mitspielen. – Schindluder ist der Kadaver, der zum Schinder (Abdecker) gebracht wird, um dort geschunden (abgehäutet) zu werden. Die Redensart meint also recht drastisch: jemand wie ein Aas behandeln, dem die Haut abgezogen wird.

Etwas herausschinden = etwas herausholen.

Schinden = ohne Bezahlung, Vorteile auf Kosten anderer genießen (ein Lokal schinden, Kollegs schinden usw.).

SCHIPPE

Einen auf die Schippe nehmen: auf den Arm nehmen; ihn veralbern, foppen, sich über ihn lustig machen. – Man behandelt den Verulkten wie ein Häuflein Sand, das mit der Schippe aufgehoben und verstreut wird.

Dem Tod von der Schippe springen, hopsen = bei einer schweren Krankheit noch einmal davonkommen.

Die Schippe = die schmollend aufgeworfene Unterlippe.

SCHLAFEN

Schlafmütze: temperamentloser, verträumter, unaufmerksamer, schläfriger, oft geistesabwesender Mensch. – In der Umgangssprache gilt bei allen Völkern, daß man das ist, was man hat. So der «Dickkopf» (der Eigensinnige), die «Stupsnase» (die Kecke), der «Flaps» (herunterhängende Unterlippe bildlich für Schlaffheit), die «Gabel» (für den Fresser) und die «Schlafmütze». Der Körperteil oder die Sache stehen für die Person, die nächtliche Kopfbedeckung für den Träger. Ein humorvoller Trost für Schlafmützen ist das kubanische Sprichwort: «Wer die ganze Nacht geschlafen hat, darf sich am Tage auch ausruhen!» Die Verbreitung dieses geflügelten Wortes wurde übrigens von Fidel Castro 1960 unter Strafe gestellt.

SCHLAFITTCHEN

Einen beim Schlafittchen nehmen: ihn derb zurechtweisen, am Kanthaken nehmen. — Schlafittchen kommt von « Schlagfittichen ». Die Erklärung findet sich bereits 1743 bei M. Richey in seinem « Idioticon Hamburgense » (S. 57): « Slafittje will meines Erachtens nichts anderes sagen, als Schlag=Fittich, das ist ein Flügel mit den Schlag= oder Schwing=Federn. Daher die Redensart: eenen by der Slafittje kriegen, so viel bedeutet, als einem beym Flügel erwischen, das ist, beym Aermel oder beym Kleide zu packen kriegen. » (Siehe Krips.)

SCHLAMASSEL

Im Schlamassel sitzen: Unglück, Pech haben; sich in einer unangenehmen Lage befinden. Aus dem aramäischen « che=lâ=massâl » = « was nicht Glück ist ». Eine andere Deutung weist auf einen jiddischen Ausdruck in der Zusammensetzung des deutschen Wortes « schlimm » mit dem hebräischen « mazol » = Glück hin: also « Schlimmglück », Unglück.

SCHLAWINER

Ein richtiger Schlawiner: durchtriebener, findiger, pfiffiger, listiger Mensch. — In dieser Wendung liegt neben den genannten Eigenschaften auch noch die Bedeutung von « ungepflegt, schäbig gekleidet ». Der Ausdruck stammt aus Österreich von « Slowene » und « Slawonier ». Die zerlumpten, hausierenden Slowenen und Slowaken galten als besonders geschäftstüchtig und durchtrieben.

SCHLECHT

Etwas schlecht und recht machen: etwas einfach, aber richtig machen. — Alte Reimformel, in der « schlecht » noch die mittelhochdeutsche Bedeutung von « gerade, richtig, *schlicht* » hat. Erst später bekam « schlecht » einen « schlechten Ruf ». Einen ähnlich negativen Bedeutungs=

wandel machten auch die Wörter «gewöhnlich» und «gemein» durch.

SCHLICHE

Einem auf die Schliche kommen: seine Absichten durchschauen: Seine wahre Natur erkennen. — Aus der Jägersprache. Der Jäger kennt die Schleichwege des Wil= des, seine Schliche. *Er kennt auch den Pfiff,* mit dem man Wild und Vögel lockt.

SCHLÜSSEL

Die Schlüsselgewalt haben: Rechte der Ehefrau, die sie hinsichtlich ihres häuslichen Wirkungskreises aus= übt. — Früher bekam die Ehefrau, wenn sie zum ersten= mal das Haus ihres Mannes betrat, die Schlüssel zu Schränken und Truhen, womit ihr symbolisch die Herr= schaft über den Hausrat übertragen wurde. Heute ist die Schlüsselgewalt ein feststehender Rechtsbegriff, der auch in der katholischen Kirche bei der Rechtsprechung des Papstes (die «Schlüssel Petri») eine wichtige Rolle spielt.

SCHMARREN

Einen Schmarren davon verstehen: so gut wie nichts davon verstehen. — Der Schmarren ist ein in Bay= ern und Österreich beliebter Eierkuchen. Da er offenbar dort so häufig auf den Tisch gebracht wird, hat die Be= zeichnung den Sinn des Alltäglichen und später sogar des Wertlosen erhalten, womit der äußerst schmackhaften Mehlspeise großes Unrecht getan wird.

Das geht ihn einen Schmarren an = das geht ihn nichts an.

SCHMIEDE

Vor die rechte Schmiede kommen: gut bedient werden, die richtige Auskunft erhalten. — Die Redensart ist schon im Mittelalter bekannt. An der Schmiede wird das Pferd beschlagen. So ist auch der *gut beschlagen* (kennt sich gut aus), der vor die rechte Schmiede gekommen ist. Die Wendung « Wer an den Richtigen kommt », ist jedoch ironisch gemeint. « An den Richtigen kam » der Teufel, als er den Schmied von Jüterbog holen wollte. Dieser band einen Kohlensack vor das Schlüsselloch, fing so den Teufel ein und ließ ihn von seinen Gesellen auf dem Amboß weich schmieden.

SCHMIERE

Schmiere stehen: bei Diebstahl oder anderen Vergehen und Verbrechen aufpassen, daß die Täter nicht überrascht werden. — Aus der Gaunersprache, dem hebräischen schemîrâh = Bewachung, Beaufsichtigung, entlehnt.

Einem eine schmieren = eine herunterhauen, *einen schmieren* = einen bestechen. *Es geht wie geschmiert* = es geht vortrefflich.

Die Schmiere = wandernde Schauspielertruppe, armselig und meist von fragwürdigem Rang. Vom Zusammenschmieren der Theaterstücke, unsachgemäßem Schminken (ins Gesicht schmieren!) und Schmieren als mangelhafter Textbeherrschung und niveaulosem Improvisieren.

SCHNEE

Sich freuen wie ein Schneekönig: sich von Herzen freuen. — Die Wendung bezieht sich auf den Zaunkönig, auch « Schneekönig » genannt, der selbst im strengsten Winter sein munteres Lied anstimmt.

SCHNEIDEN

Jemand schneiden: ihn ignorieren, absichtlich übersehen, ihn nicht grüßen. — Wörtliche Übersetzung des englischen « to cut a person ». Seit 1850 bezeugt. Hingegen: sich schneiden = sich täuschen, muß vollständig « sich mit dem Messer schneiden » heißen.

Aus dem Schneider sein = über dreißig Jahre alt sein. Spöttisch von Mädchen gesagt, die, wie man meinte, das heiratsfähige Alter überschritten haben. Stammt aus der Sprache des Kartenspielers, der höhnte, der Schneider wiege nicht mehr als dreißig Lot (ein Neulot = 50 g). Ein Spieler, der mehr als dreißig Punkte hat, ist «aus dem Schneider».

SCHNIPPCHEN

Jemand ein Schnippchen schlagen: ihm einen Streich spielen; einen Plan vereiteln. – Schnippchen, der mit Daumen und Mittelfinger ausgeführte Schnalzer, meinte um 1500 herum Nichtachtung, Geringschätzung. Wer dem anderen ein Schnippchen schlug, wollte ihm seine Überlegenheit anschaulich machen. (So ruft man heute noch – nicht gerade vornehm – den Kellner!)

SCHNITT

Einen guten Schnitt machen: gutes Geschäft machen; Gewinn erzielen. – Nach alter Rechtsanschauung gehörte einem das Getreide auf dem Felde erst dann, wenn es geerntet war. Von hohem Gewinn konnte also erst sprechen, wer einen «guten Schnitt» gemacht hatte.

SCHNITZER

Einen Schnitzer machen: einen Fehler begehen. – Hergeleitet von den Holzschnitzern, die durch falsche Schnittführung ein Bildwerk verunstalten, einen groben «Schnitzer» machen können. Seit Luther bezeugt.

SCHNULZE

Schnulze: kitschiger, süßlicher Heimatfilm (*Heimatschnulze*) oder Schlagerlied gleicher fragwürdiger Qualität. – Drastischer Berliner lautmalender Ausdruck seit dem Zweiten Weltkrieg, zusammengezogen aus «Schnuller» und «Schmalz». Der Schnuller oder Lutschbeutel lullt den Säugling ein, und auf der fetten Bahn des Schmalzes rutschen die Gefühle aus. *Der (die) Schnulzensänger(in).*

SCHNUPPE

Das ist mir schnuppe: das ist mir Wurst, gleichgültig, egal. — Berliner Ausdruck seit 1870. Muß eigentlich heißen: «Das ist für mich ebenso wertlos wie die Schnuppe», das ist der verkohlte Docht, der mit der Lichtputzschere entfernt wurde. «Ein Licht schnuppen» = die Schnuppe abschneiden.

SCHNUR (*Hutschnur* siehe HUT)

Über die Schnur hauen: über die Stränge schlagen; sich übermütig, liederlich verhalten; das erlaubte Maß überschreiten. — Stammt vom Handwerk des Zimmermanns, der früher, um einen Balken gradlinig zu behauen, über diesen eine Schnur zog und nicht daneben hauen durfte.

Es geht wie am Schnürchen = es wickelt sich flott, reibungslos ab. Geht auf den Puppenspieler zurück, dessen Marionetten an Schnüren und Drähten jede gewünschte Bewegung machen (siehe auch Drahtzieher unter Draht).

SCHORNSTEIN

Etwas in den Schornstein schreiben: als verloren ansehen; nicht mehr auf Rückzahlung rechnen; etwas abbuchen. — Was man in den Schornstein oder *«in die Esse»* schreibt, wird bald durch Rauch und Ruß unleserlich, überdies weht es der Wind oben hinaus.

SCHRANKE

Jemand in die Schranken fordern: ihm öffentlich gegenübertreten; ihm offen den Kampf ansagen; sich mit ihm auseinandersetzen. — Aus der alten Gerichts- und

Turniersprache. Die Schranken sicherten den Gerichts= wie den Turnierplatz gegen den Andrang der Menge. Sym= bolische Anwendung der Redensart bei Schiller im «Don Carlos» (I, 9): «Arm in Arm mit dir, so fordr' ich mein Jahrhundert in die Schranken!»

Jemand in die Schranken weisen = ihn zurecht= weisen, wenn er zuweit gegangen war.

SCHRAUBE

Bei dem ist eine Schraube los: er ist nicht ganz bei Verstande, nicht ganz zurechnungsfähig. — Das Ge= hirn wird hier mit einer Uhr oder Maschine verglichen, bei denen alle Schrauben festsitzen müssen, wenn sie funktionieren sollen.

Eine Schraube ohne Ende = ein Vorgang, bei dem sich die Schwierigkeiten ständig vergrößern und das Ende nicht abzusehen ist. Fortgesetzte Preissteigerung (Preis= spirale) durch Lohn= oder Steuererhöhung (Steuerschraube) werden mit der Spiralwindung der Schraube verglichen. Aus der Technik.

Alte Schraube, auch *alte Schreckschraube* = altes Weib, das wegen seiner Häßlichkeit Schrecken einjagt. Wurzelt im vulgärlateinischen «scroba» = weibliche Scham. Die vulgäre Sprache spielt bei alten Leuten gern frivolisierend auf die Geschlechtsteile an.

SCHROT

Ein Mann von echtem Schrot und Korn: ein Mann von gerader, aufrichtiger Art; ein Mensch von gutem, offenem Charakter. — Die Wendung stammt aus dem Münzwesen. «Schrot» bezeichnet das Gewicht, «Korn» den Feingehalt der Münze. In Zeiten der Münzverschlech= terung wurden Münzen von echtem Schrot und Korn be= sonders hoch bewertet. Die Redensart bezeichnet somit die unverfälschte Münze, im übertragenen Sinne die Ehrlich= keit des Charakters.

SCHUH

Wissen, wo einen der Schuh drückt: wissen, wo eine Sorge, ein Kummer wurzelt. — Diese Redensart ist bei allen Völkern zu Hause. Der Prediger Geiler von Kaisersberg (1445—1510) sagt: «Es weisz nieman besser, wo der schuh drückt als wer in an hat.» So vergleicht der Volksmund diese körperliche Beschwerde mit der Herzensnot, die eben nur der kennt, den sie plagt. Der griechische Schriftsteller Plutarch berichtet von dem Römer Ämilius Paulus, der sich von seiner schönen, tugendhaften und reichen Frau nach langer Ehe hatte scheiden lassen und deshalb von seinen Freunden getadelt wurde. Der Römer hielt seinen Freunden als Antwort seinen Schuh mit den Worten hin: «Auch dieser Schuh ist schön anzusehen und neu; aber niemand als ich allein weiß, wo er mich drückt.»

Jemand etwas in die Schuhe schieben = ihm die Schuld zuschieben. Nach I. Mose 44 ließ Joseph seinem Bruder Benjamin seinen kostbaren silbernen Becher in den Sack legen, um ihn des Diebstahls zu verdächtigen. Dieser Kniff wird immer wieder und überall vom Gaunervolk angewandt. So wenn ein Dieb in der Herberge aus Furcht, erwischt zu werden, den gestohlenen Gegenstand des Nachts einem anderen in die Schuhe schmuggelt, um den Verdacht auf den Schlafgenossen zu lenken. Ausdrücke wie: *sich etwas an den Schuhsohlen abgelaufen haben* (es längst wissen) und *umgekehrt wird ein Schuh draus* — erklären sich von selbst. Siehe auch *Socke.*

Unter dem Pantoffel steht ein Mann, der sich vollständig dem Willen seiner Frau unterwirft (siehe auch Dach). Im germanischen Rechtsleben spielte der Schuh oder der Fuß (siehe Fuß) eine wichtige Rolle als Symbol der Herrschaft über den anderen. Ende des 16. Jh. wurde der Pantoffel zur typischen Frauentracht. Wer also als *Pantoffelheld* in den Hausschuhen seiner Frau einherspazierte, hatte, bildlich gesprochen, auch ihre Rolle übernommen.

In die Fußstapfen eines von ihm Verletzten mußte der Verbrecher *treten,* um symbolisch zu bekennen, daß er für seine Tat einstehe. Erklärt sich seiner heutigen Bedeutung nach aus dem Marsch durchs Moor, wo der Fremde genau in die Fußstapfen des ortskundigen Führers treten muß, will er nicht versinken.

SCHULE

Aus der Schule plaudern: über geheimzuhaltende Dinge berichten. — In den Athener Philosophenschulen wurden die Angehörigen zum Schweigen verpflichtet. Das gleiche galt für die Ärzte und Handwerkszünfte. Wer *ausplauderte,* gab die Geheimnisse eines bestimmten Kreises preis, zu dessen Nutzen das Schweigegebot erlassen worden war.

Schule schwänzen (rotwelsch = bummeln).

SCHULTER s. ACHSEL

SCHUPPE

Es fällt mir wie Schuppen von den Augen: ich sehe plötzlich klar. — Bibelwort aus der Apostelgeschichte 9, 18: « Und alsobald fiel es von seinen Augen wie Schuppen und ward wieder sehend. »

SCHÜRZENJÄGER

Schürzenjäger: ein Mann, der jeder Frau mit Kose- oder Liebesworten schmeichelt. — Nach dem Satz: « Was man hat, das ist man » (siehe schlafen), steht die « Schürze » stellvertretend für « Frau ». Wer jeder Schürze nachjagt, ist in der Liebe nicht ernst zu nehmen.

SCHURIGELN

Jemand schurigeln: quälen, plagen, peinigen. — Vom althochdeutschen scurigen = stoßen, in dem das heutige «schüren» = «antreiben» enthalten ist. Der Geschurigelte wird mit Prügel, Stößen und Püffen angetrieben.

SCHUSTER

Auf Schusters Rappen: zu Fuß. — Die schwarzen Schuhe werden scherzhaft Rappen des Schusters genannt.

SCHWABE

Ins Schwabenalter kommen: diese keineswegs boshaft gemeinte Redensart wurzelt in der volkstümlichen Meinung, daß die Schwaben erst mit vierzig Jahren gescheit werden. Der Dichter Wieland (1733—1813) schrieb an F. H. Jacobi, den Philosophen und Freund Goethes: «Ich habe nun endlich das Schwabenalter erreicht, und ich bekenne williglich, daß ich wenig Lust habe, mich alle Augenblicke hofmeistern zu lassen.»

SCHWAN

Mir schwant nichts Gutes: ich ahne Unheilvolles. — Im Volksglauben hat der Schwan seit alters weissagende Kraft. So ist das Zeitwort *«schwanen»* entstanden.

Die Schwanenjungfrauen waren in weissagende Schwäne verwandelte Jungfrauen, die beispielsweise Hagen an der Donau den Untergang der Burgunden voraussagten.

Andere Ausdrücke: *Mir wachsen Schwansfedern* = ich beginne etwas zu ahnen — und *ich habe schon lange Schwansfedern* = ich habe es schon lange geahnt.

Der Schwanengesang meint das letzte Werk eines dem Tode nahen Dichters. Schon im Altertum glaubten Griechen und Römer, daß der sterbende Schwan melodische Klagelaute von sich gebe.

SCHWARZ

Warten, bis man schwarz wird: sehr lange warten, eigentlich: bis man tot ist. – «Schwarz werden», ein alter bildhafter Ausdruck für sterben, weist auf das Verfärben des Leichnams hin.

Sich schwarz ärgern = sich tot ärgern.

Ins Schwarze treffen = das Richtige tun oder sagen. Aus der Schützensprache. Gemeint ist der Schuß in den schwarzen Mittelpunkt der Scheibe.

Das Schwarze unter dem Nagel gönnen (siehe Nagel).

Schwarzsehen = pessimistisch sein, aber auch: ohne amtliche Genehmigung fernsehen. Dazu *schwarzhören, schwarzfahren* = unberechtigt Rundfunk hören, ohne Bezahlung fahren. Schwarz als Sinnbild der Nacht (Rotwelsch «swerze» = Nacht): *was das Licht scheut!*

Schwarz auf weiß = mit Tinte auf Papier geschrieben; gilt mehr als das gesprochene Wort. Vergleiche Goethes «Faust» I: «Denn was man schwarz auf weiß besitzt, kann man getrost nach Hause tragen.»

SCHWEIN

Das kann kein Schwein lesen: das kann kein Mensch lesen. – Im 17. Jh. gab es in Schleswig eine Gelehrtenfamilie namens Swyn (plattdeutsches Wort für «Schwein»). Zu ihr kamen die des Lesens und Schreibens unkundigen Bauern, um sich Briefe oder Urkunden vorlesen oder Schriftsätze abfassen zu lassen. Wenn aber eine Aufzeichnung selbst für die Swyns unleserlich war, sagten die Bauern: «Dat kann keen Swyn lesen!»

Schwein haben = großes Glück haben. Hergeleitet vom Kartenspiel des 16. Jh. Auf der höchsten Karte, dem Schellendaus oder -as, war ein Schwein abgebildet (Studentensprache), denn das As hieß im deutschen Kartenspiel «Daus» oder «Sau»: «Er haut die Eichelsau in den Tisch, daß es nur so kracht!» Zudem gilt das dauernd mit dem Rüssel arbeitende Schwein als Schatzfinder.

Wir haben doch keine Schweine zusammen gehütet, bedeutet eine scharfe Zurückweisung plumper Vertraulichkeit. Hierfür muß die «Schildbürger»-Anekdote (aus der Schwanksammlung des 16. Jh.) herhalten, wonach ein Schweinehirt Bürgermeister der Schildbürger wurde. Als ein Gefährte aus der Sauhirtenzeit den Bürgermeister zu duzen wagte, verbat sich dieser die Intimität mit unserer Redensart.

SCHWERT

Sein Schwert in die Waagschale werfen: eine Entscheidung auf drastische Weise erzwingen. – Der Gallierkönig Brennus, der 390 v.Chr. die Römer an der Allia besiegt hatte, warf mit den Worten: «Vae victis!» (Wehe den Besiegten!) höhnisch sein Schwert in die Waagschale, als die Römer ihre Goldpfund-Kriegstribute nicht mit den schweren Gewichten des Siegers aufwiegen wollten.

Schwert des Damokles siehe Haar.

SEELE

Nun hat die liebe (arme) Seele Ruh'! sagt man scherzhaft zum Abschluß einer befriedigenden Tätigkeit. – Diese gemütliche Redensart wurzelt in der makabren Vorstellung, nach der die Seelen der Missetäter so lange ruhlos auf Erden umherirren, bis sie die göttliche Gnade erlöst. Unserer Bedeutung kommt der Bibelspruch Lukas 12, 19 am nächsten: «Liebe Seele, ... habe nun Ruhe, iß und trink und habe guten Mut.»

SEGEL s. FAHNE

SENSE

Bei mir ist Sense: es ist aus: ich mache nicht mehr mit; ich habe es satt. – Alles Leben der Pflanzen ist aus, wenn sie die Sense hinwegmäht. So auch der Tod als Schnitter («Sensenmann»). Hier im übertragenen Sinn auf alles gemünzt, was man für beendet erklären will.

SIEBEN

Im siebten Himmel sein: überglücklich sein; in höchster Wonne schweben; höchster Grad freudiger Erregung. – Im Talmud der Juden und im Koran der Mohammedaner gibt es eine Lehre von den «sieben Himmeln», von denen der siebte der höchste ist, denn in ihm wohnt Gott. Eine Vorstufe davon kennt auch das christliche Neue Testament im 2. Kor. 12, 2: «... ward derselbe entzückt bis in den dritten Himmel.»

SIELE

In den Sielen sterben: mitten in der Arbeit sterben; bis zu seinem Tode arbeiten. – Die Sielen sind die Seile oder Riemen der Zugtiere. Die Redensart spielt auf das Pferd oder den Ochsen an, die tot im Geschirr bei der Arbeit zusammenbrechen. Gegenteil: *ausspannen* (aus dem Geschirr spannen) = sich erholen.

SISYPHUS

Eine Sisyphusarbeit verrichten: trotz größter Mühe nicht zum Ziele kommen. – Nach der griechischen Sage mußte Sisyphus, der König von Korinth, um seine Schuld zu sühnen, einen schweren Felsblock den steilen Berg hinaufrollen. Oben angekommen, rollte der Stein immer wieder herab.

SOCKE

Mit qualmenden Socken laufen: angestrengt marschieren, davoneilen. – Aus der Soldatensprache des Zweiten Weltkrieges. Humorvolle Übertreibung für «sich warm laufen». *Sich auf die Socken machen* = sich rasch entfernen. Socke kommt vom lateinischen soccus = leich=

ter Schuh. Ursprünglich war also der kurze Strumpf ein leichter Schuh. Daher auch: *von den Socken sein* = überrascht sein. Man ist in diesem modernen Ausdruck sozusagen vor Überraschung aus den Schuhen gefallen. Daher auch: *Das zieht einem die Schuhe aus!*

SONNE

Die Sonne bringt es an den Tag: die Redensart weist auf die große Bedeutung der Sonne im germanischen Gerichtsverfahren hin. Es durfte nur so lange Gericht gehalten werden, wie die Sonne schien. Mit dem Blick auf die Sonne wurden die Verhandlungen eröffnet. Mit dem Gesicht zur Sonne, der nichts verborgen blieb, wurde der Eid abgelegt. Darum: «Die Sonne bringt es an den Tag», ebenso: *Das ist doch sonnenklar!*

SPERENZIEN

Sperenzien machen: sich sperren, sträuben; Umstände machen; zögern, sich auflehnen. — Auch: «Sperenzchen» machen, vom lateinischen «sperantia» und dem italienischen «sperenza» = Hoffnung entlehnt, wurde zu «sperren» eingedeutscht, weil man seine eigenen Hoffnungen gegenüber der Wirklichkeit geltend machte, und damit scheinbar in seinen entgegengesetzten Sinn verkehrt.

SPIEGEL

Den Brief wird er sich nicht hinter den Spiegel stecken: den Brief wird er sich nicht gern zur Erinnerung aufheben. — Spielt auf eine frühere Gewohnheit an, angenehme Briefe halb verdeckt hinter den Rahmen des Spiegels zu stecken, damit sie leicht gesehen und auch von andern gelesen werden konnten. *Spiegelfechterei* = leeres Getue, Heuchelei, betrügerisches Verhalten. Unter «Spiegelfechten» verstand das Mittelalter ein Scheingefecht, bei dem das spiegelblanke Schwert in der Luft herumgeschwungen wurde, ohne einen Gegner zu treffen; auch Schaufechten.

SPIESS

Den Spieß umdrehen: die Rollen tauschen; von der Abwehr zum Angriff übergehen. – Die Wendung läßt sich am besten so verstehen, daß der Angegriffene im Handgemenge dem Angreifer den Spieß entreißt und ihn nun gegen den Gegner richtet.

Spießruten laufen = vor der Öffentlichkeit bloßgestellt werden; kritischen Blicken oder spöttischen Bemerkungen seiner Mitmenschen ausgesetzt sein. – Rührt von der seit dem 17. Jh. bezeugten (auch noch im Zweiten Weltkrieg geübten) grausamen Soldatenstrafe her, den Verurteilten zwischen zwei Reihen zu jagen, wobei mit spitzen Ruten – «Spießruten» – auf ihn eingeschlagen wurde. Angewendet bei Kameradendiebstahl und ähnlichen Vergehen.

Ein Spießbürger meint ursprünglich den mit einem Spieß bewaffneten Bürger der mittelalterlichen Kleinstadt, ebensowenig ironisch wie *der Spießgeselle.* Erst als die Kleinstädter anfänglich den Fortschritt der Feuerwaffen ignorierten, bekam die Wendung einen abschätzigen Klang im Sinne von «beschränkter Mensch», niedriger Geisteshaltung, *Banause* (griech.: banausos = Handwerker).

Der Spieß für Degen und damit für Hauptfeldwebel ist seit 1900 bekannt.

SPITZE

Einer Sache die Spitze abbrechen: sie entscheidend mildern, entschärfen, so daß keine nachteiligen Folgen erwachsen. – Stammt wie viele Wendungen aus der Fechtersprache: ein Degen mit abgebrochener Spitze ist zum Kampf unbrauchbar. «Spitz» hatte früher auch die Bedeutung «fein ausgedacht, ausgeklügelt», daher *spitzfindig* und *etwas spitzkriegen* für dahinterkommen, etwas ausfindig machen, ergründen.

Wer sich auf etwas spitzt, macht sich Hoffnung auf etwas. Man sieht richtig, wie sich der Mund spitzt, um der lüsternen Zunge einen leckeren Bissen zuzuschieben.

SPOREN

Sich die Sporen verdienen: sich durch besondere Tat oder Leistung auszeichnen. — Die Redensart spielt auf den alten Ritterbrauch an, jungen Helden beim Ritterschlag goldene Sporen anzuschnallen. So Schiller im « Don Carlos » (II, 8): « Ich habe den schnellen Einfall, nach Brabant zu gehen, um — bloß um meine Sporen zu verdienen. »

SPRINGEN

Jemand auf die Sprünge helfen: ihm zeigen, wie es gemacht wird, oder auch: ihm weiterhelfen. — Aus der Jägersprache vom Jagdhund, der sich von dem Hakenschlagen des Hasen nicht beirren läßt, diesem den Weg abschneidet und damit dem Jäger « auf die Sprünge hilft ». *Keine großen Sprünge machen können* = sich einschränken müssen. In der freien Bewegung wie der Hund an der Kette behindert sein. Siehe anbändeln (kurz angebunden sein).

Auf dem Sprunge sein: bereit sein, etwas zu tun. — Das Bild rührt vom Raubtier her, das zum Sprunge ansetzt, um sein Opfer zu überfallen.

Etwas springen lassen = einen ausgeben; andere freihalten. Der Ausdruck erinnert an den früheren Brauch, beim Bezahlen Geldmünzen kräftig auf den Tisch zu werfen, um durch den hervorgerufenen Klang der Münzen ihre Echtheit zu beweisen, oder auch nur, um damit aufzutrumpfen, daß man welche besitze.

STAB

Über jemand den Stab brechen: ihn verurteilen; ein hartes, abschätziges Urteil über ihn fällen. — Der Stab, das Hoheitszeichen des Richters, spielte im germanischen Rechtswesen eine große Rolle. In der peinlichen Gerichtsordnung wurde bei der Verkündung des Todesurteils ein Stab über dem Haupte des Verbrechers zerbrochen und ihm vor die Füße geworfen. Daher auch: *jemand etwas vor die Füße werfen* = mit ihm nichts mehr zu tun haben wollen und *ihm etwas vorwerfen* = ihn tadeln, belasten, ihm Vorhaltungen machen; am Zeug flicken, ihm etwas in die Schuhe schieben. Dazu: *mit jemand brechen* (nämlich den Stab!) = ihm die Freundschaft aufkündigen. Durch Goethe und Schiller volkstümlich gemacht.

STACHEL

Wider den Stachel löcken: sich gegen den Zwang wehren; sich auflehnen, aufbäumen, widerstreben; Widerstand leisten. — Das Bibelwort in Luthers Übersetzung findet sich in der Apostelgeschichte 9,5, als Saulus Jesus vor Damaskus trifft: «Der Herr sprach: Ich bin Jesus, den du verfolgst. Es wird dir schwer werden, wider den Stachel zu lecken.» Das uralte Wort «lecken» oder «löken» existiert in Laut- und Sinngleichheit bereits im griechischen laktizein, im gotischen laikan und heute im deutschen froh*locken* = hüpfen, springen, ausschlagen. Pflügende Pferde oder Ochsen schlugen gegen den antreibenden Stachelstab aus.

STANGE

Einem die Stange halten: ihm Hilfe leisten; beistehen, beispringen, ihn beschützen; seine Partei ergreifen. — Hergeleitet aus dem Altdeutschen vom gerichtlichen Zweikampf, bei dem die Sekundanten mit einer Stange im gefährlichen Augenblick ihrem Schützling beispringen mußten. Forderte ein Kämpfer Stangenhilfe, so bekannte er sich als besiegt.

Bei der Stange bleiben = ausharren, bei der gewünschten Meinung oder Tätigkeit bleiben. Man denkt hier an das Pferde-Doppelgespann, das durch die Deichselstange zusammengehalten wird. Wenn ein Pferd nicht «bei der Stange bleibt», sondern ausbricht, stört es die Fahrt.

STAR

Einem den Star stechen: ihm die Augen über etwas öffnen; ihn über eine Sache aufklären. – Ursprünglich bedeutet die Redensart: einen Starblinden durch Operation von seinem Leiden erlösen. Nach der Befreiung Wiens 1683 wurde gegen die besiegten Türken das Wortspiel geprägt: «Graf Starhemberg kann dir den Staren wohl stechen!», woraus erhellt, daß die Staroperation bereits im 17. Jh. bekannt war.

STAUB

Sich aus dem Staube machen: davonlaufen, flüchten. – Spielt auf den Feigling im Kampfe an, der den aufgewirbelten Staub geschickt als Tarnkappe benutzt, um sich zu entfernen.

Die Geschichte hat viel Staub aufgewirbelt = sie hat großes Aufsehen erregt. Vom vorüberfahrenden Wagen. Die Wendung ist sehr alt: «Tanzt ein Alter, so macht er viel Staub.»

Das geht dich einen feuchten Staub an. Variante von: «Das geht dich einen Dreck, Schmutz, Kehricht an», nämlich gar nichts!

STECKEN

Es einem stecken: ihm etwas beibringen; ihn zurechtweisen; ihn warnen, daß er sich in acht nehme. – Zielt auf einen alten Rechtsbrauch, nach dem jemand die Vorladung zum Femegericht heimlich an die Tür gesteckt wurde. Daher auch der *Steckbrief.* In Schillers «Kabale und Liebe» I, 1: «Ich hätt' gleich alles Seiner Exzellenz, dem Herrn Papa, stecken wollen.»

Das Steckenpferd = Liebhaberei ist hingegen der einfache Stecken mit Pferdekopf, einst ein beliebtes Spiel=zeug der Knaben.

STEGREIF

Aus dem Stegreif sprechen: ohne Vorbereitung reden. — Stegreif hieß früher die einfache Ringform des Steigbügels. Königs= und Fürstenkuriere verlasen die Erlasse ihres Herrn, ohne abzusitzen, « aus dem Stegreif », um dann eiligst weiterzureiten.

STEIN

Einen Stein auf jemand werfen: ihn beschuldigen; jemand belasten. — In der Bibelgeschichte von der Ehe=brecherin sagt Jesus zu den Schriftgelehrten: « Wer unter euch ohne Sünde ist, der werfe den ersten Stein auf sie » (Joh. 8,7). Man braucht nicht auf diese Quelle zurückzu=gehen, auch die germanischen Völker kannten die Steini=gung als Todesstrafe.

Stein und Bein schwören = etwas eidlich versi=chern. Stammt von dem alten Rechtsbrauch, beim Schwö=ren vor Gericht bestimmte Gegenstände zu berühren: in der heidnischen Zeit den Stab des Richters, in der christ=lichen die steinerne Altarplatte oder den Reliquienschrein eines Heiligen, in dem dessen Gebeine ruhten.

Einen Stein bei jemand im Brett haben = sein besonderes Wohlwollen genießen. Hergeleitet vom Brett=spiel, in dem ein Stein, in die hinterste Reihe des Gegners gebracht, das Spiel siegreich entscheiden kann.

Der Stein des Anstoßes geht auf das Jesaja 8,14 entnommene Bibelwort zurück: « So wird er ein Heilig=tum sein, aber ein Stein des Anstoßes und ein Fels des Ärgernisses den beiden Häusern Israel ... » Aus « uralt wie Stein » ist *steinalt* geworden, während *steinreich* « reich an Edelsteinen » meint.

Deswegen fällt ihr (oder auch ihm) *kein Stein (keine Perle, keine Zacke) aus der Krone* = sie (oder auch er) vergibt sich dadurch nichts. Nach dem Aberglauben gilt es als böses Vorzeichen, wenn aus der Krone (auch Brautkrone) eine Perle oder ein Edelstein fällt. Unsere Redensart bezieht das Bild auf den Hochmütigen, der sich gebärdet, als trage er eine Fürstenkrone. Der Stein als schwere Bürde war Vorbild für den Ausdruck: *mir fiel ein Stein vom Herzen.*

Den Stein ins Rollen bringen bedeutet den Anlaß zur Aufklärung einer Sache oder zur Ingangsetzung einer Angelegenheit geben.

STICH

Jemand im Stich lassen: ihm nicht helfen; ihn in der Gefahr verlassen, aufgeben. — Martin Luther hat 1521 « auf des Bocks zu Leipzig Antwort » (gemeint ist Johann Eck, der Hauptgegner der Reformation, mit dem Luther 1519 in Leipzig disputierte) die Erklärung für diese Redensart gegeben: « Die weil ich sihe, das du deyne seele daran setzen wilt, und wie eine tzornige bien das leben ym stich lassen. » Die Biene geht an ihrem Stich aus Notwehr zugrunde. Die Wendung müßte also vollständig heißen: « Sein Leben im Stich lassen. » — Kann aber auch aus der Rittersprache erklärt werden: Jemand im Stich (den Gestochenen) lassen (zurücklassen, allein lassen).

Stich halten = standhalten, etwas taugen, die Probe bestehen. Aus der Fechter- und Kriegersprache. Die Wendung spielt auf den Schild an, der die Lanzenstiche aushalten und abwehren muß. In einem Gedicht des Dreißigjährigen Krieges ist zu lesen: « Die spanischen Reuter wichen hinter sich, das Fußvolk hielt noch lange den Stich, auf sie wurd hart geschossen. » *Etwas ist nicht stichhaltig* = taugt nicht viel.

Einen Stich haben = nicht ganz richtig sein. Bezieht sich auf den säuerlichen Geschmack von Lebensmitteln, deren Qualität dadurch gemindert wird.

Eine Stichprobe nehmen = von einem aus einer Menge beliebig herausgegriffenen Teil auf das Ganze schließen. Die Redensart stammt aus dem Hüttenwesen, in dem mit einer Schöpfkelle aus der Schmelzmasse eine Probe zur Bestimmung des Metallgehalts entnommen wurde. Seit dem 16. Jh. bezeugt und später auch ins Geistige übertragen. So Stichproben eines musikalischen oder literarischen Werks.

STIEFEL

Einen Stiefel vertragen können: viel Alkohol trinken und vertragen können. – Seit dem 16. Jh. bezeugt und auch im übertragenen Sinne angewandt. Erinnert an das Gedicht von G. Pfarrius (1860) «Der Trunk aus dem Stiefel»: Der Ritter von Waldeck ertrinkt sich das schöne Dorf Hüffelsheim, indem er einen Kurierstiefel auf einen Zug leert. Bei Studentenkommersen spielte der gläserne Stiefel eine große Rolle.

Wer sich einen Stiefel einbildet, bildet sich unberechtigterweise viel ein, tut so, als ob er «einen Stiefel vertragen könne».

STRANG

Über die Stränge schlagen: leichtsinnig sein; übermütig, ausgelassen sein; leichtfertig leben, zu weit gehen. – Die Wendung bezieht sich auf das mutwillige Pferd, das über den Strang seines Geschirrs schlägt, so daß es den Wagen nicht mehr ziehen kann.

Wenn alle Stränge reißen = wenn alles fehlschlägt, in äußerster Not, wenn nichts anderes mehr hilft. – Auch aus dem alten Fuhrwesen: die Stränge der Zugtiere vor dem schwerbeladenen Wagen rissen auf der Steigung leicht.

An einem Strang ziehen = nach demselben Ziele streben; im selben Sinn arbeiten; ins selbe Horn blasen (siehe Horn); einer Gesinnung sein. – Seit dem 17. Jh.

bezeugt. Ebenfalls von den Pferden hergeleitet, *die am gleichen Strang ziehen*, im selben Geschirr gehen.

STRAUSS s. SAND

STRECKE

Jemand zur Strecke bringen: ihn überwältigen, besiegen, vernichten oder töten. – Aus der Jägersprache: «Die Jäger strecken das Wild, wenn sie es auf den Boden der Länge nach hinlegen.» (Adelung: «Versuch eines grammatisch-kritischen Wörterbuches», Bd. 4, 810. 1774.) Das geschieht, um die Größe der Tiere anschaulich zu machen. «Strecke» ist waidmännisch die Gesamtheit des erlegten Wildes nach einer Jagd. *Auf der Strecke bleiben* = nicht mehr mitmachen; erledigt sein; ausscheiden.

STREICH

Jemand einen Streich spielen: ihm einen Schabernack (s. d.) oder Schlimmeres antun. – «Spielen» ist hier ironisch gemeint, wie auch «Streich» nicht vom Geigenspiel herzuleiten ist. Mittelhochdeutsch ist Streich gleich Hieb, mag damit nun eine scherzhafte oder eine schurkenhafte Tat gemeint sein. *Auf einen Streich* = auf einen Hieb, auf einmal. «Sieben auf einen Streich» rühmt sich das tapfere Schneiderlein in Grimms Märchen.

STREIT

Die Streitaxt begraben: Frieden schließen; die Feindseligkeiten einstellen. – Der Ursprung der Redensart liegt bereits im nordgermanischen Sagengut, in der Edda. Der Donnergott Donar (daher Donnerstag!) oder Thor zog mit seiner Streitaxt, auch Hammer genannt, aus, um die Thursen und die Midgardschlange zu bekämpfen. Der Götterfriede dauerte jeweils so lange, wie Donars Hammer vergraben lag. Auch: *das Kriegsbeil begraben.*

STRICH

Das geht mir gegen den Strich: das habe ich nicht gern; das ist mir unangenehm; das paßt mir nicht. — Wird der Katze gegen die Richtung ihres Haarwuchses, das heißt «gegen den Strich», über das Fell gestrichen, *«fühlt sie sich unangenehm berührt»* und wird leicht gereizt.

Jemand auf dem Strich haben = ihn nicht mögen; ihm grollen; ihm feindlich gesinnt sein. — «Strich» nennt der Jäger die als Fortsetzung des Flintenlaufs gedachte Luftlinie. Wer jemand auf dem Strich hat, zielt also auf ihn, *um ihn «abzuschießen»* (auch das eine neuerdings verbreitete Redensart!).

Auf den Strich gehen = auf Männerfang gehen (von Dirnen, die auf der Straße ihrem Gewerbe nachgehen). Auch diese Wendung kommt aus der Jägersprache. Das Männchen der in Mitteleuropa lebenden Bekassine (Sumpfschnepfe) oder der Waldschnepfe durchstreift bei seinem abendlichen Balzflug, dem *«Schnepfenstrich»*, in Baumhöhe den Wald. Daher auch «Schnepfe» für Straßendirne.

Einem einen Strich durch die Rechnung machen = seine Absichten durchkreuzen. Muß eigentlich heißen: einen Strich durch die Berechnung machen. Damit ist der Lehrer gemeint, der die falsche Lösung des Schülers durchstreicht.

Nach Strich und Faden = gehörig, tüchtig. Dem Weberhandwerk entlehnt. Gewebe, die nach Strich und Faden erlesen sind, geben eine vorzügliche Ware ab.

STRICK

Stricken: lästern, intrigieren, verleumden. — Seit dem Zweiten Weltkrieg. Hehlwort für «über jemand losziehen, in den Schmutz ziehen». Das Bild zielt auf klatschende Weiber, die beim Stricken Abwesende durchhecheln (siehe Hechel).

Wenn alle Stricke reißen = wenn alle Stränge reißen (siehe Strang).

Jemand aus etwas einen Strick drehen = jemand wegen einer Äußerung oder Tat zu Fall bringen. Es kann der Fallstrick der Vogelstellerei gemeint sein, überzeugender jedoch ist das Bild vom Strick, der für den zum Hängen Verurteilten gedreht wird.

STROH

Strohwitwer: vorübergehend von seiner Frau getrennter Ehemann. – Viel älter als die Bezeichnung « Strohwitwer » ist die « Strohwitwe », im Niederdeutschen auch « Graswitwe » genannt. Der Ausdruck erinnert an die Entjungferung im Freien, entweder im Gras oder auf Stroh. Solche Mädchen durften bei der Hochzeit keinen Myrtenkranz, sondern nur einen Strohkranz tragen und wurden dann die « Strohbraut » genannt. Beispiel für den auffälligen Bedeutungswandel eines Ausdrucks. « Strohwitwer » und « Strohwitwe » werden heute völlig harmlos-humorig gebraucht.

STRUMPF

Sich auf die Strümpfe machen: eilig verschwinden; sich schnell auf den Weg machen. – Da in der Eile keine Zeit zum Schuhanziehen bleibt, läuft man auf den Strümpfen davon. Anders: « Sich auf die Socken machen » (siehe Socke).

STÜCK

Große Stücke auf jemand halten (geben): ihm voll vertrauen; viel von ihm erwarten; ihn hochachten. – Die Redensart stammt aus dem Münzwesen. « Große Stücke » waren früher wertvolle Münzen. Wenn man also etwas Gutes kaufen wollte, mußte man eben « große Stücke darauf geben ».

STUHL

Einem den Stuhl vor die Tür setzen: ihn aus dem Hause weisen; auch kündigen. – Der Stuhl kommt schon im frühgermanischen Recht als wichtiges Symbol für den Besitz vor. Hatte jemand ein Grundstück erworben, so demonstrierte er sein Eigentum, indem er einen dreibeinigen Stuhl auf das Grundstück stellte und sich darauf setzte, um es zu «be-sitzen». Wollte man jemand das Eigentumsrecht nehmen, setzte man ihm den Stuhl vor die Tür!

SÜNDE

Sündenbock sein: für einen anderen unschuldig leiden oder gestraft werden; die Schuld eines anderen auf sich nehmen; der Prügelknabe sein (siehe dies). – Das Bild ist dem Alten Testament entlehnt. In biblischer Zeit entsühnte am Versöhnungstage (hebräisch Jom Kippur) der Hohepriester das Heiligtum, das Volk und sich selbst. Dabei wurden ihm zwei Böcke übergeben, von denen der eine als Schlachtopfer für den Herrn bestimmt war, während dem anderen symbolisch die Sünden des Volkes auferlegt wurden (Sündenbock).

Ein langes Sündenregister hat ein Mensch, der viel «auf dem Kerbholz hat» (siehe Kerbholz). Musikalisch bezeugt in der berühmten Registerarie des Leporello in Wolfgang Amadeus Mozarts Oper «Don Juan». Hier hat der Diener Leporello das umfangreiche Sündenregister seines Gebieters Don Juan, das heißt die Liste der von diesem verführten Mädchen und Frauen, angelegt, um sie warnend jenen Damen vor Augen zu halten, die gerade im Begriffe sind, dem Herzensbrecher zu verfallen.

Nach mittelalterlicher Vorstellung schrieb der Teufel alle Sünden des Menschen auf eine Kuhhaut (siehe dies), um sie ihm in seiner Todesstunde vorzuhalten. Die St.-Georgs-Kirche auf der Insel Reichenau im Bodensee besitzt eine Darstellung aus dem 14. Jh., auf der vier Teufel eine Kuhhaut halten, die ein fünfter bekritzelt. Dieser fünfte notiert die Sünden zweier Weiber, die in der Nähe klatschen, so sagt die Inschrift. Vielleicht kommt der Teufel zu dem Ergebnis: *Das geht auf keine Kuhhaut!*

T

TAFEL

Die Tafel aufheben: das Mahl beenden. – Bei den Germanen bestand der Tisch aus einem Gestell, auf dem eine Platte ruhte. Zum Mahl wurde die Platte mit den Gerichten hereingetragen und auf das Gestell gesetzt. Nach dem Essen wurde die Platte wieder fortgetragen, so daß die Redensart «die Tafel aufheben» wörtlich zu verstehen ist.

TAMTAM s. TRARA

TANTALUS

Tantalusqualen erleiden: von unerfüllter Sehnsucht oder ungestillter Begierde gepeinigt werden. – Nach der griechischen Sage mußte der phrygische König Tantalus zur Strafe für seine begangenen Frevel in der Unterwelt bis zum Kinn im Wasser stehen. Über ihm wuchsen Früchte. Wollte er vom Wasser trinken, so entwich es; wollte er nach den Früchten greifen, so blies der Wind sie fort.

TAPET

Etwas aufs Tapet bringen: es zur Sprache bringen. – Tapet, dasselbe wie Tapete (englisch tapestry), ist ursprünglich der Wandteppich, später der grüne Bezug der Tische in den Sitzungszimmern. So erklärt sich die Redensart *«etwas vom grünen Tisch her* bestimmen».

Wer also etwas auf die Tischdecke, den Tischbezug legt, macht es so sichtbar, daß darüber gesprochen werden muß. Seit dem 17. Jh. bezeugt. In Schillers «Räuber» (I, 27): «Wie wär's, wenn wir Juden würden und das Königreich wieder aufs Tapet brächten.»

TARANTEL

Wie von der Tarantel gestochen: jäh, plötzlich, wie von einem heftigen Schmerz besessen, hochfahren oder umherrennen. — Der Biß der zur Wolfsspinnenart gehörenden, in Erdhöhlen lebenden Tarantel ist zwar schmerzhaft, aber ungefährlich. Sie hat ihren Namen nach dem süditalienischen Tarent (Apulien), wo sie auch vorkommt. Im Mittelalter glaubte man, der Tarantelstich verursache veitstanzähnliche Zuckungen. Nach dieser Spinne heißt auch der neapolitanische Volkstanz «Tarantella», bei dem die Tänzer springen, «wie von der Tarantel gestochen».

TASSEN

Nicht alle Tassen im Schrank haben: nicht ganz bei Verstand, nicht ganz bei Trost sein (siehe Trost). — Die Wendung ist ein humorvoller Hehlausdruck für «nicht alle Sinne haben», wobei der Nachdruck auf *«nicht alle haben»* liegt. Das andere ist Beiwerk. Ebenso: *«Nicht alle Windeln in der Kommode haben.»* Im Volksglauben machen die gesunden fünf Sinne den gesamten Verstand aus. Wenn etwas daran fehlt, so «hat er sie nicht alle» (!). Seit 1940. Von dem Schauspieler Heinrich George geprägt.

TECHTELMECHTEL

Techtelmechtel: Liebelei, Liaison, Flirt. — Österreichische Redensart, ursprünglich aus dem Italienischen: tecomeco, das heißt «mit dir — mit mir», soviel wie geheimes Einverständnis, *«unter vier Augen»*.

TEPPICH

Auf dem Teppich bleiben: sich anständig benehmen. — Der Lümmel im Frack benimmt sich immer besser als der in Hemdsärmeln *(hemdsärmeliges Benehmen!)*. So veranlaßt auch der weiche oder gar kostbare Teppich die Menschen, sich gesitteter zu verhalten als auf Stein- oder Holzboden. Auch das glattgebohnerte Parkett zwingt zur Vorsicht, daher: *er weiß sich auf dem Parkett zu bewegen.*

TEUFEL

Den Teufel an die Wand malen: so lange von ihm reden, bis er kommt! — Nach altem Aberglauben erscheinen Dämonen, böse Geister oder Teufel durch Aufzeichnen oder bloßen Anruf. Deshalb soll man ihre Namen besser nicht nennen oder aufmalen. Um ihr Kommen zu verhüten, bedient man sich der Abwehrformel: *unberufen!* Der Gegensatz dazu: *auf Teufel komm 'raus!* = sehr stark. Er lügt auf Teufel komm 'raus! Das heißt, er lügt ohne Rücksicht darauf, daß der zitierte Teufel auch erscheinen wird.

Den Teufel durch Beelzebub austreiben = ein Übel durch ein größeres ersetzen; statt ein Mißgeschick zu verhindern, es noch vergrößern. — Dem Neuen Testament entlehnt, in Matth. 12, 27: «So ich aber die Teufel durch Beelzebub austreibe, durch wen treiben sie eure Kinder aus? Darum werden sie eure Richter sein.» Beelzebub (hebräisch) = der oberste Teufel.

Scher dich zum Teufel: siehe scheren.

TINTE

In der Tinte sitzen: sich in der Klemme, in der Patsche befinden. Schon 1520 bei Geiler v. Kaisersberg: «Du bist voller sünd ... du steckst mitten in der tincten.»

Du hast wohl Tinte gesoffen = du bist wohl ganz und gar verrückt! In diesem Sinne bei Gottfried Keller

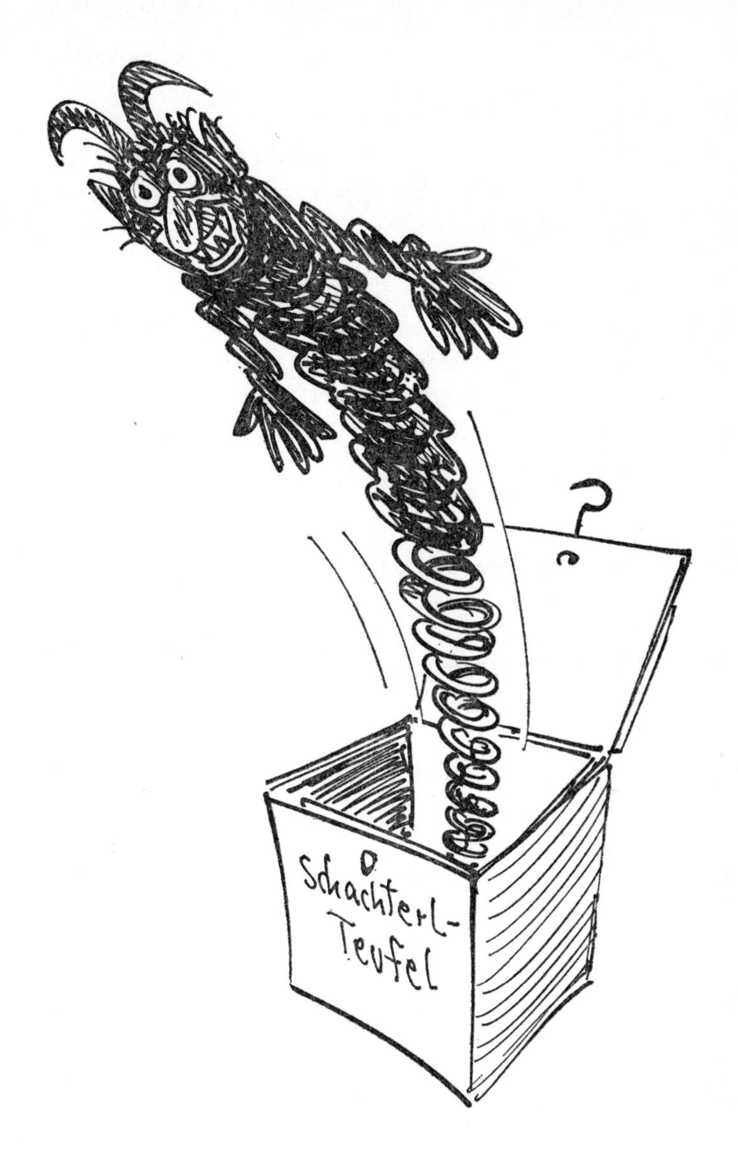

Auf Teufel komm 'raus ...

in «Mißbrauchten Liebesbriefen»: «O du Erznarr! Du mußt Tinte gesoffen haben, daß du ein solches Weiblein kannst fahren lassen!»

TIPPTOPP

Tipptopp: hochfein, tadellos. – Wörtlich aus dem Englischen tiptop.

TISCHTUCH

Das Tischtuch zerschneiden: die Freundschaft aufkündigen; eine Gemeinschaft auflösen. – Nach einem alten Rechtsbrauch unserer Vorfahren, bei der Ehescheidung das Tischtuch zu zerschneiden, das die Ehegatten anfassen mußten. Jeder behielt das Stück, das er in der Hand hatte. Für Edelleute war es im Mittelalter eine der härtesten Ehrenstrafen, wenn ihnen das Tischtuch zerschnitten und sie damit aus der Gemeinschaft ausgestoßen wurden. Einen solchen Fall erzählt Ludwig Uhland vom Grafen Eberhard dem Greiner, als dessen Sohn Ulrich 1377 die Schlacht bei Reutlingen verloren hatte: «Dem Vater gegenüber sitzt Ulrich an dem Tisch, er schlägt die Augen nieder; man bringt ihm Wein und Fisch; da faßt der Greis ein Messer und spricht kein Wort dabei und schneidet zwischen ihnen das Tafeltuch entzwei.»

TOAST

Einen Toast auf jemand ausbringen: einen Trinkspruch halten. – Nach einer englischen Tischsitte, bei der eine geröstete Brotschnitte (englisch: toast!) demjenigen ins Glas getan wurde, der einen Trinkspruch auf jemand ausbringen sollte.

TOPF

Alles in einen Topf werfen: alles miteinander vermengen, ohne die Eigenart des einzelnen zu berücksichtigen. – Schon im 16. Jh. üblich. Siehe auch Leisten und Kamm.

TOR

Kurz vor Torschluß: im letzten Augenblick. – Erinnert an die bis ins 19. Jh. geübte Gepflogenheit, die Stadttore abends zu schließen. Wer nicht rechtzeitig kam, mußte im Freien übernachten. Daher: *Torschlußpanik* einer Frau, die fürchtet, keinen Mann mehr zu bekommen.

TRAB

Jemand auf den Trab bringen: ihn antreiben, zurechtweisen, ausschelten, maßregeln. – Aus der Kavallerie. Eigentlich das Pferd «zum Traben bringen». Da es dabei nicht immer ohne Peitsche und Sporen abging, liegt der Sinn der Wendung auf der Hand.

TRAN

Im Tran sein: verschlafen, verdöst sein; auch betrunken sein (norddeutsch). – Eine mit Tran gespeiste Lampe brennt nur schwach und trübe, daher der Ausdruck. Auch im Westfälischen bedeutet «Tran» «Tropfen Alkohol». Wer «im Tran ist», bewegt sich langsam; sein Gehirn ist getrübt. Bei Heinrich Heine finden wir: «Hat er einen Groschen in der Tasche, so hat er für zwei Groschen Durst, und wenn er im Tran ist, hält er den Himmel für ein blaues Kamisol und weint wie eine Dachtraufe.»

TRAUFE s. REGEN

TRARA

Ein großes Trara um etwas machen: viel Aufhebens (siehe dies) machen; Aufsehen erregen; viel Lärm um nichts. – «Trara» ist ein vom Klang des Posthorns abgeleitetes Schallwort. Ähnlich *Tamtam,* der in der deutschen Kolonialzeit um die Jahrhundertwende von afrikanischen Eingeborenen übernommene Ausdruck für deren Trommel und andere Schlagzeuge.

Tamtam machen heißt ebenfalls Lärm, Umstände machen. Dazu das Marinewort «Rabatz» = Lärm, Radau, auch Betrieb. Steigerung *Rabatz im Kettenkasten* für den ohrenbetäubenden Lärm, den die Ankerketten verursachen. Im übertragenen Sinne für «laute Auseinandersetzung», aber auch für «turbulentes Fest» gebraucht.

TREPPE

Treppenwitz: treffende Entgegnung, die einem erst nachträglich beim Weggehen, auf der Treppe einfällt. – Wie häufig ärgert es den Menschen, daß ihm nicht sofort, während einer Unterredung, der richtige Einfall gekommen ist. Die Wendung ist schon alt, wurde aber wieder volkstümlich durch W. Lewis Hertslet, der 1882 sein Buch «Treppenwitz der Weltgeschichte» herausgab, in dem er sagt: «Der Geschichte fällt, gerade wie dem von der Audienz herunterkommenden Bittsteller, ein pikantes, gerade passendes Wort fast immer hinterher ein.»

TRETEN

In der Tretmühle leben: sich im ewigen Einerlei abrackern und schuften. – In der Tretmühle tritt man auf der Stelle, ohne den Erfolg seiner Anstrengung zu merken, während sich das Rad ständig dreht.

TROST

Nicht recht bei Troste sein: nicht bei Sinnen, bei Verstand sein. – In dieser Redensart hat Trost noch die mittelhochdeutsche Bedeutung von Zuversicht, Hoffnung. Sie müßte also lauten: du hast wohl keine Hoffnung mehr, und daher benimmst du dich so bejammernswert.

TÜR

Mit der Tür ins Haus fallen: etwas unvorbereitet vorbringen; ohne Umschweife, plump aufs Ziel losgehen. — Das Bild erinnert an einen Menschen, der, anstatt ruhig die Tür zu öffnen und dann einzutreten, die Tür aus den Angeln reißt und mit ihr ins Haus fällt. Seit dem 16. Jh. bezeugt. 1639 schreibt Lehmann in «Ungeschicklichkeit 1»: «Der ungeschickt fällt mit der Tür ins Hauß, ist auß der Plumpardey ...»

Mit der Tür ins Haus ...

Offene Türen einrennen = einen erledigten Fall zur Sprache bringen.

Zwischen Tür und Angel = in einer bedrängten Lage, in der Klemme; aber auch «in Eile». Bezieht sich auf die Situation eines Menschen, der zwischen zwei Möglichkeiten eingekeilt ist, ohne zu wissen, welche er ergreifen soll. Es kann aber auch eine Unterhaltung zwischen Tür und Angel kurz vor dem Gehen gemeint sein. Schon seit dem 14. Jh. bezeugt.

Die Tür von außen zumachen = sich entfernen.

Du kriegst die Tür nicht zu! Burschikoser Ausdruck der Verwunderung und des Staunens seit 1930.

TÜRKE

Einen Türken bauen: hinters Licht führen; etwas vorspiegeln; aus dem Stegreif etwas erfinden; etwas so stellen, als ob es echt wäre; es dem Original gleichtun, um Eindruck zu machen. – Besonders in Kreisen des Rundfunks, des Films und der Presse verbreitet: der gestellte Partner (das Double) statt des echten im Interview oder die gestellten Filmszenen statt der Dokumentation! Die Wendung stammt aus der Kaiserlichen Marine. Als 1895 Kaiser Wilhelm II. den nach ihm benannten Kaiser-Wilhelm-Kanal (heute Nordostseekanal), eine der wichtigsten Weltseeverkehrsstraßen, einweihte, trafen sich im Kieler Hafen Kriegsschiffe aller seefahrenden Nationen. Der Kaiser hatte aus diesem Anlaß zu einem Galadiner auf dem Flottenflaggschiff SMS «Deutschland» eingeladen. Jedes Boot, das den Vertreter eines Staates an Bord der «Deutschland» brachte, führte die entsprechende Nationalflagge. Sobald ein hoher Würdenträger seinen Fuß auf das oberste Fallreeppodest setzte, präsentierte die Sicherheitswache, und die Marinekapelle spielte die Nationalhymne des betreffenden Landes. Als plötzlich ein Boot mit der roten türkischen Halbmondflagge anrauschte, stellte der Kapellmeister bestürzt fest, daß weder die Noten der türkischen Nationalhymne vorhanden waren noch einer seiner Musiker diese kannte. Als dann die türkischen Seeoffiziere mit Fez und Halsorden das Fallreep heraufstiegen, intonierte die Marinekapelle kurz entschlossen: «Guter Mond, du gehst so stille durch die Abendwolken hin.» So wurde der erste Türke gebaut.

TZ

Bis zum TZ: bis zum Ende. — Die Redensart stammt von alten Kinderfibeln, in denen das ABC nicht mit dem Z, sondern mit dem TZ schloß. Wer bis zum TZ gelernt hatte, beherrschte das Alphabet auswendig bis zum Ende.

U

ÜBER

Jemand überfahren: ihn übervorteilen; ihn übergehen, an die Wand drücken. — Aus der Kraftfahrersprache.

Jemand überführen: ihm seine Schuld nachweisen. — Die Wendung aus dem mittelalterlichen Recht hieß ursprünglich nicht « er wurde überführt », sondern « er wurde vorübergeführt ». Es war nämlich Brauch, daß Mordverdächtige an der Bahre des Erschlagenen vorübergeführt wurden, wobei sie den Leichnam dreimal berühren mußten. Blutete der Tote dann, so galt der Verdächtige als « überführt ». So wurde in der Nibelungensage auch Hagens Verbrechen an Siegfried bewiesen.

UNBEKANNT

Der große Unbekannte: ist die geheimnisvolle, niemals zu ermittelnde Person, der die Schuld für alle Verbrechen aufgebürdet wird und die seit Menschengedenken in den Gerichtsverhandlungen aller Völker herumgeistert.

Die Redensart ist dem Bibelwort aus der Apostelgeschichte 17, 22 entlehnt: «Paulus aber stand mitten auf dem Gerichtsplatz und sprach: Ihr Männer von Athen, ich sehe, daß ihr in allen Stücken gar sehr die Götter fürchtet. Ich bin herdurchgegangen und habe gesehen eure Gottesdienste und fand einen Altar, darauf war geschrieben: Dem unbekannten Gott.»

UNBERUFEN s. HALS u. TEUFEL

UNBESCHOLTEN

Unbescholten sein: einen guten Ruf haben. – Wenn man im Mittelalter jemand Verachtung, Abscheu und Haß ausdrücken wollte, ließ man einen sogenannten «Scheltbrief» mit den Vorwürfen öffentlich anschlagen. Die angegriffene Person war dann «bescholten», solange sie sich nicht im ordentlichen Rechtsverfahren rechtfertigte. braucht. – Heute wird der Ausdruck meistens nur noch negativ gebraucht.

UNKE

Unken: ein schlechtes Ende prophezeien; eine Sache miesmachen; ein Unglück voraussagen; schwarzsehen. – Die Unke oder Kröte (aus der Familie der Froschlurche) galt früher als böser Geist, dem ein schädlicher Einfluß auf Haus und Familie nachgesagt wurde.

V

VA BANQUE

Va banque spielen: alles auf eine Karte setzen; leichtfertig auf gefährliche Wagnisse in meist verzweifelter Lage eingehen. – Aus der Sprache der Glücksspieler: Im Bakkarat setzt der Spieler die ganze Summe, die der Bankhalter im Spiel hat, gegen die Bank.

Die Unke

VERÄPPELN

Jemand veräppeln: ihn zum besten haben; ihn verspotten, verulken. — Die Wendung hat nichts mit Äpfeln oder « Äppeln » zu tun. Das Wort kommt vom jiddischen eppel = nichts. Wenn man jemand « veräppelt », will man ihn zunichte machen. In diesem Sinne auch ein französisches Sprichwort: « Die Lächerlichkeit tötet in Frankreich sicherer als jede Waffe. »

VERBALLHORNEN

Eine Sache verballhornen: sie entstellt wiedergeben; ein geistiges Erzeugnis durch willkürliche Änderung abwerten. — Die Redensart geht auf den Lübecker Buchdrucker Johann Ballhorn (1528—1603) zurück, der die ihm anvertrauten Manuskripte eigenmächtig änderte oder sie mit unsinnigen Zusätzen versah — also das tat, was man heute «verschlimmbessern» nennt. Auf die Titelseiten seiner Druckerzeugnisse pflegte er dazu noch die Worte zu setzen: «Vermehrt und verbessert durch Johann Ballhorn.»

VERFLUCHT

Verflucht und zugenäht: Diese viel gebrauchte Redensart ist der Strophenschluß eines alten Studentenliedes, der lautet: «Und da fast täglich, wie zum Hohn, ihm Knopf um Knopf abgeht, so hat er seinen Hosenlatz — verflucht und zugenäht!»

VERGLEICH HINKT s. PFERD

VERHASPELN

Sich verhaspeln: sich beim Reden verwirren. — Von der Haspel hergeleitet, einer Winde, von der das Garn abgespult wird. Dabei kann es passieren, daß sich die Fäden verwirren.

VERBEISSEN

Sich in etwas verbeißen: sich verkehrterweise stur auf etwas festlegen. — Aus der Jägersprache: der Hund verbeißt sich manchmal so stark in das Wild, daß ihn der Jäger schwer davon trennen kann. Der Ausdruck *«verbissen»* etwas verfolgen oder *mit verbissenem Groll* kommt jedoch vom «auf die Lippen beißen», um den Schmerz zu unterdrücken.

VERFRANZEN

Sich verfranzen: sich verirren. — Fliegersprache. «Franz» wurde im Ersten Weltkrieg der Beobachter eines

Verknallt . . .

Flugzeugs genannt. Der Pilot hieß « Emil ». Hatte sich « Emil » verflogen, weil ihm « Franz » als Beobachter einen falschen Kurs angegeben hatte, so hatte sich die Maschine verfranzt.

VERKNACKEN

Einen verknacken: ihn verurteilen, bestrafen. — Geht auf eine altgermanische Wurzel zurück, in der « knikken » = entmachten (« er ist geknickt ») und auch das englische to knock over = zusammenschlagen enthalten sind. Hingegen stammt der Ausdruck *Knast* = Gefängnis und *schwerer Knast* = Zuchthaus (Kerker) vom jiddischen Knas für Strafe.

VERKNALLEN

Sich in ein Mädchen verknallen: sich in ein Mädchen verlieben. — « Verknallt sein » ist das gleiche wie « verschossen sein ». Es muß eigentlich heißen « geschossen » oder « angeschossen sein » — nämlich vom Liebespfeil Amors. Das « Knallen », das gleichzeitig die Schnelligkeit, mit der die Liebe kommt, kennzeichnet, ergab sich später mit dem Aufkommen der Feuerwaffen von selbst.

VERSCHÜTTEN

Verschüttgehen: verlorengehen, verschwinden; verderben. — Entstanden aus dem niederdeutschen « schütten » = einsperren. Ausgerissenes oder streunendes Vieh durfte in Norddeutschland vom Flurschütz verschüttet, das heißt eingesperrt, unter Umständen sogar gepfändet und versteigert werden. Was « verschüttging », war weg.

VERZETTELN

Sich verzetteln: planlos arbeiten; die Kräfte nicht auf ein Ziel richten, sondern zwecklos vergeuden, nicht bei der Sache bleiben. — Das Wort kommt aus dem mittelhochdeutschen zetten = verstreuen.

Etwas anzetteln = zu einem Streik, einer Intrige, einem Komplott, einer Rebellion anstiften. Auch hier handelt es sich um dieselbe Wurzel. Der Ausdruck kommt aus dem Weberhandwerk. «Anzetteln» heißt hier den Aufzug eines Gewebes machen, mit dem das Weben beginnt (über die ganze Breite «verstreute» Fäden!).

VOGEL

Einen Vogel haben: nicht bei Verstande, hirnverbrannt sein. – Nach altem Volksglauben waren Geistesgestörte nicht nur behext, in manchen Fällen nisteten Vögel in ihrem Kopf. Daher: *bei dir piept's wohl!* (siehe Pfeife). *Er hat Spatzen (Vögel) unterm Hut* (siehe Hut).

Den Vogel abschießen = die beste Leistung erzielen; obenauf sein; den wertvollsten Teil bekommen. – Aus der Schützensprache vom Vogelschießen hergeleitet, in dem der Schützenkönig den Rest des Vogels, der als Scheibe dient, auf einmal herunterschießt.

Für vogelfrei erklären: einen für schutzlos erklären; verrufen; ausstoßen. – Die schwerste Strafe bei unseren Vorfahren war die «Friedloserklärung». Mit ihr war der Mensch aus seiner Gemeinschaft ausgestoßen. Jeder hatte das Recht, ihn zu töten. Die Schicksalsformel lautete: «Er ist dem Vogel in der Luft, den wilden Tieren im Walde, den Fischen im Wasser zum Fraße freigegeben.» «Vogelfrei» war auch der Leichnam des Geächteten. «Den Vögeln war es erlaubt«, ihn zu fressen. Dazu ein Ausspruch des «Hauptmanns von Köpenick». Im Oktober 1906 leistete sich der Schuhmacher Wilhelm Voigt seine Köpenickiade. Mit einigen auf der Straße angehaltenen Soldaten verhaftete er in Hauptmannsuniform im Rathaus zu Köpenick den Bürgermeister und beschlagnahmte die Stadtkasse. Da er während seiner Gefängniszeit aus aller Welt Sympathiekundgebungen und Geschenke erhalten hatte, so sprach er, nach einem Gnadenerweis des Kaisers aus der Strafanstalt Tegel entlassen, auf eine Walze des Edisonschen

Phonographen die Worte: «Ich danke allen, die an mich gedacht haben. Ich bin jetzt frei — hoffe aber, niemals mehr vogelfrei zu werden!»

VORTEIL

Seinen Vorteil wahren: auf seinen Gewinn bedacht sein. — Aus der Kriegersprache. Nach der Schlacht wurde von der Kriegsbeute für den Feldherrn und seine Unterführer ein Teil «vorweg» genommen. Das war der «Vorteil», der der allgemeinen Aufteilung vorauszugehen hatte.

VORSICHT

Vorsicht ist die Mutter der Porzellankiste: eine humorvolle Berliner Umformung der alten Wendung: «Vorsicht ist die Mutter der Weisheit.» — Wenn die Vorsicht die Mutter der Porzellankiste ist, wer aber war der Vater? Man weiß es nicht. Also ist auch die Vorsicht einmal unvorsichtig gewesen!

W

WALD

Den Wald vor lauter Bäumen nicht sehen: unmittelbar vor einer gesuchten Sache stehen, ohne das zu erkennen; sich durch Nebensachen den Blick für das Wesentliche trüben lassen. — Die Redensart ist schon beim römischen Dichter Ovid (43 v. Chr. — 17 n. Chr.) bezeugt. Goethe schreibt in seinen «Materialien zur Geschichte der Farbenlehre»: «Man sieht lauter Licht, keinen Schatten, vor lauter Hellung keinen Körper, den Wald nicht vor Bäumen; die Menschheit nicht vor Menschen.»

Nicht für einen Wald voll Affen = um keinen Preis; nimmermehr. — Humorvolle Übertreibung, für die eine Anekdote des Berliner Kaufmannes Albert Klinkmüller herhalten muß. Als dieser um die Jahrhundertwende nach längerem Aufenthalt in Afrika in die Heimat zurückkehrte, erzählte er seinen Stammtischbrüdern, er habe es im Schwarzen Erdteil zu Ansehen und solchem Wohlstand gebracht, daß ihm drüben nicht nur eine große Kaffeeplantage, sondern sogar ein Wald voll Affen gehört habe. Als im Laufe der weiteren Unterhaltung ein Zechkumpan seinen Nachbarn bat, ihm doch seine goldene Uhr für einen guten Preis zu verkaufen, wies der Angesprochene den Bittsteller mit dem Ausruf ab: « Das ist ein altes Erbstück! Nicht für einen Wald voll Affen! » So wuchsen unserer Redensart die Flügel.

WALZE

Auf der Walze sein: sich auf der Wanderschaft befinden (vom Handwerksburschen). — Ursprung ist das althochdeutsche walzan, das sich drehen oder fortbewegen heißt. Daher auch *Walzer*. Die *Walze* der Drehorgel hat bei der Wendung « immer dieselbe Walze » = « immer die alte Leier » Pate gestanden.

WASCHEN

Dumm aus der Wäsche gucken: leer ausgehen, das Nachsehen haben und daher einfältig dreinschauen. — (Siehe auch Mond.) Im Zweiten Weltkrieg aufgekommen. *Ein Kerl, der sich gewaschen hat* = ein tüchtiger Mensch.

Das ungewaschene Maul ist ein Lästermaul. *Ein waschechter Berliner* ist ein unverfälschter Berliner. *Seine Hände in Unschuld waschen:* siehe Hand.

Schmutzige Wäsche wäscht man besser zu Hause und nicht in aller Öffentlichkeit. Das heißt im übertragenen Sinne, daß man private Angelegenheiten peinlicher Natur unter sich ausmachen sollte.

WANDALISMUS

Hausen wie die Wandalen: in blinder Zerstörungswut selbst Kostbarkeiten vernichten; alles kurz und klein schlagen. — In der Zeit der Völkerwanderung waren die von König Geiserich angeführten germanischen Wandalen eine im spätrömischen Reich gefürchtete Macht. Henri Grégoire, Bischof von Blois (1750—1831), prägte in einem Bericht an den Konvent das Schlagwort vom « Wandalismus » für angebliche Verwüstungen von Kunstwerken, deren er die Wandalen bei einer vorübergehenden Besetzung Roms unter Geiserich beschuldigte. Im italienischen Strafrecht gibt es heute noch einen Paragraphen gegen den « Wandalismus ». Erst Julius Miedel wies 1905 in seiner Abhandlung « Vandalismus — Eine Ehrenrettung » nach, daß sich die Wandalen nicht ungesitteter als andere ehrenwerte Krieger der Weltgeschichte benommen haben. Sie waren besser als ihr Ruf (siehe Casanova und Xanthippe!). Es gibt jedenfalls keine Beweise für eine Zerstörungswut, die ihren schlimmen Leumund rechtfertigten.

WASSER

Mit allen Wassern gewaschen: gerieben, listig, verschlagen, mit allen Hunden gehetzt. — Bezieht sich auf den welterfahrenen und weitgereisten Seemann, der in den Wassern aller Ozeane gebadet und sich gewaschen hat.

Vom reinsten Wasser = unverfälscht, ganz echt. Seit dem 16. Jh. Fachausdruck der Edelsteinhändler. Es gibt entsprechend ihrer Qualität (Lupenreinheit) Diamanten « vom ersten Wasser », « vom zweiten Wasser » und so fort. In übertragenem Sinne Jean Paul (« Leben Fibels », 1812): « Wir besitzen Dichter vom ersten Wasser, vom zweiten, vom dritten. » 1848 wurde die Redensart politisches Schlagwort als « Demokrat vom reinsten Wasser ».

Einem nicht das Wasser reichen können = tief unter einem stehen. — Spielt auf die Zeiten an, als man noch nicht mit der Gabel aß und die Diener nach dem Essen Wasser zum Händewaschen herumreichten wie heute als Fingerschalen noch nach Obst. An Fürstenhöfen mußten Edelknaben (heute: Pagen) die Waschschüsseln den hohen Gästen kniend darbieten. Die Wendung meint

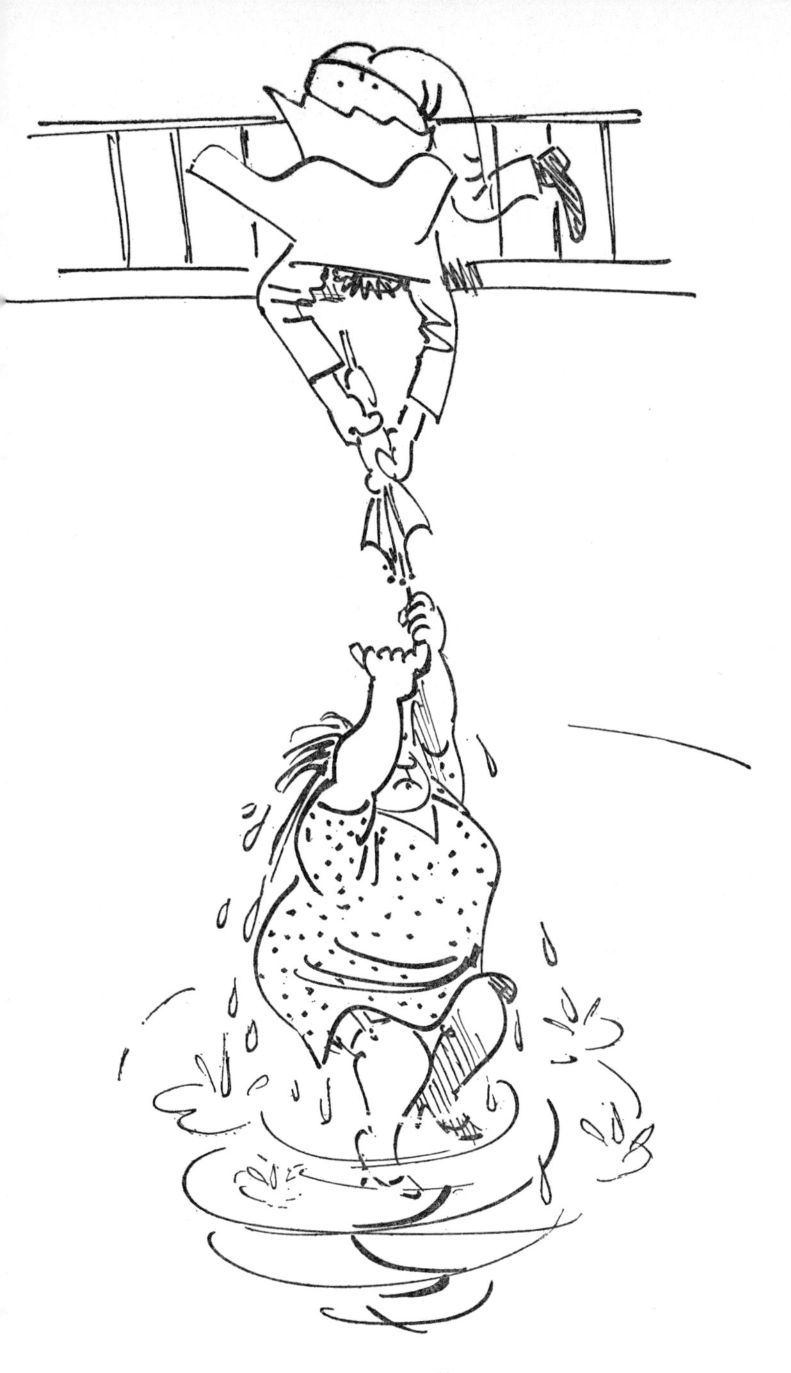

Ins Wasser gefallen . . .

also, daß einer nicht wert sei, einem diesen niedrigen Dienst zu erweisen. Symbolische Anwendung des Ausdrucks seit dem 16. Jh. Siehe auch in Goethes «Faust» (I) die Worte Valentins: «Aber ist eine im ganzen Land, die meiner trauten Gretel gleicht, die meiner Schwester das Wasser reicht?»

Aussehen, als wenn man kein Wässerchen trüben könnte = unschuldvoll, harmlos aussehen, obwohl man es faustdick hinter den Ohren hat. — Wurzelt in der Fabel des Äsop (6. Jh. v. Chr.) vom Wolf, der das Lamm frißt, weil es ihm angeblich das Wasser getrübt habe, obwohl es am unteren Lauf des Baches getrunken hatte, während der Wolf oben stand.

Jemand das Wasser abgraben = jemand die Existenz vernichten, das Geschäft verderben. Wird der Bach, der die Mühle treibt, abgeleitet oder doch ein wesentlicher Teil des Wassers durch Abgraben entzogen, so ist das der Ruin der Mühle. Das Gegenteil: *das ist Wasser auf die Mühle* = das kommt ihm gelegen. Bekommt die Mühle vermehrt Wasser, so arbeitet sie besser.

Ein Schlag ins Wasser = wirkungsloses, vergebliches Tun, ein Mißerfolg, denn das Wasser läuft ja immer wieder zusammen. *Einen über Wasser halten* (auch: sich) = jemand in der Not helfen, damit er nicht untergehe. Vom Schwimmer, der sich selbst über Wasser hält oder einen anderen, um ihn zu retten.

Ins Wasser fallen = mißlingen; nicht verwirklicht werden; ausfallen — wie ein Gegenstand, der unwiederbringlich ins Wasser fällt.

Wasser in den Wein gießen = die Begeisterung abschwächen. In «Sprichwörtlich» sagt Goethe: «In des Weinstocks herrliche Gaben gießt ihr mir schlechtes Gewässer! Ich soll immer unrecht haben und weiß es besser.» *Wer nahe ans Wasser gebaut hat*, neigt rasch zum Weinen. *Bis dahin fließt noch viel Wasser den Rhein herunter* = es vergeht noch viel Zeit, bis das Erwartete eintritt. Schon

1507 bezeugt. Der Zeitbegriff wird durch den ewigen Strom des Flusses deutlich veranschaulicht. Je nach der Landschaft wechselt in der Redensart der Fluß.

Auch da wird mit Wasser gekocht = auch da hat man keine bessere Arbeitsweise; auch da ist nichts Ungewöhnliches zu erwarten; es geht überall natürlich zu. *Wasser in die See tragen* (siehe Eule). *Das Wasser steht ihm bis zum Hals* (siehe Messer).

WEG

Einen Weg einschlagen: in einer bestimmten Richtung wandern. – Die Wendung spielt auf alte Zeiten an, in denen erst Bäume und Sträucher niedergeschlagen werden mußten, um sich einen Weg zu bahnen.

Etwas zuwege bringen = etwas fertigbringen. Eigentlich: eine Sache zu dem Weg bringen, auf dem sie fehlt.

WEIS

Jemand etwas weismachen: ihm etwas aufbinden, einreden; das Falsche als richtig erzählen. – Bedeutet wörtlich «weise, wissend machen», in Kenntnis setzen. Später ins Ironische abgewandelt. 1594 bei H. J. v. Braunschweig: «Ich wil meiner Frauen (der Ehebrecherin) weis machen, ich wil verreisen.»

WEISHEIT s. LÖFFEL

WEIT

Das ist nicht weit her: das taugt nicht viel, das ist nichts Besonderes; unbedeutend, minderwertig. – Wurzelt in der schon von Grimmelshausen (1673) im «Teutschen Michel» verspotteten und angeprangerten deutschen Sucht, «das Einheimische zu mißachten und das Fremde zu überschätzen». – Markus 6,4: «Ein Prophet gilt nirgend weniger denn im Vaterland und daheim bei den Seinen.»

WESTE

Eine weiße Weste haben: untadelig, anständig, gut beleumundet sein. — Von Bismarck geprägt und öfter gebraucht; zu Moltke (1866): «Wir haben bisher keinen Flecken auf der weißen Weste.»

WICKEN s. BRUCH u. BINSEN

WINKEL

Winkelzüge machen: nicht geradeheraus reden; Ausflüchte, Ausreden, Vorwände machen. — Wer den Stift an das Winkelmaß anlegt, weicht von der geraden Linie ab. Anhänger Bismarcks, die «Getreuen von Jever» in Oldenburg, sandten dem Kanzler jedes Jahr zu seinem Geburtstag am 1. April die von ihm hochgeschätzten Kiebitzeier. Als die Kiebitze eines Jahres erst Mitte April legten, schickten die Getreuen die Eier mit dem plattdeutschen Vers: «De Kiewitt lewt de Winkeltög just wie de Diplomaten, drum hett he uns in diesem Johr allwedder luern laten.»

WIPPCHEN

Mach keine Wippchen: mache keine Ausflüchte, flunkere mir nichts vor, mache keine Fisimatenten (siehe dies). — Hat sich vom niederdeutschen «Wippken» = Sprung (des Seiltänzers, Gauklers) über Seitensprung zur Lüge entwickelt. Ähnlich «Kapriolen» = Bocksprünge, wunderlicher Einfall.

WOLF

Mit den Wölfen muß man heulen: ist eine bereits in spätmittelhochdeutscher Zeit bezeugte Wendung zur Entschuldigung, daß man sich in Wort und Tat nach einer schlechten Gesellschaft gerichtet hat. Gleiche Wendung auch im Russischen. — Ludwig Körner, Präsident des Deutschen Bühnenklubs Berlin, reimt: «Mit den Wölfen muß man heulen, eine alte Weisheit spricht, aber mit dem Schwein zu grunzen braucht man drum noch lange nicht!»

Ein Wolf in Schafskleidern ist ein Scheinheiliger nach Matthäus 7, 15: «Sehet euch vor vor den falschen Propheten, die in Schafskleidern zu euch kommen; inwendig aber sind sie reißende Wölfe.» Bei Burkard Waldis (16. Jh.) heißt es im «Verlorenen Sohn»: «Wan der wulf wil roven (rauben) gan, so tuet he schapes kleder an.»

WOLKE s. KORB

WOLLE

In der Wolle gefärbt sein: echt, gerade, treu, unverfälscht sein. – Wird schon die Wolle gefärbt, so hält die Farbe länger, als wenn man das fertige Gewebe färbt.

In die Wolle geraten = sich ereifern, streiten, zornig werden. «Wolle» ersetzt hier scherzhaft «Haare». Ähnlich also: «in die Haare geraten», «in den Haaren liegen» (siehe Haar).

WUNDER

Sein blaues Wunder erleben: peinlich überrascht sein; eine unangenehme Erfahrung machen. – Leitet sich wie der «blaue Dunst» (siehe Dunst) von dem Zauberkünstler ab, der vor Ausführung seiner Tricks berauschende blaue Dämpfe erzeugt, um seine Zuschauer zu benebeln und ihre Sinne zu täuschen.

WURM

Die Würmer aus der Nase ziehen: jemand durch geschickte Fragen seine Geheimnisse entlocken. – Den Aberglauben, daß Würmer Krankheit erregende Dämonen seien, machten sich Kurpfuscher des 17. und 18. Jh. zunutze, indem sie auf Jahrmärkten behaupteten, Schwermütige dadurch heilen zu können, daß sie ihnen die Würmer durch die Nase aus dem Gehirn zögen. Im übertragenen Sinne auch von Frosch in Auerbachs Keller

Würmer aus der Nase ...

(« Faust » I) gebraucht, als Faust und Mephisto durch ihr Erscheinen die Neugier der Studenten erregen: « Laßt mich nur gehn! Bei einem vollen Glase zieh' ich, wie einen Kinderzahn, den Burschen leicht die Würmer aus der Nase. »

Es wurmt mich = es beunruhigt, ärgert und quält mich wie der Wurm im Leibe.

Da ist der Wurm drin! = das ist zum Scheitern verurteilt; das muß schiefgehen; das haut nicht hin. — Wurmstichiges Obst zerfällt und ist ungenießbar. Gemeint ist aber auch der Holzwurm im morschen Gebälk des Hauses (s. Haussegen). Die feine Arbeit jener Legionen von Holzwürmern, die das Innere des Balkenwerks in Holzmehl verwandeln, ist nur im mitternächtlich stillen Hause vernehmbar und kündet die kommende Katastrophe an. Daher: « Der Totenwurm pickt! » oder: « Die Totenuhr tickt! »

WURST

Das ist mir Wurst: das ist mir gleichgültig; das interessiert mich nicht. — Ähnlich wie *« das ist Jacke wie Hose »* = das ist eins wie das andere. Da die beiden Enden der Wurst völlig gleich sind, so ist es egal, welches Ende der Wurst man anschneidet. Der Ausruf: *Wurst wider Wurst!* heißt: Gleiches mit Gleichem vergelten. Ursprünglich gar nicht so böse gemeint, denn die Redensart kommt von der Sitte, sich beim Schlachtfest gegenseitig mit Würsten, Fett und Fleisch zu beschenken (siehe: « Fett abbekommen ») — ein Brauch, der sich noch aus der frühgermanischen Zeit der Opfergemeinschaften erhalten hat.

Mit der Wurst nach der Speckseite werfen: durch eine kleine Gefälligkeit einen größeren Vorteil einzuhandeln suchen. — J. Gotthelf erzählt im « Bauernspiegel » (1837) von einem gerissenen Bauern: « Er wußte wie keiner Würste nach Speckseiten zu werfen, und selten mißlang ihm ein Wurf. » Fritz Reuter reimt plattdeutsch: « He smitt mit de Pink (Wurst) na de Schink. » Diese anschauliche, seit dem Mittelalter bekannte Wendung erklärt sich so: In den Bauernhäusern hingen früher die geräucherten Schinken, Würste und Speckseiten Stück neben Stück an Haken an der Decke, so hoch, daß man sie nur mit einer langen Stange herunterholen konnte. Die jungen Burschen, denen der Bauer beim Schlachtfest nur eine Wurst geschenkt hatte, machten sich nun einen Spaß daraus, mit der Wurst nach dem Schinken oder der Speckseite zu werfen und so zu treffen, daß sie sich vom Haken löste und herunterkam. Daß sie nicht wieder hinaufgehängt wurde, versteht sich.

X

Jemand ein X für ein U machen: ihn betrügen. — Das Zeichen X ist sowohl Buchstabe X als auch Zahl zehn. Das Zeichen U wurde früher wie V geschrieben und be=

deutet zugleich die Zahl fünf. Wenn ein Gläubiger ein X aus einem V machte, indem er die Striche verlängerte, betrog er seinen Schuldner, denn er machte aus der 5 eine 10!

XANTHIPPE

Xanthippe: ein unverträgliches, zänkisches, streitsüchtiges Weib. — Gattin des griechischen Philosophen Sokrates (470—399 v. Chr.), die zu Unrecht zum Inbegriff des launenhaften, zänkischen Weibes wurde. Trotz Lessings Rechtfertigungsversuch (1747) gilt sie heute noch als Typ der unverträglichen, rechthaberischen Frau (ähnlich falsche Ansichten über »Casanova« und die »Wandalen», siehe dies).

Y

YPERN

Aussehen wie der Tod von Ypern: totenblaß, elend und krank aussehen. — Die in Deutschland, Flandern und Holland gebräuchliche Wendung spielt auf den schauervollen Anblick einer Figur des Todes an, die zur Erinnerung an die Pest in der Hauptkirche von Ypern (Belgien) aufgestellt wurde. Varianten dieser Redensart sind: *aussehen wie der Tod von Basel* oder *das Leiden Christi.* Ältere niederländische Redensart: «. . . *wie der Bleikedoot (bleiche Tod) von Haarlem.*»

Z

ZACK

Auf Zack sein: tüchtig, schlagfertig, auf Draht (siehe dies) sein. — Das lautmalende «Zack» steht symbolisch für die schnelle Bewegung wie der Blitz, der im Zickzack einschlägt. Stammt vom Militär, bei dem auf schnelle, exakte Ausführung der Dienstobliegenheiten, auf «Zackigkeit», großer Wert gelegt wird. So entwickelte sich zackig dort zu «hervorragend».

ZAHN

Einem auf den Zahn fühlen: ihn unauffällig, schnell und gründlich auf seine Kenntnisse und Fähigkeiten prü=fen. — Bezeugt seit 1700. Stammt wahrscheinlich vom Pferdehandel. Um einen alten Gaul als halb so alt loszu=schlagen, fütterte man Tage vorher nur Hafer und mischte der Tränke Arsen bei, um das Fell glänzend und die Augen feurig zu machen. Ein gewiegter Pferdekenner fiel aber darauf nicht herein. Er *fühlte* nämlich dem Gaul einfach *auf den Zahn.* Da spürt der geübte Finger den Grad der Abnutzung auf den Kauflächen der Mahlzähne und stellt so das Alter fest. Dieses Merkmal ist untrüglich, selbst wenn der Zahn gefeilt ist (auch das machte man!). Daher auch das Sprichwort: « Einem geschenkten Gaul sieht man nicht ins Maul! » (Siehe auch *heraus.)*

Der Zahn der Zeit, der alles zernagt und zerfrißt, ist bereits bei den alten Griechen (z. B. Simonides von Keos) und Römern bekannt.

Durch die Zähne ziehen = durchhecheln, sich ab=fällig äußern (siehe Hechel). *Haare auf den Zähnen haben* (siehe Haar).

ZANK

Der Zankapfel sein: den Gegenstand des Streites bilden. — Die Wendung geht auf die griechische Sage von Paris zurück, der im Streit der Göttinnen Hera, Athene und Aphrodite zum Schiedsrichter über ihre Schönheit er=wählt wurde. Indem er den als Preis für die Schönste be=stimmten Apfel der Aphrodite reichte, wurde dieser zum « Zankapfel » im *Paris=Urteil.*

ZAPFEN

Bis zum Zapfenstreich müssen die Soldaten wieder in der Kaserne sein. — Diese ausschließlich im mili=tärischen Sinne gebrauchte Wendung stammt von Wallen=

Der Zankapfel

stein (1583–1634), der seinen Marketendern befahl, ihren Ausschank zu einer bestimmten Stunde einzustellen. Der Zapfen wurde dann mit einem Schlag (Streich, siehe dies) ins Faß geschlagen und über Faß und Zapfen ein Kreide=strich gezogen, um prüfen zu können, ob das Faß etwa über Nacht unbefugt geöffnet worden war. Beim *Großen Zapfenstreich* wirken Fackelträger und Musikkorps mit.

Über den Zapfen hauen = den Urlaub über=schreiten.

ZAUN

Etwas vom Zaun brechen: einen Streit, einen Krieg unverhofft, unberechtigt und mutwillig entfesseln. – Schon seit 1500 bezeugt. Spielt auf den Landstreicher an, der unerwartet eine Latte vom Zaun bricht, um jemand zu überfallen. v. Kaisersberg (1500): «Sie brechen ein ursach vom zaun.»

Mit dem Zaunpfahl winken = allzu deutlich auf etwas anspielen; etwas grob und plump zu verstehen geben. Auch hier wieder das Bild des Vagabunden, der, um eine milde Gabe bettelnd, unmißverständlich drohend den abgebrochenen Zaunpfahl zeigt. Dabei ist «winken» natürlich ironisch gemeint. Der mittelhochdeutsche Epiker des 13. Jh., Ulrich von Türheim, sagt in «Willehalm»: «Im wirt gewinket mit der stangen.»

ZEICHEN

Er ist seines Zeichens ... wird heute noch gesagt, wenn wir vom Beruf einer Person sprechen. – Wurzelt in alten Zunftbräuchen. Wandernde Gesellen, die sich in einer Herberge trafen, malten auf den Tisch vor ihrem Platz ihr Gesellenzeichen und legten den Hut darauf. Wenn nun der Altgeselle als Vorsitzender die Tafelrunde mit feierlichem Handwerksgruß geehrt hatte, ließ er einen Bierstiefel herumgehen. Jeder, der beim Umtrunk an der Reihe war, hob seinen Hut auf, worauf der Altgeselle ihn mit den Worten vorstellte: «Das ist ... Er ist seines Zeichens Zimmermann (oder Maurer, Seiler, Brauer, Schmied und so fort).»

ZEIT

Das Zeitliche segnen: sterben. – Der Segnende ist nicht der Sterbende, sondern Gott. Eine seit dem 17. Jh. bezeugte Wendung, die von dem Brauch ausging, die «Zeitlichkeit», das ist die irdische Welt, in der Sterbestunde von Gott segnen zu lassen: «Nun sieht mich kein

Mensch nimmermehr, Gott gesegn euch alle, wo ihr seyt!» (In Jakob Ayrers Drama «Melusine» — 1620.)

ZEITUNGSENTE s. ENTE

ZEUG

Einem etwas am Zeuge flicken: ihm etwas anhaben; ihm schaden; ihm Vorwürfe machen. — Eigentlich die des Flickens bedürftige, schadhafte Stelle am Zeug herausfinden und tadeln. Eine Erklärung findet sich schon 1771 im «Bremisch-Niedersächsischen Wörterbuch», Bd. 5: «Enem wat an dem Tüge flikken: einem Ungelegenheit machen, Verdruß und Händel erwecken, sich an einem reiben.» Gottfried Aug. Bürger (1785) in «Der Kaiser und der Abt»: «Der Kaiser will mir gern am Zeug was flicken.»

Das Zeug zu etwas haben = die notwendigen Voraussetzungen für eine Aufgabe haben. Zeug ist eine militärische Bezeichnung, wie sie im «Feldzeugmeister» oder «Zeughaus» wiederkehrt und «Ausrüstung» meint. So auch: *das Rüstzeug für etwas mitbringen.* Aber auch im zivilen Leben bedeutet es wie bei «Handwerkszeug» allgemein Gerät. Die Redensart stammt wahrscheinlich aus der Landsknechtssprache: der Landsknecht mußte seine Waffen selber stellen, «das Zeug haben».

Sich ins Zeug legen = sich für etwas einsetzen; große Anstrengungen machen; ins Geschirr gehen. — Zeug bedeutet hier das Geschirr der Zugtiere, wie auch in *was das Zeug hält* = aus Leibeskräften. Literarisch bei Lessing (1778) in «Eine Parabel» bezeugt: «Schreiben Sie, Herr Pastor, und lassen Sie schreiben, so viel das Zeug halten will: ich schreibe auch.» *Scharf ins Zeug gehen* = scharf, rücksichtslos vorgehen. *Zeugs* = verächtlich für Sache, Gegenstand.

ZIGARRE

Jemand eine Zigarre verpassen: eine Rüge, einen Verweis erteilen; ihm Vorhaltungen machen. — In der deutschen Kaiserlichen Marine leitete der Kommandant seinen Rüffel an einen jüngeren Offizier damit ein, daß er ihm zuerst eine Zigarre anbot. Verließ der Offizier nach dem Anpfiff die Kommandantenkajüte mit einer brennenden Zigarre, wußte jeder an Bord, was « die Glocke geschlagen hatte ».

ZIVIL

Zivilcourage: der Mut, sich im bürgerlichen Leben für die eigene Überzeugung einzusetzen. — Von Bismarck geprägt, der 1864 zu seinem engsten Freunde Robert v. Keudell sagte: « Mut auf dem Schlachtfelde ist bei uns Gemeingut, aber Sie werden nicht selten finden, daß es ganz achtbaren Leuten an Zivilcourage fehlt. » (R. v. Keudell « Fürst und Fürstin Bismarck », 1901.)

ZUG

In den letzten Zügen liegen: im Sterben liegen. — Hier sind nicht die letzten Atemzüge des Sterbenden gemeint. Luther gebraucht die Wendung noch ohne den Zusatz « letzt »: « In den Zügen liegen. » Der Sterbende *zieht davon,* daher kommt der Ausdruck. Das Gegenteil: *das Leben in vollen Zügen genießen,* geht auf den Zug beim Trinken zurück, bedeutet « das Leben genießerisch bis zum letzten auskosten » — gelegentlich ironisch auf das überfüllte Eisenbahnabteil angewendet.

Der Zug durch die Gemeinde = nacheinander viele Gasthäuser besuchen.

ZWEIG

Auf keinen grünen Zweig kommen: es im Leben zu nichts bringen, kein Glück haben. — Die Redensart spielt auf einen alten deutschen Rechtsbrauch an. Hatte jemand ein Grundstück erworben, überreichte ihm der Vorbesitzer bei der Übergabe eine kleine Rasenscholle mit eingestecktem grünem Zweig. Wer also arm und besitzlos blieb, kam nie auf einen grünen Zweig!

ZWIETRACHT

Zwietracht säen: Unfrieden stiften. – Der griechische Sagenheld Jason, Führer der Argonauten, säte auf Kolchis Drachenzähne, aus denen grimmige, sich bekämpfende Männer emporwuchsen.

ZWITSCHERN

Einen zwitschern: einen trinken. – Eine alte Trinkersitte ist, den feuchten Korken am Flaschenhals oder -leib zu reiben, ehe man den Schnaps aus der Flasche trinkt. Das geht besonders gut an den flachen, kleinen Flaschen, die man in der Tasche trägt. Der Ton, den man dann hört, wird prägnant mit «zwitschern» getroffen. So kann man wirklich «einen» (Schluck) «zwitschern»!

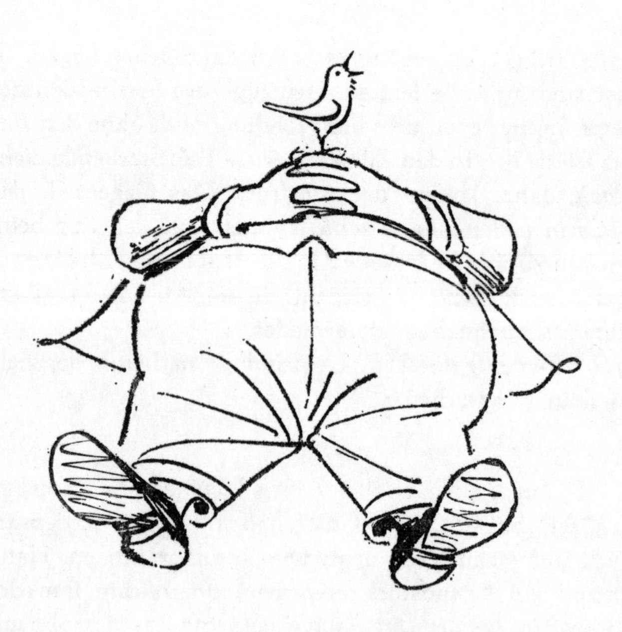

Einen zwitschern

SPITZBUBENLATEIN AUS DEM JAHRE 1900
(auch *Gaunersprache* oder *Rotwelsch genannt)*

Diebesbrief

Lieber Collex, an den ich Naches!

Daß ich letzten Kiesow= und Mooskuppen=Masematten mit Sore, Tandel und masse Porum treefe verschütt geworden; durch Flammertip von Balmischpeet gebumst. Ein leffer Ganneiwe aber kein Maure. Als Schien beileile geglitscht kam Pachulka mit Achelputz ließ Deele auf, ich türmte Khan Palmer vorbei und masel toof bevor Jomschmiere kam und koffscher. Paloppen, Greiferei, ganze Polente in Dampf. Aber Kies und Lappen ins Kraut kabohrt tippelte bei jom und beileile nach N., wo ich den kessen Paddenklauer P. der in D. im Näck schewwenete. An Kober L. gimmel Männchen, keine geputzten, weil er Flebbe, Obermann und Stenz gab; L. nicht kess, noch witsch. Zwei Jahre rowitschen und dann zu Dir nach B. zum Flattern, habe Naches an mein Collex.

Grüße Kalle und vergiß nicht

Deinen M. (josche gut)

(Aus Ernst Rabben: Die Gaunersprache, Hamm in Westfalen, 1906. Durch freundliche Vermittlung des Bundeskriminalamtes Wiesbaden)

Übersetzung

Lieber Kollege, an dem ich Freude habe!

Daß ich bei dem letzten Silber- und Geldschrankdiebstahl mitsamt dem Diebesgut, Schlüsseln und Schrankzeug abgefaßt und festgenommen worden bin, ist Dir bekannt. Durch einen Lichttropfen auf meinem Stiefel hat mich der Untersuchungsrichter überführt. Ein herzhafter Dieb hat aber keine Angst. Als der Aufseher des Nachts zuletzt revidiert hatte, kam bald der Kalfaktor mit dem Essen und ließ die Zellentür und das Tor offen; ich flüchtete im günstigen Augenblick aus dem Gefängnis an der Schildwache vorbei und kam zum Glück frei, bevor der Tagesaufseher eingetroffen war. Schutzmänner, Kriminalisten und die ganze Polizei werden in großer Erregung gewesen sein, hatte aber ein wenig Kleingeld sowie einige Hundertmarkscheine in meinem Kopfhaar untergebracht und marschierte bei Tage und bei Nacht bis nach N., wo ich mit dem gerissenen Taschendieb P., der in D. in der Nebenzelle saß, zusammengetroffen bin. Gib dem Schankwirt der Verbrecherkneipe L. drei Taler, aber echte, weil er mir Papiere, Hut und Stock besorgte; L. ist nicht ganz verschwiegen! Nun will ich zwei Jahre lang redlich arbeiten und komme dann wieder zu Dir nach B. — zum Wäschestehlen —, denn ich habe große Freude an meinem lieben Kollegen.

Grüße meine Liebste und vergiß nicht

Deinen M. (schlafe gut!)

MARINEDEUTSCH AUS DEM JAHRE 1930

Kameradenbrief

Mein lieber Jörn!

Gestern nachmittag liefen wir mit unserem Salutdampfer in Schlicktau ein. Unter Seitepfeifen ging unser Kommodore in elegantem Rippenbezug, mit blanken Kolbenringen und großer Backspier an Land. An der Stelling war eine Wuhling, und um ein Haar hätte er den Oberverdachtschöpfer gerammt. Das war das Signal, um mit Olaf zu einem Marinefangessen im Rüstringer Villenviertel auszulaufen. Als unsere Elbkähne Kurs auf das Eingangsschott nahmen, öffnete uns eine seute Deern — Ilse, Tochter des Hauses, ein prima Steuerbordmädchen! Der Hausherr verschaffte uns durch einige kühle Blonde, die wie Salatöl das Hauptlenzrohr hinunterliefen, und etliche Wellenbrecher die nötige Vo. Unseren netten Antennenakrobaten Christian, der in Schlickazien wohnt, durch das Verulkungsbändsel heranzulotsen, mißlang.

Heute, Sonntag, ist endlich Ruhe! Nach Backen und Banken dampft der Kaffee in der Pauline; der Schmutt hat mal wieder die Bohnen hindurchgeschossen! Aber nach dem frugalen Mahl einer Kaiser=Wilhelm=Gedächtnissuppe, der Außenbordskameraden mit Bootsmannsmaatenobst und Jadeschlamm schmeckt auch die Karpfenteichbrühe, wenn man noch ab und zu einen Schluck aus der Laterne für Innenbeleuchtung nimmt. Der Knösel knistert, alles schreibt, palavert, spinnt Garn, liest in des Teufels Gebetbuch oder spielt Schach und wartet nur noch auf die Befehle « Pfeifen und Lunten aus! » und « Ruhe im Schiff! ». Dann wollen wir wieder beide Augen auf Null stellen und uns der Röcheldetrie hingeben, denn das « Reise! Reise! » kommt immer zu früh!

Herzlich Dein Erwin

Übersetzung

Mein lieber Jörn!

Gestern nachmittag liefen wir mit unserem Kreuzer in Wilhelmshaven ein. Mit der seemännischen Ehrenbezeigung ging unser Kommandant, der zur Zeit Admiralsdienste tut, in elegantem Rock, mit blanken Ärmelstreifen und großer Ordensschnalle an Land. Am Laufsteg war ein Gewühle, und um ein Haar hätte er den Kriegsgerichtsrat über den Haufen gerannt. Das war das Signal, um mit Olaf zu einem Essen im Rüstringer Villenviertel zu gehen, bei dem Mariner als Schwiegersöhne gekapert werden sollen. Als wir die Haustür erreichten, öffnete uns eine süße Maid — Ilse, Tochter des Hauses, ein Mädchen zum Heiraten! Der Hausherr verschaffte uns durch einige kühle, helle Biere, die wie Salatöl die Gurgel hinunterliefen, und etliche harte Schnäpse die nötige « Vau=Null » (= Anfangsgeschwindigkeit). Unseren netten Funker Christian, der in Wilhelmshaven wohnt, telefonisch heranzuholen, mißlang. Heute, Sonntag, ist endlich Ruhe! Nach dem Essen dampft der Kaffee in der Kanne; der Koch hat mal wieder die Kaffeebohnen hindurchgeschossen! Aber nach dem spärlichen Mahl einer dünnen Suppe, der Heringe mit Zwiebeln und Kartoffelbrei schmeckt auch der Blümchenkaffee, wenn man noch ab und zu einen Schluck aus der Schnapsflasche nimmt. Die Pfeife knistert, alles schreibt, plaudert, schneidet auf, spielt Karten oder Schach und wartet nur noch auf die Befehle « Pfeifen und offene Lichter aus! » und « Ruhe im Schiff! ». Dann wollen wir wieder schlafen und uns dem Schnarchen hingeben, denn das Wecken (reise = to rise, aufstehen) kommt immer zu früh!

Herzlich Dein Erwin

TEENAGERJARGON AUS DEM JAHRE 1960

Liebesbrief

Geliebte Dorothea! Einzige Klammer!

Ich schreibe Dir heute vom Stall aus, um Dir eine spitze Schaffe mitzuteilen, obwohl mich mein brüderlicher Tastenhengst unentwegt stört. Du kennst ihn doch: der mit dem auffallenden Pennerkissen und der stumpfen Schramme Anny als Brieze, ein typischer Fall von bescheuertem Eckzahn!
Du sollst es wissen, liebe steile Haut, daß ich jetzt eine Zentralschaffe im Fernsehen als Beleuchter bekommen habe, so daß die Kohlen endlich stimmen, und ich die Miete nicht mehr scharf zu sein brauche. Nun wird keiner mehr an mir herummotzen! Morgen lasse ich mir eine Koreapeitsche machen und kaufe mir kanische Röhren! Die erste Rate für den flinken Hirsch ist bezahlt. Du bekommst neue Kutten. Setz' die Schlägerpfanne auf! Und hinaus geht's ins Grüne in die dufte Gammeltimpe, wo Gichtstengel, Pfann und Schießbude unsere Verlobungsmusik spielen! Dort werden wir ein Faß aufmachen; sehen, was läuft und ein Rohr nach dem anderen anbrechen. Du, süße Edelschaffe, wirst mit Deinem schauen Laufwerk, das so viel Ankratz hat, mit mir einen hinrocken mit Überhebe und Anschmeiße, daß meine Neider vom Feuerstuhle fallen! Und wenn ein Zickendraht meine reizende Wuchtbrumme zu scharf beäugt, dann kann ich ihn fix mit einem harten Brando bedienen.
Abends sehen wir uns noch den letzten Heuler an, und danach werde ich Dir bei Superscheibe und Lulle den goldenen Ring aufstecken!

Du bist leider sehr dufte, mein bedienter Zahn!
Küß mich, denn darauf stehe ich!

Dein Macker Billy

Übersetzung

Geliebte Dorothea! Einzige Freundin!

Ich schreibe Dir heute von zu Hause, um Dir eine großartige Sache mitzuteilen, obwohl mich mein Bruder, der Pianist, unentwegt stört. Du kennst ihn doch: der mit dem auffallend langen Haarschnitt, der die besonders dumme Gans Anny als feste Freundin hat, ein typischer Fall von blödem Mauerblümchen!
Du sollst es wissen, liebes, flottes Mädchen, daß ich jetzt eine prima Stellung beim Fernsehen als Beleuchter bekommen habe, so daß meine Finanzen endlich in Ordnung sind und ich die Miete nicht mehr schuldig bleibe. Nun wird keiner mehr an mir herummäkeln! Morgen lasse ich mir einen Bürstenhaarschnitt machen und kaufe mir amerikanische Röhrenhosen! Die erste Rate für das Motorrad ist bezahlt. Du bekommst neue Kleider. Setz den Sturzhelm auf! Und hinaus geht's ins Grüne in das gemütliche Lokal, wo Klarinette, Banjo und Schlagzeug unsere Verlobungsmusik spielen! Dort werden wir froh und ausgelassen sein; zuschauen, daß alles klargeht und eine Flasche nach der anderen aufmachen. Du, süßes, patentes Kind, wirst mit Deinen schönen Beinen, die so viel Zuspruch haben, mit mir einen Rock-n-Roll mit Luftsprung und Tuchfühlung hinlegen, daß meine Neider vom Motorrad fallen! Und wenn ein Spießbürger mein hübsches, nettes Mädchen zu scharf ansieht, kann ich ihn schnell mit einem Kinnhaken bedienen.
Abends schauen wir uns noch einen ausgezeichneten Film an, und danach werde ich Dir bei schöner Schallplattenmusik und einer Zigarette den goldenen Ring aufstecken!

Du bist ganz große Klasse, Mädchen mit Sex-Appeal!
Küß mich, denn das liebe ich!

Dein Freund Billy

ZU GUTER LETZT

(siehe LETZT)

Wie ich dazu kam

Sie fing eigentlich schon in der Sexta an: diese abenteuerliche Wanderung durch das Gestrüpp unserer unerklärbaren Redensarten! Damals jedenfalls schienen sie für mich undurchsichtig und geheimnisvoll wie die Nebelschwaden unserer heimatlichen Deiche und unergründlich wie die Nordsee selbst. Da hatte jemand erzählt, direkt vor unserem Hafen sei ein Schiff um ein Haar mit Mann und Maus untergegangen. Was hatten denn Haar und Mäuse an Bord zu tun? Und beinahe wäre unser Dienstmädchen Alma mit ertrunken, hätte sie nicht ein Matrose gerettet, mit dem sie schon lange ein Techtelmechtel verband! — *Was* hatte sie mit dem Matrosen? Ein Techtelmechtel? Das mußte ja eine schlimme Sache sein!

Ein Freund berichtete mir unter dem Siegel der Verschwiegenheit, über der Villa unseres Nachbarn schwebe der Pleitegeier. Wie kam der Geier an unsere Küste? Ich habe jeden Morgen heimlich aus dem Dachfenster geschaut und diesen unübersehbaren großen Vogel nicht entdecken können! Außerdem behauptete mein Freund, in einem Geschäft unserer Stadt gebe es einen Prügelknaben, der immer den Sündenbock spielen müsse. Was war das für ein grausam-lustiges Spiel? Und wie war das mit dem Amtsschimmel, dem ich so gerne Zucker bringen wollte?! Aber der Pförtner vom Finanzamt hat mich grob hinausgeworfen, als hätte ich etwas Böses ausgefressen!

Und dann kam unser Vater nach Hause und sagte, der Kommandant seines Linienschiffes habe dem inspizierenden Admiral einen tollen Türken gebaut. «Warum findest du das nicht komisch?» fragte er mich. «Erstens, weil ich nicht geahnt habe, daß man Türken bauen kann.

Zweitens, weil ich nicht weiß, wie man Türken baut. Drittens, weil ich die zweite Scheibe in dieser Woche zertrümmert habe!» war die Antwort. «Deine Zerstörungswut geht ja wirklich auf keine Kuhhaut!» herrschte mich mein Vater an. «Und was hat die Kuhhaut mit den Scheiben zu tun?» forschte ich arglos. «Siehst du, das frage ich mich auch!» erwiderte der alte Herr zu meiner Verblüffung.

Ermutigt jagte ich den phantasievollen Wendungen nach: «Und warum ist die reizende Irene das schwarze Schaf ihrer Familie, obwohl sie blond ist, und ihr Vater ein weißer Rabe seiner Zunft, obgleich er schwarze Haare hat?»

«Du hast recht, mein Junge, von heute ab werden wir den Dingen auf den Grund gehen!»

Und von dem Tage an sammelte ich Redensarten wie andere Buben Schmetterlinge oder Briefmarken, leicht verständliche und unfaßbare, lustige und traurige, alberne und ernste, frivole und fromme!

An den Universitäten Berlin, München, Leipzig, Marburg, Göttingen zogen mich die Werke Savignys und seines Schülers Jacob Grimm, des genialen Sammlers und Deuters der deutschen Rechtssprache und der «Poesie des Rechts», und das gewaltige Unternehmen des Deutschen Wörterbuches der Brüder Grimm in ihren Bann. Reisen im deutschen Vaterlande halfen den Sprachschatz vertiefen, Besuche im nahen und fernen Ausland verführten immer wieder zu fruchtbaren Vergleichen mit den Redensarten anderer Völker. Aber je mehr ich hörte und las, desto unlösbarer erschien mir die Aufgabe, dieses stürmische Meer von Wissen und Vermutungen zu bändigen. Erst mein verlegerischer Poseidon mit dem Dreizack Fleiß, Sorgfalt und Zeitnot brachte mich dazu, im fünften Jahrzehnt meines Lebens dieses bescheidene Büchlein auf dem Altar der fröhlichen Wissenschaft demütig niederzulegen!

K. K-L.

LITERATUR

Adelung, Joh. Christoph: Versuch eines vollständigen grammatisch-kritischen Wörterbuches der hochdeutschen Mundarten, Leipzig 1793—1801.

Agricola, Joh.: 300 gemeyner Sprichwörter, der wir Deutschen uns gebrauchen, Hagenau 1529.

Bebel, Heinrich: Proverbia Germanica, Leiden 1879.

Benecke, Joachim Heinrich: Wörterbuch der Deutschen Sprache, Braunschweig 1807—1811.

Die Bibel nach der deutschen Übersetzung von D. Martin Luther, Stuttgart, privil. Württembergische Bibelanstalt.

Bismarck, Otto Fürst von: Die politischen Reden, Stuttgart 1892 bis 1925, Herausgeber H. Kohl.

Bismarck, Otto Fürst von: Gedanken und Erinnerungen, Band 1—3, Cottasche Buchhandlung, 1919 und 1921, Stuttgart, Berlin.

Borchardt — Wustmann: Die sprichwörtlichen Redensarten im deutschen Volksmund, F. A. Brockhaus, Leipzig 1925.

Brant, Sebastian: Narrenschiff, herausgegeben von Zarncke, Leipzig 1854.

Der Große Brockhaus, 16. Auflage, F. A. Brockhaus, Wiesbaden 1954.

Brummküsel, Hannes: 1000 Worte Marinedeutsch, Verlag Lohses Nachf., Wilhelmshaven 1933.

Büchmann, Georg: Geflügelte Worte, Verlag Praktisches Wissen, Berlin W 1952.

Campe, Joachim Heinrich: Wörterbuch der deutschen Sprache, Braunschweig 1807—1811.

Dornseiff, Franz: Der deutsche Wortschatz nach Sachgruppen, de Gruyter, Berlin 1954.

Der Große Duden, Rechtschreibung der deutschen Sprache, Bibliographisches Institut, Mannheim 1958.

Eiffe, Peter Ernst: Splissen und Knoten, Heiteres aus der Kriegsmarine, Klotz-Verlag, Magdeburg 1940.

Eiffe, Peter Ernst, Fregattenkapitän: Seemannsgarn, Heitere Marinegeschichten, Klotz-Verlag, Magdeburg 1943.

Franck, Sebastian: Sprichwörter, schöne, weise ... lugreden und Hofsprüche, Frankfurt/Main 1541.

Grimm, Jacob und Wilhelm: DWB, Deutsches Wörterbuch, Leipzig 1854.

Grimm, Jacob: Sammlungen von Weistümern, 1840—1863, fortgesetzt v. R. Schröder 1868—1878.

Grimm, Jacob: Deutsche Rechtsaltertümer, Göttingen 1899.
Hoefer, Edmund: Wie das Volk spricht, Verlag Krabbe, Stuttgart 1859.
Kluge, Friedrich: Etymologisches Wörterbuch der deutschen Sprache, Berlin, Leipzig 1924.
Kolmarer Handschrift, Meisterlieder, Herausgeber Karl Bartsch, Stuttgart 1862.
Künssberg, E. von: Deutsche Bauernweistümer 1926.
Küpper, Heinz: Wörterbuch der deutschen Umgangssprache, Claassen Verlag, Hamburg 1956.
Lexikon für Theologie und Kirche, von Bischof Dr. Michael Buchberger, Verlag Herder, Freiburg/Br. 1933.
Liliencron, Rochus von: Die historischen Volkslieder der Deutschen vom 13. bis 16. Jh., Leipzig 1865—1869.
Murner, Thomas: Schelmenzunft, herausgegeben von E. Matthias, Halle 1890.
Murner, Thomas: Narrenbeschwörung, herausgegeben von M. Spanier, Halle 1894.
Namenlose Sammlung vom Jahre 1532, Herausgeber Latendorf, Pößneck 1876.
Pansner, Lorenz von: Deutsches Schimpfwörterbuch, Verlag Meinhardt, Arnstadt 1839.
Pekrun, Richard: Das Deutsche Wort, Georg Dollheimer Verlag, Leipzig 1933.
Peltzer, Karl: Das treffende Zitat, Ott Verlag, Thun 1957.
Peltzer, Karl: Das treffende Wort, Ott Verlag, Thun 1959.
Puetzfeld, Carl: Jetzt schlägt's dreizehn, Metzner Verlag, Berlin 1937.
Rabben, Ernst: Die Gaunersprache, Breer und Thiemann, Hamm (Westf.) 1906.
Seiler, Friedrich: Sprichwörterkunde, München 1922.
Simplicissimus von H. J. Chr. von Grimmelshausen, Herausgeber A. Keller, Stuttgart 1854—1862.
Thiele, Ernst: Luthers Sprichwörtersammlung, Weimar 1900.
Tunnicius, Antonius: Die älteste deutsche Sprichwörtersammlung, Herausgeber Hoffmann v. Fallersleben, Berlin 1870.
Wasserzieher, Ernst: Woher? Ableitendes Wörterbuch der deutschen Sprache, Dümmlers Verlag, Bonn 1959.
Wehrle, Hugo: Deutscher Wortschatz, Verlag Ernst Klett, Stuttgart 1942.
Zimmerische Chronik, Herausgeber K. A. Barack, Bibliothek des lit. Vereins zu Stuttgart, Band 91—94, Stuttgart 1869.

BITTE SCHENKEN SIE

AUCH DEN

NACHSTEHEND ANGEZEIGTEN

BÜCHERN

IHRE FREUNDLICHE

AUFMERKSAMKEIT